Harper
Collins

Tess Gerritsen

Das Geheimlabor

Roman

Aus dem Amerikanischen von
Rainer Nolden

HarperCollins®
Band 100012
1. Auflage Februar 2016

HarperCollins® Bücher
erscheinen in der HarperCollins Germany GmbH,
Valentinskamp 24, 20354 Hamburg
Geschäftsführer: Thomas Beckmann

Titel der nordamerikanischen Originalausgabe:
Whistleblower
Copyright © 1992 by Terry Gerritsen
erschienen bei: Harlequin Enterprises Ltd., Toronto

Published by arrangement with
Harlequin Enterprises II B.V./S.ár.l

Konzeption/Reihengestaltung: fredebold&partner GmbH, Köln
Umschlaggestaltung: pecher und soiron, Köln
Redaktion: Thorben Buttke
Titelabbildung: Thinkstock/Getty Images, München
Satz: GGP Media GmbH, Pößneck
Druck und Bindearbeiten: GGP Media GmbH, Pößneck
Printed in Germany
Dieses Buch wurde auf FSC®-zertifiziertem Papier gedruckt.
ISBN 978-3-95967-017-3
www.harpercollins.de

PROLOG

Äste peitschten ihm ins Gesicht, und das Herz hämmerte ihm so heftig in der Brust, dass er das Gefühl hatte zu explodieren. Aber er musste weiterlaufen, denn der Mann hinter ihm kam immer näher. Jeden Moment rechnete er damit, dass eine Kugel durch die Dunkelheit flog und ihn im Rücken traf. Vielleicht war es sogar schon geschehen. Vielleicht hinterließ er eine Blutspur. Die Angst hatte ihn vollkommen gefühllos gemacht. Nur ein verzweifelter Überlebenswillen trieb ihn voran.

Eiskalter Winterregen prasselte ihm ins Gesicht und auf die verwelkten Blätter. Orientierungslos stolperte er durch die Nacht und landete bäuchlings im Schlamm. Das Geräusch seines Sturzes war ohrenbetäubend. Sein Verfolger, von den knackenden Ästen auf seine Fährte gelenkt, änderte die Richtung und kam nun direkt auf ihn zugelaufen. Das dumpfe Plopp eines Schalldämpfers und das Zischen einer Kugel, die an seiner Wange vorbeischoss, verrieten ihm, dass er entdeckt worden war. Mühsam rappelte er sich wieder auf, wandte sich nach rechts und lief im Zickzack zurück zur Autobahn. Hier im Wald war er ein toter Mann. Aber wenn er Aufmerksamkeit auf sich lenken und ein Auto anhalten konnte, hatte er vielleicht eine Chance.

Brechende Zweige, ein unterdrückter Fluch. Sein Verfolger war gestürzt. Er hatte ein paar kostbare Sekunden gewonnen. Trotzdem verlangsamte er sein Tempo nicht, obwohl er nur erahnen konnte, wohin er lief. Abgesehen vom schwachen Schimmer der Wolken wies ihm kein Licht den Weg. Weiter vorne *musste* die Straße sein. Jeden Moment würde er den Asphalt unter seinen Sohlen spüren.

Und dann? Wenn kein Auto vorbeifährt, mir keiner zu Hilfe kommt?

Aber dann sah er tatsächlich durch die Bäume zwei kleine Lichtpunkte, die rasch größer wurden.

Mit letzter Kraft hastete er dem Auto entgegen. Seine Lungen brannten, seine Sicht war getrübt von den tief hängenden Zweigen und dem strömenden Regen. Eine zweite Kugel pfiff an ihm vorbei und blieb mit einem hohlen Knall in einem Baumstamm stecken. Aber der Schütze hinter ihm war auf einmal völlig bedeutungslos. Nur diese Scheinwerfer waren wichtig, die durch die Dunkelheit stachen und Rettung versprachen.

Er erschrak, als er den Asphalt unter den Schuhsohlen spürte. Die Lichter zitterten immer noch irgendwo weit hinter den Baumstämmen. Hatte er das Auto verpasst? War es schon um die nächste Kurve gefahren? Nein, die beiden Punkte wurden heller. Der Wagen näherte sich. Er rannte ihm entgegen, folgte der Biegung in dem Bewusstsein, dass er auf freier Straße ein leichtes Ziel war. Seine eigenen Schritte auf dem nassen Asphalt dröhnten ihm in den Ohren. Die Scheinwerfer kamen schwankend näher. In diesem Moment hörte er den dritten Schuss. Er fiel auf die Knie, und wie durch einen dichten Nebel spürte er, dass ihn die Kugel in die Schulter getroffen hatte. Warm floss das Blut über seinen Arm, doch er achtete nicht auf den Schmerz. Er musste sich darauf konzentrieren, seinem Verfolger zu entkommen. Mit letzter Kraft rappelte er sich wieder auf und machte einen Schritt nach vorn ...

... und wurde vom grellen Scheinwerferlicht geblendet. Es war zu spät, um beiseitezuspringen, sogar, um in Panik zu geraten. Reifen quietschten über den Asphalt und spritzten einen Schwall von Regenwasser hoch.

Er spürte den Aufprall nicht. Plötzlich lag er auf dem Rücken. Regen tropfte ihm in den Mund, und ihm war sehr, sehr kalt.

Und er wusste, dass er noch etwas zu tun hatte. Etwas sehr Wichtiges.

Mit letzter Kraft griff er in die Tasche seines Anoraks. Seine Finger umklammerten den kleinen Plastikzylinder. Er konnte sich nicht mehr daran erinnern, warum er so wichtig war, aber er war noch da, und das erfüllte ihn mit Erleichterung. Er schloss ihn fest in seine Hand.

Jemand rief etwas. Eine Frau. Durch den Regen konnte er ihr Gesicht nicht erkennen, aber er hörte ihre Stimme, heiser vor Panik, durch das Brummen in seinem Schädel. Er versuchte zu sprechen, wollte sie warnen vor dem Tod, der irgendwo im Wald lauerte. Doch er brachte nur ein Stöhnen hervor.

1. KAPITEL

Drei Meilen vor Redwood Valley war ein Baum auf die Straße gestürzt. Das Unwetter und ein Stau sorgten dafür, dass Catherine Weaver fast drei Stunden benötigte, ehe Willits hinter ihr lag. Da war es bereits zehn Uhr, und ihr war klar, dass sie Garberville nicht vor Mitternacht erreichen würde. Hoffentlich wartete Sarah nicht die ganze Nacht auf sie. Aber wie sie ihre Freundin kannte, hatte sie noch Essen auf dem Herd stehen und ein Feuer im Kamin lodern. Wie mochte ihr wohl die Schwangerschaft bekommen? Ausgezeichnet bestimmt. Seit Jahren sprach Sarah schon von diesem Baby; lange vor der Befruchtung hatte sie sich bereits für einen Namen entschieden. Sam oder Emma. Dass sie keinen Ehemann mehr hatte, war eher nebensächlich. „Man kann nur eine gewisse Zeit auf den richtigen Vater warten", hatte Sarah erklärt. „Irgendwann muss man die Sache selbst in die Hand nehmen."

Und das hatte sie getan. Während die biologische Uhr immer lauter tickte, war Sarah zu ihr nach San Francisco gefahren und hatte in den Gelben Seiten nach einer Samenbank gesucht. Selbstverständlich eine der liberaleren, in der man Verständnis hatte für die Sehnsüchte einer alleinstehenden Neununddreißigjährigen. Die Befruchtung selbst sei eine rein medizinische Angelegenheit gewesen, hatte sie später erzählt. Rauf auf den Tisch, die Füße in die Halterung gesteckt, und fünf Minuten später war man schwanger. Nun ja, fast. Aber es war eine simple Prozedur; die Spender verfügten alle über ein Gesundheitszeugnis, und das Beste war, dass eine Frau ihre mütterlichen Instinkte ohne dieses ganze Brimborium einer Hochzeit ausleben konnte.

Ach ja, die gute alte Ehe. Sie hatten sie beide durchlitten. Und nach den jeweiligen Scheidungen einfach weitergemacht – wenn auch mit Narben und blauen Flecken auf der Seele.

Wie mutig Sarah ist, dachte Cathy. *Sie hat wenigstens den Mumm, das alleine durchzuziehen.*

Die alte Wut flammte wieder auf – so stark, dass sie ihre Lippen zusammenpresste. Ihrem Exmann Jack konnte sie eine Menge Dinge verzeihen. Seinen Egoismus. Seine herrische Art. Seine Untreue. Aber dass er kein Kind mit ihr haben wollte, würde sie ihm nie vergeben können. Sie hätte sich natürlich über seine Wünsche hinwegsetzen und trotzdem schwanger werden können, aber ihr war es wichtig gewesen, dass er es auch wollte. Während ihrer zehnjährigen Ehe war er allerdings nie „so weit" gewesen, noch war jemals der „richtige Zeitpunkt" gewesen.

Er hätte ihr besser die Wahrheit gesagt: dass er viel zu selbstsüchtig war, um mit einem Baby belastet werden zu wollen.

Ich bin siebenunddreißig, dachte sie. *Ich bin geschieden. Ich habe nicht mal einen festen Freund. Und doch wäre mir das alles egal, wenn ich nur mein eigenes Kind in den Armen halten könnte.*

Zumindest würde Sarah bald Mutter werden.

In vier Monaten sollte das Kind zur Welt kommen. Sarahs Baby. Trotz des nervigen Regens, der unentwegt auf ihre Windschutzscheibe trommelte, musste Cathy lächeln. Obwohl sie die Scheibenwischer auf die höchste Stufe geschaltet hatte, schafften sie die Wassermassen kaum. Die Straße konnte sie nur noch verschwommen erkennen. Beim Blick auf ihre Armbanduhr stellte sie fest, dass es bereits halb zwölf war. Außer ihr war niemand mehr unterwegs. Wenn sie jetzt eine Panne hätte, würde sie die ganze Nacht hier draußen verbringen und zusammengekauert auf dem Rücksitz auf Hilfe warten müssen.

Angestrengt starrte sie in die Dunkelheit hinaus und versuchte, den Mittelstreifen zu erkennen. Doch alles, was sie sah, war eine undurchdringliche Wand aus Wasser. Zu blöd. Sie wäre besser in dem Motel in Willits abgestiegen. Aber die Tatsache, nur noch fünfzig Meilen vom Ziel entfernt zu sein, ließ ihr keine Ruhe, zumal sie schon so weit gefahren war.

Vor ihr tauchte ein Schild auf: *Garberville 10 Meilen*. Sie war also schon näher als gedacht. In fünfundzwanzig Meilen kam die Abzweigung, und dann waren es nur noch fünf Meilen durch einen dichten Wald bis zu Sarahs Holzhaus. Dass sie so nahe war, ließ sie ungeduldig werden. Sie drückte aufs Gaspedal und peitschte ihren alten Datsun auf fünfundvierzig Meilen hoch. Ziemlich riskant, besonders unter diesen Wetterbedingungen, aber der Gedanke an ein warmes Haus und eine heiße Schokolade war zu verführerisch.

Sie hatte nicht mit der Kurve gerechnet. Erschrocken riss sie das Steuer nach rechts. Das Auto geriet ins Schlingern und zog Zickzacklinien über den nassen Asphalt. Sie war geistesgegenwärtig genug, nicht die Bremse durchzutreten. Stattdessen umklammerte sie das Lenkrad und versuchte, die Kontrolle zurückzugewinnen. Dabei rutschte sie ein paar Meter über den unbefestigten Straßenrand. Das Herz hämmerte ihr bis zum Hals. Gerade als sie glaubte, an einem Baum entlangzuschrammen, gerieten die rechten Reifen wieder auf festen Untergrund. Die Tachonadel zeigte immer noch zwanzig Meilen an, aber wenigstens fuhr sie keine Schlangenlinien mehr. Mit klammen Händen bewältigte sie den Rest der Kurve.

Doch was dann geschah, brachte sie vollkommen aus der Fassung. Hatte sie sich gerade noch dazu beglückwünscht, eine Katastrophe vermieden zu haben, starrte sie nun entsetzt durch die Windschutzscheibe.

Der Mann war aus dem Nichts aufgetaucht. Er hockte zusammengekrümmt auf der Straße, erstarrt wie ein wildes Tier im Licht ihrer Scheinwerfer. Reflexartig trat sie auf die Bremse, doch es war bereits zu spät. Das Quietschen der Reifen wurde übertönt von dem dumpfen Schlag, als sie mit der Kühlerhaube gegen den Körper prallte.

Eine Weile lang – es kam ihr wie eine Ewigkeit vor – blieb sie wie erstarrt sitzen, umklammerte das Steuer und starrte durch die Scheibe, auf der die Wischerblätter hektisch hin und her fuhren. Als ihr bewusst wurde, was soeben geschehen war, öffnete sie die Tür und stürzte hinaus in den Regen.

Durch die dichten Schleier konnte sie zunächst gar nichts erkennen – bis auf einen Streifen glänzenden Asphalts im schwachen Schein der Rücklichter. Wo ist er, dachte sie voller Panik. Der Regen verwischte ihren Blick, als sie an der dunklen Straße entlanglief. Plötzlich hörte sie durch das Rauschen des Regens ein leises Stöhnen. Es kam vom Straßenrand nahe der Bäume.

Sie drehte sich um, tauchte ein in den Schatten und versank knöcheltief in weicher Erde und Tannennadeln. Wieder vernahm sie das Stöhnen, näher jetzt, zum Greifen nahe.

„Wo sind Sie?", schrie sie. „Helfen Sie mir, damit ich Sie finden kann."

„Hier …" Die Antwort kam so leise, dass sie sie kaum hören konnte. Aber mehr brauchte sie nicht. Erneut änderte sie die Richtung, und nach ein paar Schritten wäre sie in der Dunkelheit fast über den zusammengekrümmten Körper gestolpert. Zuerst erschien er ihr lediglich wie ein verwirrendes Knäuel aus durchgeweichten Kleidern, doch dann fand sie seine Hand und tastete nach seinem Puls. Er ging schnell, aber gleichmäßig – vermutlich gleichmäßiger als ihr eigener, der wie wild galoppierte. Unvermittelt griffen seine Finger verzweifelt nach ihrer Hand. Beim Versuch hochzukommen, zog er sie näher zu sich.

„Bewegen Sie sich nicht", bat sie. „Bitte."

„K...kann nicht hierbleiben ..."

„Wo sind Sie verletzt?"

„Keine Zeit. Helfen Sie mir. Schnell ..."

„Erst müssen Sie mir sagen, wo Sie verletzt sind."

Er griff nach ihrer Schulter und versuchte mühsam, auf die Füße zu kommen. Zu ihrer Verblüffung gelang ihm das tatsächlich. Schwankend standen sie nebeneinander. Doch dann verließen ihn seine Kräfte, und zusammen sanken sie auf die Knie in den Schlamm. Sein Atem ging keuchend und unregelmäßig, und sie überlegte, wie schwer seine Verletzung wohl sein mochte. An inneren Blutungen konnte er innerhalb kürzester Zeit sterben. Sie musste ihn so schnell wie möglich in ein Krankenhaus bringen, selbst wenn es bedeutete, dass sie ihn zu ihrem Wagen schleifen musste.

„Versuchen wir es noch mal", sagte sie, nahm seinen linken Arm und legte ihn sich über die Schultern. Sie zuckte zusammen, als er vor Schmerz aufschrie. Sofort ließ sie ihn los. Sein Arm hinterließ eine klebrige warme Flüssigkeit in ihrem Nacken. *Blut.*

„Die andere Seite ist in Ordnung", ächzte er. „Noch mal."

Sie wechselte auf seine rechte Seite und legte den anderen Arm um den Hals. Wäre sie nicht so panisch gewesen, hätte sie die Szene durchaus als komisch empfunden: Sie mühten sich ab wie zwei Betrunkene, die aufstehen wollten. Als ihnen das endlich gelungen war, fragte sie sich, ob er stark genug sei, einen Fuß vor den anderen zu setzen. Alleine würde sie es nicht bis zum Wagen schaffen. Er war zwar schlank, aber auch sehr viel größer, als sie erwartet hatte. Mit ihren Einsfünfundsechzig konnte sie ihn unmöglich ohne Hilfe bewegen.

Doch etwas schien ihn vorwärtszutreiben; ein Aufgebot seiner letzten Kraftreserven. Selbst durch ihre nasse Kleidung hindurch spürte sie die Hitze seines Körpers und seinen Willen durchzuhalten. Zahllose Fragen schossen ihr durch den Kopf, aber sie keuchte zu sehr, um sprechen zu können. Sie musste sich voll und ganz darauf konzentrieren, ihn in ihren Wagen zu setzen und schnellstmöglich ins Krankenhaus zu bringen.

Sie legte den Arm um seine Hüfte und schob die Finger durch seinen Gürtel. Mühsam kämpften sie sich Schritt für Schritt bis zur Straße vor. Schwer wie eine Eisenstange lag sein Arm auf ihrer Schulter. Alles an ihm schien sich zu verkrampfen. Die Art, wie er seine Muskeln anspannte, um vorwärtszukommen, hatte etwas Verzweifeltes. Seine Willenskraft übertrug sich auf sie. Seine Furcht war ebenso spürbar wie die Wärme seines Körpers, und plötzlich hatte sie den gleichen dringenden Wunsch, so schnell wie möglich von hier wegzukommen – ein Drang, der durch den Umstand, dass sie kaum vorwärtskamen, noch verstärkt wurde. Alle paar Schritte musste sie anhalten und sich die nassen Haare aus dem Gesicht schieben, um sehen zu können, in welche Richtung sie ging. Die Dunkelheit und der heftige Regen um sie herum verbargen die Gefahr, die möglicherweise auf sie lauerte.

Die Rücklichter ihres Wagens glühten wie rubinrote Augen in der Nacht. Mit jedem Schritt wurde der Mann schwerer, und sie hatte das Gefühl, ihre Beine seien aus Gummi. Hoffentlich fielen sie nicht wieder hin. Sie hätte nicht mehr die Energie gehabt, ihn noch einmal hochzuziehen. Kraftlos sank sein Kopf an ihre Wange, und das Wasser aus seinem Haar lief ihr in den Nacken. Das Gehen war zu einem Automatismus geworden, sodass ihr nicht einmal der Gedanke kam, den Fremden auf die Straße zu setzen und ihren Wagen zu holen. Außerdem waren die Rücklichter schon nah – nur noch wenige Meter durch den dichten Schleier aus Regen.

Als sie mit ihm auf der Beifahrerseite angelangt war, befürchtete sie, der Arm würde ihr abfallen. Sie schaffte es kaum, die Tür zu öffnen, ohne dass der Mann auf den Boden zu rutschen drohte. Zu schwach, um behutsam mit ihm umzugehen, schob sie ihn kurzerhand ins Auto.

Er sank auf dem Beifahrersitz zusammen. Seine Beine waren noch draußen. Sie hockte sich hin, umklammerte erst die eine, dann die andere Wade und schob sie in den Wagen. Bei diesen großen Füßen kann er sich unmöglich elegant bewegen, dachte sie unwillkürlich.

Als sie sich hinters Steuer setzte, versuchte er, seinen Kopf zu heben. Da ihm die Kraft fehlte, ließ er ihn sofort zurück auf die Brust sinken. „Schnell", flüsterte er.

Sie drehte den Zündschlüssel. Der Motor begann zu stottern und erstarb. Um Himmels willen, dachte sie. *Spring an! Spring an!* Sie drehte den Schlüssel zurück, zählte langsam bis drei und versuchte es erneut. Dieses Mal sprang der Motor an. Vor Erleichterung hätte sie fast gejubelt. Sie legte den Gang ein und startete mit quietschenden Reifen Richtung Garberville. Selbst in einer so kleinen Stadt musste es doch ein Krankenhaus geben. Die Frage war bloß: Würde sie es in diesem Unwetter finden? Und wenn sie sich irrte? Wenn das nächstgelegene Krankenhaus in Willits war – also in der entgegengesetzten Richtung? Dann würde sie kostbare Minuten verschwenden, während der Mann in ihrem Wagen verblutete.

Die Vorstellung ließ die Panik wieder in ihr aufflammen. Besorgt schaute sie ihren Beifahrer an. Im schwachen Licht des Armaturenbretts bemerkte sie, dass sein Kopf nach hinten gesunken war. Er bewegte sich nicht.

„Alles in Ordnung mit Ihnen?", rief sie.

Die Antwort war ein bloßes Flüstern. „Ich bin noch da."

„Himmel. Ich habe gerade befürchtet ..." Sie schaute auf die Straße. Das Herz schlug ihr bis zum Hals. „Hier muss doch irgendwo ein Krankenhaus sein."

„In der Nähe von ... Garberville ... gibt es eins."

„Wissen Sie, wo genau?"

„Ich bin daran vorbeigefahren – etwa fünfzehn Meilen von hier."

Wenn er daran vorbeigefahren ist – wo ist dann sein Wagen? „Was ist denn passiert?", erkundigte sie sich. „Hatten Sie einen Unfall?"

Gerade als er antworten wollte, flackerte ein schwaches Licht durch den Wagen. Mühsam richtete er sich auf, drehte den Kopf nach hinten und starrte auf die Scheinwerfer des Wagens, der in weitem Abstand hinter ihnen herfuhr. Als er einen Fluch ausstieß, warf sie einen besorgten Blick in den Außenspiegel.

„Was ist los?"

„Dieser Wagen."

Sie schaute in den Innenrückspiegel. „Was ist damit?"

„Wie lange folgt er uns schon?"

„Ich weiß nicht. Seit ein paar Meilen? Warum?"

Die Anstrengung, den Kopf gedreht zu halten, schien plötzlich zu viel für ihn zu sein. Stöhnend ließ er ihn sinken. „Ich kann nicht mehr klar denken", wisperte er. „Himmel, ich kann nicht mehr klar denken."

Er hat zu viel Blut verloren. Sie trat auf das Gaspedal. Der Wagen machte einen Satz nach vorn. Das Steuerrad vibrierte unter ihrem Griff, und Gischt spritzte von den Reifen hoch. Nahezu blind raste sie durch die Dunkelheit, die sich vor der

Windschutzscheibe ausbreitete. *Langsam! Fahr langsam. Oder wir landen an einem Baum.*

Sie nahm den Fuß vom Gaspedal, bis sich die Tachonadel bei fünfundvierzig Meilen einpendelte. So hatte sie den Wagen besser unter Kontrolle. Erneut kämpfte der Mann sich im Beifahrersitz hoch.

„Halten Sie Ihren Kopf unten", flehte sie.

„Dieser Wagen ..."

„Ist nicht mehr da."

„Sind Sie sicher?"

Sie schaute in den Rückspiegel. Durch den dichten Regen nahm sie nur einen schwachen Lichtpunkt wahr, der nicht unbedingt ein Autoscheinwerfer sein musste. „Ich bin mir sicher", log sie und war erleichtert, als er wieder nach vorn schaute. Wie weit ist es noch? überlegte sie. *Fünf Meilen? Zehn?* Ein anderer Gedanke gewann die Oberhand: *Er könnte vorher sterben.*

Sein Schweigen jagte ihr Angst ein. Sie musste seine Stimme hören, um sicher zu sein, dass er nicht ohnmächtig geworden war. „Reden Sie mit mir", beschwor sie ihn. „Bitte."

„Ich bin müde ..."

„Hören Sie nicht auf. Reden Sie weiter. Wie ... wie heißen Sie?"

Die Antwort war ein bloßes Flüstern: „Victor."

„Victor. Ein schöner Name. Er gefällt mir. Was machen Sie beruflich, Victor?"

Er schwieg. Das Reden strengte ihn sehr an. Er durfte das Bewusstsein nicht verlieren! Aus irgendeinem Grund erschien es ihr plötzlich sehr wichtig, dass er wach blieb. Die Stimme war seine einzige Verbindung zum Leben. Wenn dieser fragile Kontakt abbrach, würde ihr der Mann vermutlich endgültig entgleiten.

„Na gut." Sie zwang sich, ruhig und leise zu sprechen. „Dann werde ich Ihnen etwas erzählen. Sie brauchen gar nichts zu sagen. Hören Sie einfach nur zu. Ich heiße Catherine. Cathy Weaver. Ich lebe in San Francisco – in Richmond. Kennen Sie die Stadt?" Sie erhielt keine Antwort, aber aus den Augenwinkeln bemerkte sie eine Bewegung seines Kopfes, als wollte er ihre Frage bejahen. „Gut", fuhr sie fort, um die Stille mit Worten zu füllen, „vielleicht kennen Sie die Stadt ja auch nicht. Spielt auch keine Rolle. Ich arbeite bei einer Independent-Filmgesellschaft. Genauer gesagt, es ist Jacks Filmgesellschaft. Jack ist mein Exmann. Wir produzieren Horrorfilme. Eigentlich nur B-Movies, aber sie sind ganz profitabel. Unser letzter hieß *Das Reptil*. Ich war für die Spezial-Make-ups verantwortlich. Ziemlich schreckliches Zeug. Jede Menge grüner Schuppen und Schleim ..." Sie lachte. Ihr Lachen klang seltsam angespannt. Beinahe schon hysterisch.

Es kostete sie eine ungeheure Anstrengung, die Kontrolle zu bewahren.

Ein Lichtreflex blitzte im Rückspiegel auf. Sofort sah sie hoch. Die Scheinwerfer waren durch den Regen kaum zu erkennen. Ein paar Sekunden lang ließ sie sie nicht aus den Augen und überlegte, ob sie Victor darauf hinweisen sollte. Doch dann verschwanden die Lichtpunkte in der Dunkelheit wie zwei Phantome.

„Victor?", rief sie leise. Die Antwort war ein undefinierbares Grunzen, aber das reichte ihr schon. Er lebte noch. Er hörte ihr zu. *Ich muss ihn wach halten.* Krampfhaft dachte sie über ein neues Gesprächsthema nach. Belangloser Small Talk, den die Filmleute auf ihren Cocktailpartys perfekt beherrschten, war noch nie ihre Stärke gewesen. Fieberhaft versuchte sie, sich einen Witz ins Gedächtnis zu rufen – egal, wie albern er war. Hauptsache, er war halbwegs lustig. *Lachen heilt.* Hatte sie das nicht irgendwo gelesen? Dass man mit viel Gelächter sogar einen Tumor zum Schrumpfen bringen konnte? Klar, schalt sie sich selbst. *Bring ihn zum Lachen, und seine Wunde hört auf wundersame Weise auf zu bluten ...*

Aber ihr fiel kein Witz ein – nicht ein einziger. Also kehrte sie zu dem Thema zurück, das ihr als Erstes eingefallen war: ihre Arbeit.

„Unser nächstes Projekt ist für Januar vorgesehen. *Der Leichenfresser.* Wir drehen in Mexiko, was mir überhaupt nicht gefällt. Dort ist es so heiß, dass das Make-up ständig zerfließt ..."

Sie schaute zu Victor, aber er reagierte nicht. Er bewegte sich nicht einmal. Erneut geriet sie in Panik. *Sie durfte ihn nicht verlieren.* Sie tastete nach seinem Puls und stellte fest, dass er seine Hand tief in der Tasche seines Anoraks vergraben hatte. Überraschenderweise reagierte er sofort mit heftigem Widerstand, als sie versuchte, die Hand herauszuziehen. Mit geschlossenen Augen schlug er unkontrolliert nach ihr und versuchte, ihre Hand wegzudrücken.

„Es ist alles in Ordnung, Victor", beschwichtigte sie ihn, während sie versuchte, seine Attacke abzuwehren und gleichzeitig den Wagen in der Spur zu halten. „Alles okay. Ich bin's, Cathy. Ich versuche nur, Ihnen zu helfen."

Beim Klang ihrer Stimme wurden seine Schläge schwächer. Die Anspannung in seinem Körper ließ nach, und er lehnte den Kopf an ihre Schulter. „Cathy", wisperte er. Er klang verwundert, erleichtert. „Cathy ..."

„Stimmt. Ich bin's nur." Vorsichtig strich sie ihm die nassen Haarsträhnen aus der Stirn. Welche Farbe mochten sie haben? Es war zwar vollkommen irrelevant, aber trotzdem beschäftigte sie der Gedanke. Er griff nach ihrer Hand. Seine

Finger umschlossen sie erstaunlich fest und beruhigend. Ich bin noch da, gab er ihr mit seiner Berührung zu verstehen. Mir ist warm, ich lebe und atme. Er drückte ihre Handfläche an seine Lippen. Die Geste war so zärtlich, dass sie erschrak, als seine unrasierten Wangen ihre Haut streiften. Es war eine Berührung zwischen Fremden, die sie verwirrte und erbeben ließ.

Erneut umklammerte sie das Lenkrad und konzentrierte sich auf die Straße. Er sagte nichts mehr, aber das Gewicht seines Kopfes auf ihrer Schulter und der warme Atem in ihrem Haar irritierten sie.

Der Wolkenbruch war in einen gleichmäßigen Dauerregen übergegangen, und sie beschleunigte auf fünfzig Meilen pro Stunde. Sie fuhren am Sunnyside Up Café vorbei, einem kleinen Kiosk unter einer einsamen Straßenlaterne, die Victors Gesicht kurz erhellte. Sie sah nur sein Profil: eine hohe Stirn, eine scharf geschnittene Nase, ein vorspringendes Kinn – und dann wurde es wieder dunkel, und er war nur noch ein Schatten, der leise an ihrer Schulter atmete. Aber sie hatte genug gesehen, um zu wissen, dass sie dieses Gesicht nie vergessen würde. Sein Profil hatte sich ihr ins Gedächtnis eingebrannt, sodass sie es auch dann noch vor sich sah, als sie wieder in die Dunkelheit schaute.

„Wir müssen bald da sein." Sie sagte es mehr, um sich selbst zu beruhigen. „Wo ein Café ist, kann eine Stadt nicht weit sein." Keine Antwort. „Victor?" Immer noch keine Antwort. Sie schluckte ihre Panik herunter und beschleunigte auf fünfundfünfzig Meilen.

Das Sunnyside Up Café lag bereits mehr als eine Meile hinter ihnen, doch die Straßenlaterne war immer noch nicht aus ihrem Rückspiegel verschwunden. Es dauerte eine Weile, bis ihr klar wurde, dass sie nicht ein, sondern zwei Lichter sah – und dass sie sich bewegten: das Licht von zwei Autoscheinwerfern, das über die Straße huschte. War es das Auto von vorhin?

Wie gebannt betrachtete sie die beiden Lichtstreifen, die zwischen den Baumstämmen aufblitzten. Dann waren sie plötzlich verschwunden, und zurück blieb komplette Dunkelheit. Ein Geist? fragte sie sich. Wie albern! Sie rechnete damit, dass die beiden Lichtkegel jeden Moment wieder auftauchten und das gespenstische Flackern im Wald weiterging. So sehr war sie auf den Rückspiegel konzentriert, dass sie fast das Ortsschild übersehen hätte:

Garberville (5750 Einwohner)
Tankstellen – Restaurants – Motels

Eine halbe Meile weiter standen Straßenlaternen und tauchten die Umgebung in fahles gelbes Licht. Ein Tieflader donnerte in die entgegengesetzte Richtung vorbei. Obwohl hier nur noch fünfunddreißig Meilen erlaubt waren, hielt sie den Fuß fest auf dem Gaspedal. Zum ersten Mal in ihrem Leben betete sie darum, von einem Streifenwagen verfolgt zu werden.

Wie aus dem Nichts tauchte das Schild mit dem Hinweis *Krankenhaus* auf. Sie trat auf die Bremse und schlitterte auf die Abzweigung. Nach einer weiteren Viertelmeile führte ein Hinweis mit der Aufschrift *Notaufnahme* zu einem Seiteneingang. Sie ließ Victor auf dem Beifahrersitz zurück, hastete durch die Tür in einen menschenleeren Warteraum und rief einer Schwester, die am Schreibtisch saß, zu: „Bitte helfen Sie mir. Ich habe einen Mann in meinem Wagen …"

Die Schwester reagierte sofort. Sie folgte Cathy nach draußen, warf nur einen kurzen Blick auf den zusammengesunkenen Mann und verständigte sofort den diensthabenden Arzt.

Selbst mit Unterstützung des stämmigen Mediziners hatten sie Probleme, Victor aus dem Wagen zu hieven. Er war zur Seite gerutscht, und sein Arm steckte unter der Handbremse.

„Miss, gehen Sie auf die andere Seite, und befreien Sie seinen Arm", wies der Arzt Cathy an.

Cathy kletterte auf den Fahrersitz. Dort zögerte sie, weil sie seinen verletzten Arm bewegen musste. Vorsichtig griff sie nach seinem Ellbogen und versuchte, ihn von der Handbremse zu lösen. Dabei entdeckte sie, dass sich seine Armbanduhr in der Tasche seines Anoraks verhakt hatte. Nachdem sie das Uhrband geöffnet hatte, griff sie nach dem Arm und hob ihn über die Bremse. Vor Schmerzen stöhnte er laut auf. Kraftlos fiel der Arm zurück.

„Gut, der Arm ist frei", stellte der Doktor fest. „Schieben Sie ihn vorsichtig in meine Richtung, und ich übernehme."

Über die Handbremse hinweg hob sie behutsam Victors Kopf und Schultern. Dann kroch sie wieder hinaus und half den anderen, ihn auf die Trage zu legen. Mit drei Gurten wurde er fixiert. Laut dröhnte es in ihren Ohren, als die Trage durch die geöffneten Doppeltüren ins Krankenhaus gerollt wurde, und auf einmal sah sie alles wie durch einen Nebel.

„Was ist passiert?", fragte der Arzt über seine Schulter hinweg.

„Ich habe ihn angefahren … auf der Straße."

„Wann?"

„Vor fünfzehn oder zwanzig Minuten."

„Wie schnell sind Sie gefahren?"

„Ungefähr fünfunddreißig Meilen."

„War er bei Bewusstsein, als Sie ihn fanden?"

„Noch etwa zehn Minuten … dann ist er ohnmächtig geworden."

Eine Krankenschwester sagte: „Sein Hemd ist blutdurchtränkt. Und er hat Glasscherben in der Schulter."

In der von grellem Neonlicht beschienenen Hektik konnte Cathy Victor zum ersten Mal deutlich erkennen: das schlanke, dreckverschmierte Gesicht, ein vor Schmerz verkrampfter Kiefer, eine breite Stirn, auf der hellbraune Haarsträhnen klebten. Er streckte den Arm aus und griff nach ihrer Hand.

„Cathy …"

„Ich bin hier, Victor."

Fest hielt er ihre Hand umklammert. Der Druck seiner Finger tat ihr fast weh. Gequält blinzelte er sie an. „Ich muss Ihnen etwas sagen …"

„Später", fuhr der Doktor dazwischen.

„Nein, warten Sie." Victor versuchte, Blickkontakt zu ihr zu halten. Das Sprechen fiel ihm sichtbar schwer. Vor Schmerzen verzog er das Gesicht.

Cathy beugte sich zu ihm. Seine verzweifelte Miene ging ihr ans Herz. „Ja, Victor?", flüsterte sie, während sie ihm durchs Haar strich, um seine Schmerzen zu mildern. Die Berührung ihrer Hände und der Blickkontakt schienen ewig zu dauern. „Sagen Sie es mir."

„Wir können nicht länger warten", entschied der Arzt. „Rollen Sie ihn in den OP."

Unvermittelt wurde ihr Victors Hand entrissen. Sie schoben ihn in den Operationssaal, der mit seinen Apparaturen aus Edelstahl und dem grellen Licht wie aus einem Albtraum zu stammen schien. Victor wurde vorsichtig auf den Operationstisch gelegt.

„Puls hundertzehn", verkündete eine Krankenschwester. „Blutdruck fünfundachtzig zu fünfzig."

„Wir legen zwei Kanülen", befahl der Arzt. „Blutgruppe bestimmen und sechs Einheiten bestellen. Verständigen Sie einen Chirurgen. Wir brauchen Unterstützung ..."

Das Stimmengewirr und das Geklapper von Gerätschaften waren ohrenbetäubend. Niemand beachtete Cathy, die an der Tür stand und ebenso entsetzt wie fasziniert zusah, als eine Krankenschwester begann, Victors blutige Kleidung aufzuschneiden. Mit jedem Schnitt wurde mehr Haut freigelegt, bis das Hemd und der Anorak vollständig abgestreift waren. Der breite Brustkorb war mit dichtem braunen Haar bedeckt.

Für die Ärzte und Krankenschwestern war es nur ein Körper, um den sie sich kümmern mussten – ein weiterer Patient, der gerettet werden musste. Für Cathy dagegen war er ein Mensch, der ihr etwas bedeutete – und sei es nur, weil sie die vergangenen schrecklichen Minuten gemeinsam durchgestanden hatten. Die Krankenschwester konzentrierte sich auf seinen Gürtel, den sie rasch löste. Mit einem energischen Ruck zog sie seine Hose und Boxershorts hinunter und warf sie auf den Haufen der anderen schmutzigen Kleidungsstücke.

Cathy registrierte die Nacktheit des Mannes kaum – ebenso wenig wie die Krankenschwestern und die Ärzte, die in den Behandlungsraum eilten. Entsetzt starrte sie auf Victors linke Schulter, aus der frisches Blut auf den Tisch rann. Sie erinnerte sich an die Abwehrreaktion seines Körpers, als sie ihn bei dieser Schulter gepackt hatte. Erst jetzt wurde ihr bewusst, wie sehr er gelitten haben musste.

Ein saurer Geschmack stieg ihr in die Kehle. Jeden Augenblick würde sie sich übergeben müssen.

23

Irgendwie gelang es ihr, zum nächsten Stuhl zu wanken und darauf Platz zu nehmen, während sie die Übelkeit bekämpfte. Die chaotische Hektik um sie herum nahm sie gar nicht wahr. Entsetzt stellte sie fest, dass ihre Hände blutverschmiert waren.

„Da sind Sie ja", sagte jemand. Eine Schwester trat aus dem Operationssaal, in den Händen die persönlichen Dinge des Patienten. Sie winkte Cathy zu einem Schreibtisch. „Wir brauchen Ihren Namen und Ihre Anschrift, falls die Ärzte noch Fragen haben. Außerdem muss die Polizei verständigt werden. Oder haben Sie das bereits getan?"

Wie betäubt schüttelte Cathy den Kopf. „Ich … ich denke, ich sollte …"

„Sie können dieses Telefon benutzen."

„Danke."

Es läutete achtmal, ehe jemand antwortete. Die Stimme am anderen Ende klang rau, als sei ihr Besitzer aus dem Tiefschlaf gerissen worden. Offenbar war in Garberville zu wenig los, als dass es sich für die Polizei gelohnt hätte, die ganze Nacht wach zu bleiben. Der diensthabende Beamte notierte Cathys Angaben und sagte, man würde sich später bei ihr melden, wenn seine Kollegen den Unfallort besichtigt hatten.

Die Krankenschwester hatte damit begonnen, Victors Brieftasche nach Kredit- und Visitenkarten zu durchsuchen, um mehr über ihn zu erfahren. Cathy sah ihr dabei zu, wie sie die Felder auf dem Patientenformular ausfüllte. *Name: Victor Holland. Alter: 41. Beruf: Biochemiker. Nächste Angehörige: unbekannt.*

Das war also sein voller Name. Victor Holland. Cathy betrachtete den Stapel Karten. Eine erregte ihre Aufmerksamkeit: Es schien ein Sicherheitsausweis für eine Firma namens Viratek zu sein. Ein farbiges Passfoto zeigte Victors ausdrucksloses Gesicht. Die grünen Augen blickten direkt in die Kamera. Selbst wenn sie ihn nicht kennen würde, hätte sie sich ihn genau so vorgestellt: neutrale Miene, durchdringender Blick. Sie berührte ihre Handfläche an der Stelle, wo er sie geküsst hatte. Fast glaubte sie, noch die Bartstoppeln auf der Haut zu spüren.

Leise fragte sie: „Wird er durchkommen?"

Die Krankenschwester schrieb weiter. „Er hat eine Menge Blut verloren. Aber er sieht ziemlich zäh aus …"

Cathy nickte. Selbst die höllischen Schmerzen hatten Victor nicht davon abgehalten, all seine Kräfte zu mobilisieren und durch den Regen zu laufen. Ja, sie wusste, was für ein zäher Brocken er war.

Die Krankenschwester reichte ihr einen Kugelschreiber und das Formular. „Schreiben Sie bitte Ihren Namen und Ihre Adresse ganz unten hin. Falls der Doktor noch Fragen an Sie hat."

Cathy holte eine Karte aus ihrem Portemonnaie und notierte Sarahs Adresse und Telefonnummer auf das Papier. „Ich heiße Cathy Weaver. Unter dieser Nummer können Sie mich erreichen."

„Sie bleiben in Garberville?"

„Drei Wochen. Auf Besuch."

„Oh. Ein großartiger Start für einen Urlaub."

Seufzend stand Cathy auf. „In der Tat. Wirklich großartig."

Vor dem Behandlungszimmer blieb sie kurz stehen. Was mochte da drinnen wohl passieren? Sie wusste, dass Victor um sein Leben kämpfte. Ob er noch bei Bewusstsein war? Würde er sich noch an sie erinnern? Auf einmal war es ihr sehr wichtig, dass er sich an sie erinnerte.

Cathy wandte sich an die Schwester. „Sie rufen mich doch an, nicht wahr? Ich meine, Sie sagen mir Bescheid, ob er …"

Die Schwester nickte. „Wir halten Sie auf dem Laufenden."

Sie trat ins Freie. Der Regen hatte aufgehört, und durch den Riss in der Wolkendecke schimmerten ein paar Sterne. Trotz ihrer Müdigkeit schaute sie fasziniert zum Himmel. Nach einem Sturm herrschte stets eine ganz eigenartige Stimmung. Als sie vom Parkplatz des Krankenhauses fuhr, zitterte sie beinahe vor Erschöpfung. Den Wagen, der auf der anderen Straßenseite stand, bemerkte sie nicht – ebenso wenig das kurze Aufglühen einer Zigarette, ehe sie ausgedrückt wurde.

2. KAPITEL

Nur eine Minute nachdem Cathy das Krankenhaus verlassen hatte, betrat ein Mann die Notaufnahme. Mit ihm wehte das Ambiente einer sturmgepeitschten Nacht durch die Flügeltüren. Die diensthabende Schwester war damit beschäftigt, den Aufnahmebogen des neuen Patienten auszufüllen. Als die kühle Nachtluft über den Schreibtisch hinwegzog, schaute sie auf. Ein Mann kam auf sie zu. Er war etwa fünfunddreißig und hatte ein hageres, verschlossenes Gesicht. Sein dunkles Haar war grau gesprenkelt. Wassertropfen glänzten auf seinem braunen Burberry-Regenmantel.

„Kann ich Ihnen helfen, Sir?" Sie schaute ihm in die Augen, die aussahen wie schwarze Kiesel in einem Teich.

Er nickte. „Ist hier eben ein Mann eingeliefert worden? Victor Holland?"

Die Schwester blickte auf das Formular auf ihrem Schreibtisch. Der Name stimmte. Victor Holland. „Ja", bestätigte sie. „Sind Sie ein Verwandter?"

„Ich bin sein Bruder. Wie geht es ihm?"

„Er ist erst vor Kurzem gebracht worden. Er wird gerade operiert. Wenn Sie warten wollen, erkundige ich mich, wie es ihm geht ..." Sie unterbrach sich, als das Telefon läutete. Es war einer der Assistenzärzte, der ihr die Laborteste des neuen Patienten mitteilte. Sie notierte die Zahlen. Aus den Augenwinkeln bemerkte sie, dass der Besucher sich zu der verschlossenen Tür des Operationssaals umgedreht hatte. Die wurde jetzt aufgerissen, und ein Krankenpfleger mit einem prall gefüllten und blutverschmierten Plastikbeutel stürzte heraus. Aus dem Raum drangen erregte Stimmen:

„Blutdruck auf hundertzehn zu siebzig."

„Wir können mit der OP beginnen."

„Wo ist der Chirurg?"

„Unterwegs. Er hatte Probleme mit seinem Wagen."

„Wir röntgen. Alle zurücktreten."

Langsam schloss sich die Tür. Die Stimmen klangen wieder gedämpft. Die Schwester legte den Hörer auf, als der Krankenpfleger den Plastikbeutel auf ihren Schreibtisch legte. „Was ist das?", wollte sie wissen.

„Die Kleider des Patienten. Sie sind ziemlich verdreckt. Soll ich sie entsorgen?"

„Ich nehme sie mit nach Hause", schaltete der Mann im Regenmantel sich ein. „Ist das alles?"

Der Krankenpfleger warf der Schwester einen verunsicherten Blick zu. „Ich weiß nicht, ob er das ... ob er das möchte. Sie sind ziemlich ... schmutzig ..."

„Mr Holland, sollen wir uns nicht lieber um die Kleidung kümmern?", unterbrach ihn die Schwester. „In dem Beutel sind keine Wertsachen. Die habe ich hier." Sie schloss eine Schublade auf und holte einen braunen Umschlag hervor. Darauf stand: Holland, Victor; Inhalt: Brieftasche, Armbanduhr. „Die können Sie mitnehmen. Wenn Sie mir diese Empfangsbestätigung unterschreiben wollen ..."

Der Mann nickte und signierte mit seinem Namen: David Holland. „Sagen Sie, ist Victor wach?" Er steckte den Umschlag ein. „Hat er irgendwas gesagt?"

„Ich fürchte, nein. Er war halb bewusstlos, als er hergebracht wurde."

Der Mann nahm die Auskunft schweigend zur Kenntnis. Seine Reaktion irritierte die Schwester plötzlich. „Entschuldigen Sie, Mr Holland, aber wie haben Sie eigentlich von dem Unfall Ihres Bruders erfahren?", fragte sie. „Ich bin noch gar nicht dazu gekommen, irgendwelche Familienmitglieder zu benachrichtigen ..."

„Die Polizei hat mich verständigt. Victor war mit meinem Wagen unterwegs. Sie haben ihn am Straßenrand gefunden. Totalschaden."

„Oh. Das ist keine angenehme Art, es zu erfahren."

„Ja. Der Stoff, aus dem Albträume sind."

„Jedenfalls hat Sie jemand kontaktiert." Sie blätterte durch die Papiere auf ihrem Schreibtisch. „Geben Sie mir Ihre Adresse und Telefonnummer? Falls wir mit Ihnen in Verbindung treten müssen."

„Natürlich." Der Mann nahm das Formular zur Hand und überflog es mit einem raschen Blick, ehe er seinen Namen und seine Telefonnummer in die Rubrik *Nächste Angehörige* kritzelte. „Wer ist diese Catherine Weaver?" Er deutete auf den Namen und die Adresse, die unten auf dem Blatt standen.

„Die Frau, die ihn hierhergebracht hat."

„Ich muss mich bei ihr bedanken." Er gab ihr das Formular zurück.

„Schwester?"

Sie drehte sich um. Der Doktor stand an der Tür zum Behandlungszimmer. „Ja?"

„Rufen Sie bitte die Polizei an. Sie sollen so schnell wie möglich herkommen."

„Die Polizei ist schon verständigt, Doktor. Sie sind über den Unfall informiert."

„Rufen Sie sie noch mal an. Das war nämlich kein Unfall."

„Wie bitte?"

„Wir haben gerade die Röntgenaufnahmen bekommen. Der Mann hat eine Kugel in der Schulter."

„Eine *Kugel*?" Der Schwester lief eine Gänsehaut über den Rücken, als ob ein eisiger Wind hereinwehte. Langsam drehte sie sich zu dem Mann im Regenmantel um – dem Mann, der behauptete, Victor Hollands Bruder zu sein. Zu ihrer Verblüffung stand niemand mehr vor ihr. Dafür kam nun eine kühle nächtliche Brise durch die Flügeltüren, die sich langsam schlossen.

„Wohin, zum Teufel, ist er verschwunden?", flüsterte der Krankenpfleger.

Ein paar Sekunden lang starrte sie nur auf die geschlossene Tür. Dann fiel ihr Blick auf die leere Stelle auf ihrem Schreibtisch. Der Beutel mit Victor Hollands Kleidung war verschwunden.

„Warum hat die Polizei noch mal angerufen?"

Langsam legte Cathy den Hörer zurück. Obwohl sie einen kuscheligen Morgenmantel trug, zitterte sie vor Kälte. Sie drehte sich um und schaute in die Küche zu Sarah. „Der Mann auf der Straße ... sie haben eine Kugel in seiner Schulter gefunden."

Überrascht hielt Sarah im Teegießen inne. „Du meinst, jemand hat auf ihn ... geschossen?"

Wie betäubt ging Cathy zum Küchentisch und starrte blicklos auf die Tasse Zimttee, die Sarah ihr zugeschoben hatte. Ein heißes Bad und eine Stunde vor dem gemütlich knisternden Feuer im Kamin hatten dafür gesorgt, dass ihr die Ereignisse der Nacht nur noch wie ein schlimmer Traum vorkamen. In Sarahs Küche mit den Chintzvorhängen und dem Duft von Zimt und anderen Gewürzen schien die Brutalität der Welt meilenweit entfernt.

Sarah beugte sich zu ihr. „Wissen sie, was passiert ist? Hat er irgendetwas gesagt?"

„Er ist gerade aus dem OP gekommen." Sie schaute zum Telefon. „Vielleicht sollte ich noch mal im Krankenhaus anrufen ..."

„Nein, das solltest du nicht. Du hast alles getan, was du

tun konntest." Sanft berührte Sarah ihren Arm. „Außerdem wird dein Tee kalt."

Mit zitternden Fingern wischte Cathy sich eine feuchte Strähne aus der Stirn und ließ sich auf ihren Stuhl sinken. *Eine Kugel in der Schulter.* War es der willkürliche Angriff eines Heckenschützen, der aus seinem Wagen auf einen völlig Fremden geschossen hatte? In der Zeitung hatte sie von solchen Vorfällen auf den Highways gelesen.

Oder war es ein gezielter Angriff gewesen? Hatte man Victor Holland erschießen wollen?

Von draußen drangen ein Klappern und ein metallisches Scheppern herein. Sofort saß Cathy kerzengrade. „Was war das?"

Sarah lachte. „Ganz bestimmt nichts, wovor man Angst haben müsste." Sie ging zur Küchentür und griff zur Klinke.

„Sarah!", rief Cathy panisch, als ihre Freundin die Tür öffnete. „Warte."

„Schau selbst." Sarah öffnete die Tür. Das Licht der Küchenlampe fiel auf einige Mülltonnen im Carport. Ein Schatten glitt zu Boden und huschte davon. Er hinterließ eine Spur von leeren Pizza- und Fast-Food-Kartons auf der Straße. „Waschbären", erklärte Sarah. „Wenn ich die Mülltonnendeckel nicht verschließe, verteilen diese Biester den Abfall im ganzen Garten."

Ein weiterer Schatten lugte aus einer Mülltonne. Glühende Augen starrten sie aus der Dunkelheit an. Sarah klatschte in die Hände und schrie: „Verschwinde, hau ab!" Der Waschbär rührte sich nicht. „Hast du kein Zuhause?" Endlich ließ sich der Waschbär zu Boden fallen und verschwand zwischen den Bäumen. „Von Jahr zu Jahr werden sie kühner", seufzte Sarah und schloss die Tür. Dann drehte sie sich zu Cathy und zwinkerte ihr zu. „Mach dir nichts draus. Das hier ist nun mal nicht die Großstadt."

„Daran wirst du mich öfter erinnern müssen." Cathy nahm eine Scheibe Bananenbrot und bestrich sie mit Butter. „Ich glaube, Sarah, Weihnachten mit dir zu feiern ist tausendmal schöner als mit Jack."

„Oje. Wenn wir schon von unseren Exmännern sprechen ...", Sarah schlurfte zu einem Schrank, „... sollten wir uns auch in die richtige Stimmung bringen. Ein Tee ist da wenig hilfreich." Grinsend schwenkte sie eine Flasche mit Brandy.

„Sarah, du trinkst doch nicht etwa Alkohol?"

„Der ist nicht für mich." Sarah stellte die Flasche und ein Glas vor sie hin. „Aber ich glaube, *du* könntest einen Schluck gebrauchen. Nach dieser ungemütlichen und schrecklichen Nacht. Dafür sitzen wir jetzt hier im Warmen und können über die Deppen herziehen – soweit sie männlich sind."

„Na ja, wenn du es so siehst ..." Cathy goss sich einen großzügigen Schluck ein. „Auf die Deppen dieser Welt", verkündete sie und trank. Sie spürte, wie der Brandy die Kehle hinunterlief. Es fühlte sich gut an.

„Wie geht's denn dem guten Jack?", erkundigte Sarah sich.

„Wie immer."

„Blondinen?"

„Er hat zu Brünetten gewechselt."

„Er brauchte nur ein Jahr, um alle Blondinen dieser Welt abzuhaken?"

Cathy zuckte mit den Achseln. „Möglicherweise hat er ein paar ausgelassen."

Beide mussten lachen – ein unbeschwertes Lachen, welches verriet, dass ihre Wunden allmählich verheilten und Männer für sie Geschöpfe waren, über die man ohne Wut und Trauer reden konnte.

Cathy betrachtete ihr Glas. „Glaubst du, dass es noch anständige Männer gibt? Ich meine, einer müsste doch irgendwo da draußen herumlaufen. Vielleicht eine Mutation. Ein halb-wegs anständiger Kerl?"

„Sicher. Wahrscheinlich in Sibirien. Aber er ist bestimmt hundertzwanzig Jahre alt."

„Ältere Männer habe ich schon immer attraktiver ge-funden."

Wieder lachten sie, doch dieses Mal klang es nicht so un-beschwert. Als sie vor vielen Jahren zusammen auf dem Col-lege waren, hatten sie noch nicht daran gezweifelt – nein, sie waren davon überzeugt gewesen, dass es überall nur so von Märchenprinzen wimmelte.

Cathy leerte ihr Glas und stellte es ab. „Was bin ich für eine rücksichtslose Freundin. Eine Hochschwangere vom Schlaf abzuhalten. Wie spät ist es eigentlich?"

„Erst halb drei früh."

„Um Himmels willen, Sarah. Ab ins Bett mit dir!" Cathy ging zum Spülbecken und befeuchtete eine Handvoll Papier-tücher.

„Was hast du vor?", wollte Sarah wissen.

„Ich möchte die Wagensitze reinigen. Ich habe noch nicht das ganze Blut wegwischen können."

„Das habe ich schon getan."

„Wie bitte? Wann?"

„Als du gebadet hast."

„Sarah, du bist verrückt."

„He, ich hatte keine Fehlgeburt oder sonst etwas Außer-planmäßiges. Ach, das hätte ich fast vergessen." Sarah zeigte auf eine winzige Filmdose auf der Küchentheke. „Das lag auf dem Boden deines Autos."

Seufzend schüttelte Cathy den Kopf. „Die gehört Hickey."

„Hickey! Dieser Mann ist die reinste Verschwendung."

„Er ist ein guter Freund."

„Mehr als ein Freund wird er für eine Frau auch nie sein. Was ist denn auf dem Film drauf? Nackte Frauen – wie immer?"

„Ich will es gar nicht wissen. Als ich ihn am Flughafen abgesetzt habe, hat er mir ein halbes Dutzend Filmrollen in die Hand gedrückt und gesagt, er würde sie bei mir abholen, wenn er wieder zurück ist. Wahrscheinlich wollte er sie nicht mit nach Nairobi nehmen."

„Nairobi? Dorthin ist er geflogen?"

„Er fotografiert ‚fantastische Afrikanerinnen' oder so ähnlich." Cathy steckte die Filmdose in die Tasche ihres Bademantels. „Die muss aus dem Handschuhfach gefallen sein. Hoffentlich ist es nichts Pornografisches."

„Wie ich Hickey kenne, wahrscheinlich doch."

Wieder mussten sie lachen. Ironischerweise war Hickman von Trapp, dessen Beruf es war, Frauen in erotischen Posen zu fotografieren, überhaupt nicht am anderen Geschlecht interessiert – mit Ausnahme vielleicht seiner Mutter.

„Einer wie Hickey ist doch der beste Beweis für mein Argument", meinte Sarah über ihre Schulter, während sie durch den Flur ins Schlafzimmer ging.

„Und das wäre?"

„Dass es auf der Welt keine anständigen Männer mehr gibt."

Es war das Licht, das Victor aus den Tiefen seiner Bewusstlosigkeit holte – ein Licht, das heller strahlte als ein Dutzend Sonnen und durch seine Lider drang. Er wollte nicht aufwachen. Tief im Unterbewusstsein spürte er, dass er Schmerzen und Übelkeit und noch einiges Unangenehme mehr spüren würde, wenn er gegen diese angenehme Bewusstlosigkeit kämpfen würde: nämlich pure Angst. An den Grund dafür konnte er sich allerdings nicht erinnern. Der Tod? Nein, das hier war der Tod – oder zumindest war es nahe daran, und es fühlte sich warm und schwarz und behaglich an. Aber er hatte etwas Wichtiges zu tun – etwas, das er auf keinen Fall vergessen durfte. Angestrengt überlegte er, doch das Einzige, an das er sich erinnern konnte, war eine Hand, die ihn sanft, aber nachdrücklich streichelte, über seine Stirn fuhr, und eine Stimme, die leise in der Dunkelheit zu ihm sprach.

„Ich heiße Catherine …"

Mit der Erinnerung an ihre Berührung und ihre Stimme kam auch die Angst zurück. Nicht seinetwegen (er war ja schließlich tot, oder?), sondern wegen ihr. Die starke, freundliche Catherine. Er hatte ihr Gesicht nur kurz gesehen und konnte sich kaum daran erinnern, aber dennoch wusste er, dass sie wunderschön war – das instinktive Wissen eines Blinden, der ohne sehen zu können ahnt, dass ein Regenbogen oder der Himmel oder das Gesicht seines eigenen Kindes wunderschön ist. Und jetzt hatte er Angst um sie.

Wo sind Sie? hätte er am liebsten gerufen.

„Er kommt zu sich", sagte eine weibliche Stimme (nicht die von Catherine, sie klang zu harsch und schrill), und ein verwirrendes Stimmengewirr setzte ein.

„Achten Sie auf die Kanüle."

„Mr Holland, bleiben Sie ganz ruhig. Alles wird gut …"

„Die Kanüle, habe ich gesagt."

„Geben Sie mir die zweite Blutkonserve."

„Bewegen Sie sich nicht, Mr Holland …"

Wo bist du, Catherine? Die Frage explodierte in seinem Kopf. Er kämpfte gegen die Versuchung an, zurück in die Bewusstlosigkeit zu sinken. Mühsam öffnete er die Augen. Zunächst sah er Licht und Farben nur verschwommen, und dennoch war der Eindruck so intensiv, dass es ihm wie ein

Stich durch die Augenhöhlen ins Gehirn erschien. Allmählich wurden durch den Nebel Gesichter deutlich, Fremde in blauer Kleidung, die ihn stirnrunzelnd betrachteten. Als er versuchte, sich auf sie zu konzentrieren, rebellierte sein Magen.

„Mr Holland, bleiben Sie ganz ruhig", hörte er eine energische Stimme. „Sie sind im Krankenhaus – im Aufwachzimmer. Ihre Schulter ist gerade operiert worden. Ruhen Sie sich einfach nur aus und schlafen noch ein bisschen …"

Nein, ich kann nicht, wollte er sagen.

„Gebt ihm fünf Milligramm Morphium", befahl jemand, und Victor spürte ein warmes Gefühl in seinem Arm, das sich bis zum Brustkorb ausbreitete.

„Das müsste wirken", hörte er. „Und jetzt schlafen Sie. Alles ist wunderbar gelaufen …"

Sie verstehen überhaupt nichts, hätte er am liebsten geschrien. *Ich muss sie warnen* … Es war sein letzter Gedanke, ehe die Lichter erneut von einer weichen Dunkelheit verschluckt wurden.

Lächelnd lag Sarah in ihrem männerlosen Ehebett. Nein, sie lachte! Ihr ganzer Körper schien in dieser Nacht vor Lachen zu beben. Am liebsten hätte sie gesungen und getanzt, am offenen Fenster gestanden und ihre Freude in die Welt hinausgeschrien! Man hatte ihr gesagt, dass es die Hormone seien – das chemische Chaos der Schwangerschaft hatte in ihrem Körper eine Achterbahnfahrt der Gefühle verursacht. Sie sollte sich besser ausruhen und ihren Zustand mit Gelassenheit sehen, aber heute Nacht war sie überhaupt nicht müde. Die arme Cathy dagegen war so erschöpft gewesen, dass sie nur mit Mühe die Stufen ins Dachzimmer geschafft hatte, in dem ihr Bett stand. Und Sarah war hellwach!

Sie schloss die Augen und konzentrierte ihre Gedanken auf das Kind in ihrem Bauch. *Wie geht es dir, mein Schatz? Schläfst du? Oder lauschst du meinen Gedanken?*

Das Baby bewegte sich in ihrem Bauch. Dann wurde es wieder ruhig. Es war eine Antwort – heimliche Worte, die nur sie beide miteinander tauschten. Fast war Sarah froh, dass es keinen Ehemann gab, der sie von dieser stummen Unterhaltung ablenken konnte, der als unbeteiligter Außenseiter eifersüchtig neben ihr lag. Es gab nur Mutter und Kind, das uralte Band, die mystische Verbindung.

Arme Cathy. Die Achterbahn raste vom Gipfel der Freude in ein Tal der Trauer, die sie für ihre Freundin empfand. Sie wusste, dass Cathy sich ebenfalls sehnlichst ein Kind wünschte, aber die biologische Uhr tickte immer lauter. Cathy war zu sehr Romantikerin, um zuzugeben, dass der Mann und die Umstände möglicherweise niemals perfekt sein würden. Hatte sie nicht zehn lange Jahre gebraucht, bis sie endlich eingesehen hatte, dass ihre Ehe ein schreckliches Desaster war? Dabei hatte sie sich ständig bemüht, ihre Beziehung zu retten. Sie war, nein, sie *wollte* blind sein gegenüber Jacks Fehlern – vor allem gegenüber seinem Egoismus. Erstaunlich, dass eine so intelligente und einfühlsame Frau die Dinge so lange hatte schleifen lassen. Aber so war Cathy nun mal. Selbst mit siebenunddreißig war sie auf geradezu idiotische Weise loyal und vertrauensselig.

Das Knirschen von Kies auf der Einfahrt erregte ihre Aufmerksamkeit. Mucksmäuschenstill lag sie im Bett und lauschte. Einen Moment lang hörte sie nur das vertraute Ächzen der Bäume und das Rascheln der Blätter, wenn die Zweige gegen das Schindeldach schlugen. Da – schon wieder dieses Geräusch. Steine kullerten über die Straße und dann das leise Quietschen von Metall. Schon wieder diese Waschbären! Wenn sie sie nicht verjagte, würden sie den Müll über die gesamte Fahrbahn verteilen.

Seufzend setzte sie sich auf und tastete in der Dunkelheit nach ihren Pantoffeln. Geräuschlos schlurfte sie aus dem Schlafzimmer hinaus in den Korridor und schlug instinktiv den Weg zur Küche ein. Sie fand die Dunkelheit zu anheimelnd, um sie durch unnötiges Licht zu vertreiben. Anstatt die Lampe im Carport einzuschalten, griff sie zu der Taschenlampe, die am gewohnten Platz auf dem Küchenregal lag, und schloss die Tür auf.

Der Mond warf ein milchiges Licht durch die Wolkendecke. Sie richtete die Lampe auf die Mülltonnen, aber im Strahl leuchteten keine Waschbäraugen auf, und ebenso wenig entdeckte sie verräterischen Abfall. Der Schein der Lampe spiegelte sich im Metall der Tonnen. Ratlos durchquerte sie den Carport und blieb vor Cathys Datsun stehen, den sie in der Einfahrt geparkt hatte.

In diesem Moment bemerkte sie das schwache Licht im Wagen. Durch die Scheibe konnte sie erkennen, dass das Handschuhfach offen stand. Zuerst dachte sie, dass es von selbst aufgegangen war oder Cathy vergessen hatte, es zu schließen. Dann entdeckte sie die Straßenkarten, die über den Beifahrersitz verstreut waren.

Entsetzt fuhr sie zurück. Die Angst war auf einmal so überwältigend, dass sie das Gefühl hatte, keinen Schritt tun zu können. Unvermittelt spürte sie eine unheimliche Nähe. Jemand wartete in der Dunkelheit. Sie fühlte seine Gegenwart wie einen kühlen Windstoß in der Nacht.

Rasch machte sie kehrt. Das Licht der Taschenlampe wischte durch die Dunkelheit – und gefror auf dem Gesicht eines Mannes. Die Augen, die auf sie herabschauten, waren kalt und schwarz wie Kieselsteine. Den Rest seines Gesichts nahm sie kaum wahr: weder die Hakennase noch die dünnen blutleeren Lippen. Sie sah nur die Augen. Es waren die Augen eines Mannes ohne Seele.

„Guten Abend, Catherine", flüsterte er. In seiner Stimme hörte sie den herannahenden Tod.

Bitte, wollte sie schreien, als er ihr Haar nach hinten riss und ihren Hals freilegte. *Lass mich leben.*

Aber sie brachte keinen Ton hervor. Die Worte blieben ihr ebenso in der Kehle stecken wie seine Klinge.

Am nächsten Morgen wurde Cathy vom Gezänk der Blauhäher geweckt. Sie musste lächeln, als sie diese merkwürdigen Geräusche hörte – Flügel, die aufgeregt gegen die Fensterscheibe schlugen, das hektische Kreischen gefiederter Gegner. Es klang ganz anders als das Dröhnen der Busse und Autos, an das sie gewöhnt war. Das Krächzen der Blauhäher entfernte sich aufs Dach, und ihre Flügel flatterten gegen die Schindeln, während sie ihre Kämpfe ausfochten. Sie lauschte den Klängen des Streits – hinauf auf der einen Seite des Daches und zur anderen Seite wieder hinunter. Schließlich wurde ihr langweilig, und sie schaute zum Fenster.

Die Strahlen der Morgensonne tauchten das Dachzimmer in sanftes Licht. Es war das perfekte Kinderzimmer. Sarah hatte schon eine Menge geändert … die Vorhänge mit den Märchenmotiven, die Tierbilder an der Wand. Plötzlich empfand sie eine tiefe Freude bei dem Gedanken, dass demnächst hier ein Baby schlafen würde. Lächelnd wickelte sie sich die Bettdecke um die Knie. Ihr Blick fiel auf ihre Armbanduhr auf dem Nachttisch. Schon halb zehn. Der halbe Morgen war bereits vorbei!

Zögernd verließ sie die Wärme des Betts und suchte in ihrem Koffer nach einem Sweatshirt und einer Jeans. Mit dem

Gezänk der Blauhäher als Hintergrundmusik zog sie sich an. Die Vögel hatten sich mittlerweile in die Baumkronen verzogen. Durch das Fenster beobachtete sie sie dabei, wie sie von Ast zu Ast hüpften, bis einer von ihnen sozusagen die weiße Flagge hisste und geschlagen das Feld räumte. Der Sieger, dessen Autorität nicht länger infrage gestellt wurde, stieß einen letzten Schrei aus und machte sich wieder daran, sein Gefieder zu putzen.

Erst jetzt fiel Cathy die Stille im Haus auf – eine Stille, in der ihr jeder Herzschlag und jeder Atemzug erschreckend laut erschienen.

Sie verließ die Dachstube und stieg die Treppe hinunter. Das Wohnzimmer war leer. Im Kamin lag die Asche vom Feuer der vergangenen Nacht. Eine silberne Girlande war vom Weihnachtsbaum gerutscht. Auf dem Kaminsims stand ein Engel aus Papier mit glitzernden Flügeln. Sie durchquerte den Korridor und bemerkte, dass die Tür zu Sarahs Zimmer offen war. Stirnrunzelnd betrachtete sie das zerwühlte Bett und das Laken auf dem Boden. „Sarah?"

Die Stille verschluckte ihre Stimme. Konnte ein Cottage wirklich so geräumig sein? Sie ging zurück durchs Wohnzimmer in die Küche. Die Teetassen vom Abend zuvor standen noch in der Spüle. Auf der Fensterbank zitterte Spargelkraut im Luftzug, der durch die offene Tür wehte.

Cathy trat in den Carport, in dem Sarahs alter Dodge stand. „Sarah?", rief sie.

Etwas raschelte auf dem Dach. Erschrocken schaute sie hoch und musste lachen, als sie den Blauhäher im Baum über ihr kreischen sah – zweifellos eine Triumphrede. Selbst im Tierreich gab es selbstgefällige Kreaturen.

Gerade als sie ins Haus zurückgehen wollte, bemerkte sie den Fleck auf dem Kies neben dem Hinterreifen des Wagens.

Ein paar Sekunden lang starrte sie verständnislos auf die rost-braune Stelle. Langsam ging sie am Wagen vorbei und ent-deckte weitere Flecken. Ihr Blick folgte der sich schlängeln-den Spur.

Sie umrundete das Heck des Wagens und konnte die ge-samte Einfahrt überschauen. Der getrocknete rotbraune Bach mündete in einen purpurroten See, in dem eine einzige Schwimmerin lag – reglos und mit weit geöffneten Augen.

Unvermittelt hörte der Blauhäher mit seinem Gezeter auf, als ein anderer Laut in die Baumkronen stieg: Cathys Schrei.

„He, Mister. Mister, hallo!"

Victor versuchte, die Stimme zu ignorieren, aber sie blieb hartnäckig in seinem Ohr – wie eine lästige Fliege, die sich nicht vertreiben ließ.

„He, Mister. Sind Sie wach?"

Victor öffnete die Augen. Es kostete ihn ungeheure Mühe, das krumme Gesicht mit dem grauen Backenbart klar und deutlich erkennen zu können. Die Erscheinung grinste, und schwarze Lücken wurden sichtbar, wo eigentlich Zähne sein sollten. Victor starrte in dieses dunkle Loch, das ein Mund war, und dachte: Ich bin gestorben und in der Hölle gelan-det.

„He, Mister, haben Sie eine Zigarette?"

Victor schüttelte den Kopf und presste mühsam hervor: „Ich glaube nicht."

„Können Sie mir dann einen Dollar leihen?"

„Lassen Sie mich in Ruhe", stöhnte Victor und schloss die Augen, um das grelle Tageslicht auszublenden. Angestrengt versuchte er, sich zu erinnern, wo er war, aber sein Kopf schmerzte höllisch, und die Stimme des kleinen Mannes ließ ihn nicht zur Ruhe kommen.

„Ich krieg hier nirgendwo Zigaretten. Ist wie im Knast. Warum stehe ich nicht einfach auf und gehe hinaus? Aber wissen Sie, um diese Jahreszeit ist es draußen auf der Straße verdammt kalt. Die ganze Nacht hat's geregnet. Hier drinnen ist es wenigstens warm ..."

Die ganze Nacht hat's geregnet ... Plötzlich erinnerte Victor sich wieder. Der Regen. Er war durch den Regen gelaufen ... immer weitergelaufen.

Victor riss die Augen auf. „Wo bin ich?"

„Station Nummer drei, Ostflügel. Das Reich der Hexen."

Mühsam richtete er sich auf. Vor Schmerz hätte er beinahe laut gestöhnt. Der Metallständer, an dem die Infusionsflüssigkeit hing, die in das Röhrchen tropfte, verschwamm vor seinen Augen. Er drehte den Kopf und bemerkte den Verband an seiner linken Schulter. Und bei einem Blick aus dem Fenster stellte er fest, dass es bereits heller Tag war. „Wie spät ist es?"

„Keine Ahnung. Neun Uhr vielleicht. Das Frühstück haben Sie jedenfalls verpasst."

„Ich muss hier raus." Victor schwang die Beine aus dem Bett und stellte fest, dass er unter dem dünnen Krankenhaushemd nackt war. „Wo sind meine Sachen? Meine Brieftasche?"

Der alte Mann zuckte mit den Schultern. „Das sollte die Schwester wissen. Fragen Sie sie."

Victor fand den Rufknopf zwischen den Laken. Er drückte ein paarmal darauf. Danach begann er, das Pflaster abzuziehen, mit dem die Kanüle an seinem Arm befestigt war.

Die Tür flog auf, und eine weibliche Stimme erklang: „Mr Holland! Was machen Sie da?"

„Ich verschwinde von hier", erwiderte Victor, während er das letzte Pflaster abriss. Ehe er die Kanüle herausziehen konnte, eilte die Schwester an sein Bett, so schnell es ihre stämmigen Beine erlaubten, und legte eine Gazebinde über den Katheter.

„Machen Sie mir bloß keine Vorwürfe", kreischte der kleine Mann.

„Lenny, gehen Sie sofort in Ihr Bett zurück. Und Sie, Mr Holland", wandte sie sich an ihn und richtete den stahlblauen Blick ihrer Augen auf Victor, „haben zu viel Blut verloren." Sie drückte seinen Arm gegen ihren wuchtigen Bizeps und begann, den Katheter wieder zu befestigen.

„Holen Sie mir einfach meine Kleidung."

„Keine Diskussionen, Mr Holland. Sie müssen hierbleiben."

„Warum?"

„Weil Sie eine Transfusion bekommen", blaffte sie ihn an, als ob dies eine Entscheidung wäre, die nicht rückgängig gemacht werden konnte.

„Ich will meine Sachen haben."

„Da muss ich in der Notaufnahme nachfragen. Die haben nichts von Ihnen hier hochgebracht."

„Dann rufen Sie die Notaufnahme an, verdammt noch mal." Als er ihr missbilligendes Stirnrunzeln sah, fügte er hinzu: „Wenn es Ihnen nichts ausmacht."

Es dauerte eine weitere halbe Stunde, ehe eine Frau von der Patientenaufnahme auftauchte, um zu erklären, was mit Victors Sachen geschehen war.

„Ich fürchte, wir … nun ja, wir scheinen Ihre persönlichen Dinge … sie sind jedenfalls nicht mehr da, Mr Holland", stammelte sie verlegen.

„Was soll das heißen – sie sind nicht mehr da?"

„Sie wurden …", sie räusperte sich „… gestohlen. Aus der Notaufnahme. Glauben Sie mir, das ist noch nie passiert. Es tut uns sehr leid, Mr Holland, und ich bin sicher, dass wir für Ersatz sorgen können ..."

Sie war zu sehr damit beschäftigt, sich zu entschuldigen, um Victors alarmierten Gesichtsausdruck zu bemerken. Fieberhaft versuchte er, sich zu erinnern. Die Ereignisse der vergangenen Nacht lagen wie in einem dichten Nebel. Was war mit der Filmrolle passiert? Er wusste, dass er sie auf der endlos langen Fahrt zum Krankenhaus in seiner Tasche gehabt hatte. Er erinnerte sich daran, dass er sie fest in der Hand gehalten und ziellos nach der Frau geschlagen hatte, als sie versucht hatte, die Hand aus seiner Tasche zu ziehen. Und dann ... war da nur noch eine große Leere, ein dunkles Loch. *Habe ich sie verloren? Habe ich meinen einzigen Beweis verloren?*

„Ihr Geld ist weg, aber die Kreditkarten sind noch alle vorhanden. Glücklicherweise."

Verständnislos schaute er sie an. „Was?"

„Ihre Wertsachen, Mr Holland." Sie zeigte auf seine Brieftasche und die Armbanduhr, die sie auf den Nachttisch gelegt hatte. „Einer der Sicherheitsleute hat sie in der Mülltonne neben dem Krankenhaus gefunden. Sieht so aus, als hätte es der Dieb nur auf Ihr Bargeld abgesehen."

„Und meine Klamotten. Stimmt."

Kaum hatte die Frau das Zimmer verlassen, drückte Victor den Knopf, um die Krankenschwester, Ms Redfern, zu holen. Sie kam mit einem Frühstückstablett zurück. „Essen Sie etwas, Mr Holland", befahl sie. „Vielleicht sind Sie unterzuckert. Das würde Ihr Verhalten erklären."

„Eine Frau hat mich in die Notaufnahme gefahren", sagte er. „Ihr Vorname war Catherine. Ich muss unbedingt mit ihr reden."

„Oh, schauen Sie nur: Rührei und Cornflakes. Hier ist Ihre Gabel ..."

„Ms Redfern, würden Sie endlich diese verdammten Corn-flakes wegnehmen?"

Energisch stellte Ms Redfern die Cornflakesschachtel ab.

„Kein Grund, gleich ausfallend zu werden!"

„Ich muss diese Frau finden!"

Ohne ein weiteres Wort machte Ms Redfern auf dem Absatz kehrt und rauschte aus dem Zimmer. Ein paar Minuten später kam sie zurück und drückte ihm ein Stück Papier in die Hand. Darauf stand der Name Catherine Weaver, gefolgt von einer Adresse in der Nähe.

„Sie sollten sich mit dem Essen beeilen", riet die Schwester ihm. „Draußen wartet ein Polizist, der mit Ihnen reden will."

„Na prima", brummte er, während er eine Gabel mit kaltem Rührei in den Mund stopfte.

„Ein Mann vom FBI hat auch angerufen. Er ist bereits unterwegs hierher."

Alarmiert schaute Victor hoch. „FBI? Wie hieß er?"

„Herrje, woher soll ich das wissen? Klang irgendwie polnisch, glaube ich."

Victor schaute sie unverwandt an, während er die Gabel sinken ließ. „Polowski", sagte er leise.

„Ja, so hat es sich angehört. Polowski." Sie drehte sich um. Im Hinausgehen murmelte sie: „Das FBI, soso. Was hat er wohl angestellt, dass sie sich für ihn interessieren?"

Noch ehe die Tür ins Schloss fiel, sprang Victor aus dem Bett und zerrte an der Kanüle. Er spürte kaum den Schmerz, als er sich ein paar Härchen mit dem Pflaster herausriss. Er musste so schnell wie möglich aus dem Krankenhaus verschwinden, ehe Polowski auftauchte, denn er war davon überzeugt, dass er dem FBI-Agenten den Hinterhalt von vergangener Nacht zu verdanken hatte. Und auf einen weiteren Angriff verspürte er nicht die geringste Lust.

Abrupt wandte er sich seinem Bettnachbarn zu. „Lenny, wo sind Ihre Sachen?"

Zögernd schaute Lenny zu einem Schrank neben dem Waschbecken. „Ich habe keine anderen Kleider. Außerdem würden die Ihnen sowieso nicht passen ..."

Victor riss den Schrank auf und zog ein ausgefranstes Baumwollhemd und eine schlabbrige Kunstfaserhose heraus. Die Hose war etwa zwölf Zentimeter zu kurz, so dass Victors Waden unter dem Saum hervorlugten, aber den Gürtel konnte er problemlos schließen. Die eigentliche Schwierigkeit bestand darin, Schuhe in Größe sechsundvierzig zu finden. Zu seiner Erleichterung entdeckte er im Schrank auch ein Paar von Lennys Sandalen. Seine Ferse stand zwar mindestens drei Zentimeter über, aber wenigstens musste er nicht barfuß laufen.

„Das sind meine", protestierte Lenny.

„Hier. Die gebe ich Ihnen dafür." Victor warf dem alten Mann seine Armbanduhr zu. „Wenn Sie die verkaufen, können Sie sich von Kopf bis Fuß neu einkleiden."

Misstrauisch hielt Lenny die Uhr an sein Ohr. „Der reinste Schrott. Die tickt ja nicht mal."

„Ist eine Quarzuhr."

„Ach so. Wusste ich natürlich."

Victor steckte seine Brieftasche ein und ging zur Tür, die er nur einen Spaltbreit öffnete, um auf den Korridor zu schauen, an dessen Ende das Schwesternzimmer lag. Die Luft war rein. Er drehte sich nach Lenny um. „Machen Sie's gut, Kumpel. Und grüßen Sie Ms Redfern von mir."

Er schlüpfte aus dem Raum und schlich über den Korridor. Die Feuerleiter lag am entgegengesetzten Ende vom Schwesternzimmer. Auf der Tür prangte der Hinweis: *Nicht öffnen! Alarmgesichert!* Unbeirrt schritt er darauf zu. Um keine Aufmerksamkeit zu erregen, vermied er es zu laufen. Doch als er die Tür fast erreicht hatte, schallte eine vertraute Stimme über den Korridor.

„Mr Holland! Kommen Sie sofort zurück!"

Victor sprang zur Tür, drückte die Sperre hinunter und hastete ins Treppenhaus.

Laut hallten seine Tritte auf dem Zement, während er die Stufen hinunterrannte. Er hatte bereits das Erdgeschoss erreicht, als er Ms Redferns Schritte hinter sich hörte, und öffnete die letzte Tür zur Freiheit.

„Mr Holland!", schrie Ms Redfern.

Ihre Stimme gellte ihm noch im Ohr, als er bereits über den Parkplatz hastete.

Acht Häuserblocks weiter verschwand er in einem Supermarkt. Er brauchte nur zehn Minuten, um ein Hemd, Jeans, Unterwäsche, Socken und Tennisschuhe Größe sechsundvierzig zu kaufen, für die er mit seiner Kreditkarte bezahlte. Lennys Klamotten entsorgte er in einem Abfallkorb.

Ehe er wieder auf die Straße trat, sondierte er die Lage durch das Schaufenster. Alles sah nach einem ganz normalen Dezembermorgen in einer Kleinstadt aus. Kunden liefen unter der Weihnachtsdekoration hindurch, und ein halbes Dutzend Wagen warteten geduldig vor einer roten Ampel. Er wollte gerade hinausgehen, als er den Streifenwagen bemerkte, der langsam die Straße entlangfuhr. Sofort duckte er sich hinter eine nackte Schaufensterpuppe und sah dem Wagen durch die Lücke zwischen Arm und Oberkörper dabei zu, wie er den Supermarkt passierte und langsam in Richtung Krankenhaus rollte. Offensichtlich suchten sie jemanden. War er derjenige?

Ein Bummel über die Hauptstraße wäre zu riskant, da er keine Ahnung hatte, wer außer Polowski ein doppeltes Spiel mit ihm trieb.

Für den Fußmarsch bis an den Stadtrand brauchte er fast eine Stunde. Anschließend konnte er sich kaum noch auf den Beinen halten. Der Adrenalinschub, der ihm bei der Flucht aus dem Krankenhaus geholfen hatte, war längst verbraucht. Zu müde für einen weiteren Schritt sank er auf einen Felsblock am Rand der Autobahn und streckte zögernd den Daumen raus. Zu seiner großen Erleichterung scherte bereits das erste Fahrzeug aus – ein Pick-up, der mit Brennholz beladen war. Dankbar stieg Victor ein und ließ sich auf den Sitz fallen.

Der Fahrer spuckte aus dem Fenster und musterte Victor aus zugekniffenen Augen unter einer Baseballkappe. „Haben Sie 'nen weiten Weg?"

„Nur ein paar Meilen. Bis zur Oak Hill Road."

„Okay. Da komme ich vorbei." Der Mann fuhr zurück auf die Fahrbahn. Schwarzer Rauch quoll aus dem Auspuff, als er Gas gab. Aus dem Radio dröhnte Countrymusik.

Durch die Gitarrenmusik vernahm Victor ein Geräusch, das ihn kerzengrade sitzen ließ. Eine Sirene. Er wandte den Kopf und sah einen Streifenwagen, der rasch näher kam. Das wär's also, dachte Victor. *Sie haben mich gefunden. Sie werden diesen Truck anhalten und mich verhaften …*

Aber mit welcher Begründung? Weil er aus dem Krankenhaus geflohen war? Weil er Ms Redfern beleidigt hatte? Oder hatte Polowski irgendeine Anschuldigung gegen ihn erfunden?

Gewappnet für das drohende Unheil, wartete Victor darauf, dass der Streifenwagen überholte und sie zum Anhalten aufforderte. Er war sich dessen so sicher, dass er dem Wagen nur verblüfft hinterherstarren konnte, als das Einsatzfahrzeug sie überholte und über die Autobahn davonsauste.

„Da gibt's wohl irgendwo Probleme." Der Fahrer deutete mit dem Kopf auf den Streifenwagen.

Victor räusperte sich mühsam. „Probleme?"

„Jau. Die haben nicht oft Gelegenheit, die Sirene einzuschalten, aber wenn sie es tun, Junge, Junge, dann brennt die Hütte wirklich."

Victor lehnte sich zurück und zwang sich zur Ruhe. Das Herz schlug ihm bis zum Hals. Er brauchte sich keine Sorgen zu machen. Der Polizeieinsatz galt nicht ihm, sondern etwas anderem. Was mochte in dieser Kleinstadt wohl passiert sein, dass gellende Sirenen zum Einsatz kamen? Wahrscheinlich waren es bloß ein paar Jugendliche, die Papas Wagen für eine Spritztour stibitzt hatten.

Als sie die Abzweigung zur Oak Hill Road erreichten, hatte Victors Puls sich wieder beruhigt. Er bedankte sich bei dem Fahrer, kletterte aus dem Wagen und schlug den Weg zu Catherine Weavers Haus ein. Die Straße war ziemlich lang und schlängelte sich durch einen Pinienwald. Ab und an kam er an einem Briefkasten vorbei, und wenn er durch die Bäume spähte, konnte er dahinter Häuser ausmachen. Rasch näherte er sich Catherines Adresse.

Was, um alles in der Welt, sollte er ihr bloß sagen? Bis zu diesem Moment hatte er sich nur auf den Weg konzentriert. Jetzt, da er Catherines Haus fast erreicht hatte, wurde es Zeit, sich eine plausible Erklärung auszudenken, warum er aus dem Krankenhaus geflüchtet und sich in seinem Zustand die Mühe gemacht hatte, sie aufzusuchen. Ein einfaches „Danke, dass Sie mein Leben gerettet haben" würde wohl kaum ausreichen. Er musste unbedingt herausfinden, ob sie die Filmrolle hatte. Sie würde dann natürlich wissen wollen, warum dieses verdammte Ding so wichtig war.

Du könntest ihr die Wahrheit erzählen.

Vergiss es! Nur zu gut konnte er sich vorstellen, wie sie reagieren würde, wenn er ihr eine fantastische Geschichte von

Viren, ermordeten Wissenschaftlern und FBI-Agenten erzählte, die ein doppeltes Spiel spielten. *Das FBI ist hinter Ihnen her? Verstehe. Und wer ist sonst noch hinter Ihnen her, Mr Holland?* Es war so absurd, dass er fast gelacht hätte. Nein, von alldem konnte er ihr nichts erzählen, wenn er es vermeiden wollte, wieder in einem Krankenhaus zu landen – aber dann in einer Anstalt, die Ms Redferns Station Nummer drei, Ostflügel, wie ein Paradies erscheinen lassen würde.

Catherine brauchte davon nichts zu erfahren. Es wäre sogar besser für sie. Die Frau hatte ihm das Leben gerettet, und er dachte nicht im Traum daran, sie in Gefahr zu bringen. Er wollte nur den Film von ihr. Und dann würde sie ihn nie mehr wiedersehen.

Er war so tief in seine Gedanken versunken, dass er die Streifenwagen erst bemerkte, als er um eine Kurve bog. Wie vom Donner gerührt, blieb er stehen, als ihm die drei Einsatzwagen den Weg versperrten. Vermutlich war die gesamte Wagenflotte der Polizei von Garberville vor dem rustikalen Holzhaus vorgefahren. Ein halbes Dutzend Nachbarn hatten sich auf der Kieseinfahrt eingefunden. Einige schüttelten ungläubig den Kopf. War Catherine vielleicht etwas zugestoßen?

Er bekämpfte den Wunsch, auf dem Absatz kehrtzumachen und wegzulaufen. Victor drückte sich an den Polizeiwagen und den Gaffern vorbei. Ein uniformierter Beamter hielt ihn auf.

„Tut mir leid, Sir, aber weiter dürfen Sie nicht."

Verwirrt schaute Victor auf das gelbe Absperrband. Langsam wanderte sein Blick zu dem alten Datsun, der vor dem Carport stand. War das Catherines Wagen? Mühsam versuchte er, sich daran zu erinnern, ob sie einen Datsun gefahren hatte. Doch in der Nacht zuvor war es so dunkel gewesen, und er hatte vor lauter Schmerzen nicht darauf geachtet. Er wusste nur noch, dass es ein Kleinwagen gewesen war, in dem seine Beine kaum Platz gefunden hatten. Dann entdeckte er den verblichenen Aufkleber auf der Heckstoßstange – ein Parkberechtigungsschein für Studio A.

„Ich arbeite bei einer Independent-Filmgesellschaft", hatte sie ihm erzählt.

Es war Catherines Wagen.

Zögernd folgte er der Spur der Flecken auf den Kieseln, und obwohl ihm sein Verstand sagte, dass dieses seltsame Rot nur getrocknetes Blut sein konnte, wollte er es sich nicht eingestehen. Er redete sich ein, dass es eine andere Erklärung für diese Flecken geben musste – und für diese beunruhigende Ansammlung von Polizisten.

Er versuchte zu sprechen, aber seine Stimme klang, als habe er Kieselsteine in der Kehle.

„Was haben Sie gesagt, Sir?", fragte der Polizeibeamte.

„Was ... was ist denn passiert?"

Betrübt schüttelte der Beamte den Kopf. „Vergangene Nacht ist hier eine Frau umgebracht worden. Unser erster Mord in zehn Jahren."

„*Mord?*" Noch immer starrte Victor entgeistert auf die blutverschmierten Kieselsteine. „Aber ... warum?"

Der Officer zuckte mit den Schultern. „Das wissen wir noch nicht. Raubmord vielleicht. Aber die Beute war nicht sehr groß." Mit dem Kopf deutete er auf den Datsun. „Nur der Wagen ist aufgebrochen worden."

Falls Victor etwas erwiderte, konnte er sich später nicht mehr daran erinnern. Wie durch einen Nebel bekam er mit, dass seine Beine ihn durch die Zuschauergruppe trugen, vorbei an den drei Streifenwagen zurück zur Straße. Die Sonne schien so hell, dass ihm die Augen schmerzten und er kaum etwas erkennen konnte.

Ich habe sie getötet, dachte er. *Sie hat mir das Leben gerettet, und ich habe sie getötet.*

Das überwältigende Schuldgefühl nahm ihm den Atem. Wie betäubt blieb er stehen und ließ den Kopf hängen. Der Schmerz war so intensiv, dass er nicht weiterlaufen konnte. Lange verharrte er reglos am Straßenrand, die Sonne im Gesicht, das Gekreisch von Blauhähern im Ohr, und trauerte um eine Frau, die er überhaupt nicht kannte.

Als er den Kopf endlich wieder heben konnte, fühlte er Wut in sich aufsteigen. Wut, die ihm genügend Energie verlieh, den Weg zurückzulaufen, und Wut auf Catherines Mörder. Und er war wütend auf sich selbst, weil er sie in Gefahr gebracht hatte. Der Mörder hatte den Film gesucht und vermutlich im Datsun gefunden. Andernfalls hätte er auch das Haus auf den Kopf gestellt.

Und nun? überlegte Victor. Er glaubte nicht, dass sein Aktenkoffer, in dem er die meisten Beweise aufbewahrte, noch in seinem demolierten Wagen lag. Dort hatte der Mörder wohl zuerst gesucht. Ohne den Film hatte Victor allerdings nichts in der Hand. Sein Wort würde gegen das von Viratek stehen. Die Medien würden in ihm nichts weiter sehen als einen Exangestellten mit Wut im Bauch. Und nach Polowskis doppeltem Spiel konnte er auch dem FBI nicht mehr trauen.

Bei diesem Gedanken beschleunigte er seine Schritte. Je eher er aus Garberville verschwand, umso besser. Sobald er den Highway erreichte, würde er versuchen, ein weiteres Fahrzeug anzuhalten. Wenn er erst einmal die Stadt hinter sich gelassen hatte, konnte er über den nächsten Schritt nachdenken.

Er beschloss, nach Süden zu fahren. Nach San Francisco.

3. KAPITEL

Vom Fenster seines Büros bei Viratek beobachtete Archibald Black die Limousine, die durch die von Bäumen gesäumte Einfahrt rollte und vor dem Haupteingang stehen blieb. Black schnaubte verächtlich. Der Cowboy war zurück in der Stadt. Mist! Dabei schwafelte dieser Mann andauernd über die Wichtigkeit von Geheimhaltung und davon, dass niemand von seinem kleinen Geheimnis erfahren dürfe. Und jetzt fuhr dieser Schwachkopf in einer Protzlimousine vor – mit einem livrierten Chauffeur am Steuer. Nicht zu fassen!

Black wandte dem Fenster den Rücken zu und ging hinüber zu seinem Schreibtisch. Er musste sich eingestehen, dass er sich, obwohl er seinen Besucher verachtete, in dessen Gegenwart unwohl fühlte – so wie es ihm bei allen „Männern der Tat" erging. Leider mehr Muskeln als Hirn. Die Schwachköpfe haben zu viel Macht in den Händen, überlegte er. War das nicht bezeichnend für die Typen, denen man die Führung des Landes anvertraute?

Die Wechselsprechanlage summte. „Mr Black?", meldete sich seine Sekretärin. „Ein Mr Tyrone möchte Sie sprechen."

„Lassen Sie ihn bitte hereinkommen." Black war bemüht, sich seine Abneigung nicht anmerken zu lassen. Stattdessen begrüßte er Matthew Tyrone mit höflicher Beflissenheit, als er das Büro betrat.

Die beiden Männer schüttelten sich die Hand. Tyrones Griff war unangemessen fest, als wollte er Black damit zu verstehen geben, wer der Mächtigere war. Sein Auftreten verriet in Aussehen und Habitus den Exmarine, der er gewesen war. Nur sein Bauchansatz ließ darauf schließen, dass Tyrones Zeit als Soldat schon lange Geschichte war.

„Wie war der Flug von Washington?", erkundigte Black sich, während sie Platz nahmen.

„Furchtbarer Service. Die zivilen Fluggesellschaften sind auch nicht mehr das, was sie mal waren. Wenn man bedenkt, dass der Durchschnittsamerikaner viel Geld dafür bezahlt ..."

„Wahrscheinlich kein Vergleich zu einem Flug mit der Air Force One."

Tyrone lächelte. „Kommen wir zum Geschäftlichen. Erzählen Sie mir, wie es um Ihr kleines Problem steht."

Black entging Tyrones Wortwahl nicht. *Ihr* kleines Problem! Jetzt ist es also mein Problem, dachte er. Natürlich. Das meinten sie mit Bestreitbarkeit: Wenn etwas schiefläuft, ist immer jemand anders schuld. Wenn irgendetwas davon bekannt werden sollte, würde Blacks Kopf rollen. Aber genau deshalb war dieser Vertrag auch so lukrativ, weil er – beziehungsweise Viratek – bereit war, das Risiko auf sich zu nehmen.

„Wir haben die Dokumente retten können", begann Black. „Und die Filmrollen. Die Negative werden gerade entwickelt."

„Und Ihre beiden Angestellten?"

Black räusperte sich. „Es ist nicht nötig, weitere Maßnahmen zu ergreifen."

„Sie stellen ein Risiko für die nationale Sicherheit dar."

„Sie können sie nicht einfach töten."

„Können wir nicht?" Tyrones Augenfarbe war ein kaltes Stahlgrau. Eine passende Farbe für jemanden, der sich „der Cowboy" nannte. Man diskutierte nicht mit einem Mann, der solche Augen hatte. Nicht, wenn man über einen gesunden Selbsterhaltungstrieb verfügte.

Ergeben neigte Black den Kopf. „Ich bin an diese Art von ... Geschäft nicht gewöhnt. Und ich möchte mit Ihrem Mr Savitch nichts zu tun haben."

„Mr Savitch hat bereits ausgezeichnete Arbeit für uns geleistet."

„Er hat einen meiner leitenden Wissenschaftler getötet!"

„Dann war es wohl notwendig."

Bekümmert betrachtete Black seinen Schreibtisch. Allein der Gedanke an dieses Monster Savitch jagte ihm einen Schauer über den Rücken.

„Warum genau hat Martinique sich gegen uns gewandt?"

Weil er ein Gewissen hat, dachte Black. Er schaute Tyrone an. „Das hatte niemand vorhersehen können. Zehn Jahre lang hat er in der Abteilung für Forschung und Entwicklung gearbeitet. Er war nie ein Sicherheitsproblem. Wir haben erst vergangene Woche herausgefunden, dass er geheime Dokumente gestohlen hatte. Und dann ist Victor Holland in die Sache hineingezogen worden ..."

„Wie viel weiß Holland?"

„Holland hatte mit dem Projekt nichts zu tun. Aber er ist intelligent. Falls er einen Blick auf die Unterlagen geworfen hat, dürfte er eins und eins zusammenzählen können."

Tyrone wurde nervös. Er trommelte mit den Fingern auf die Schreibtischplatte. „Erzählen Sie mir von Holland. Was wissen Sie über ihn?"

„Ich habe mir seine Personalakte angeschaut. Er ist einundvierzig Jahre alt, geboren und aufgewachsen in San Diego. Hat die dortige Universität besucht, aber nach einem Jahr abgebrochen. Anschließend war er in Stanford und dann beim MIT. Doktor in Biochemie. Bei Viratek ist er seit vier Jahren angestellt. Einer unserer vielversprechendsten Forscher."

„Was ist mit seinem Privatleben?"

„Seine Frau ist vor drei Jahren an Leukämie gestorben. Lebt seitdem ziemlich zurückgezogen. Ein ruhiger Typ. Liebt klassischen Jazz und spielt selbst Saxofon in einer Band."

Tyrone lachte. „Der typische verschrobene Wissenschaftler." Das war genau der dämliche Kommentar, den man von einem Exsoldaten wie Tyrone erwarten konnte. Auch Black fühlte sich von der Beleidigung getroffen. Lange bevor er Viratek Industries gegründet hatte, war er selbst als Biochemiker in der Forschung tätig gewesen.

„Es dürfte nicht schwer sein, ihn loszuwerden", meinte Tyrone. „Er hat keine Erfahrung mit solch einer Situation. Und wahrscheinlich Angst." Er griff nach seiner Aktentasche. „Mr Savitch ist Experte auf diesem Gebiet. Ich schlage vor, Sie überlassen es ihm, das Problem zu lösen."

„Natürlich." Insgeheim überlegte Black, dass ihm gar keine Wahl blieb. Nicholas Savitch war wie eine böse, Furcht einflößende Kraft, die nicht mehr unter Kontrolle zu bringen war, wenn man sie einmal von der Leine gelassen hatte.

Die Wechselsprechanlage summte. „Mr Gregorian aus dem Fotolabor ist hier", verkündete die Sekretärin.

„Schicken Sie ihn herin." Black warf Tyrone einen Blick zu. „Der Film wurde entwickelt. Wollen mal sehen, was Martinique fotografieren konnte."

Gregorian kam mit einem dicken Umschlag herein. „Hier sind die Kontaktbögen, die Sie haben wollten", erklärte er, während er die Hand über den Schreibtisch streckte und Black den Umschlag gab. Dabei musste er sich das Lachen verkneifen.

„Mr Gregorian?" Irritiert sah Black ihn an.

„Nichts, Sir."

„Dann lassen Sie uns mal sehen", schaltete Tyrone sich ein.

Black zog die fünf Kontaktbögen heraus und legte sie auf den Schreibtisch, so dass jeder sie sehen konnte. Die Männer bekamen große Augen.

Lange Zeit sagte keiner etwas. Schließlich ergriff Tyrone das Wort. „Soll das ein Witz sein?"

Jetzt brach Gregorian in schallendes Gelächter aus.

„Was, zum Teufel, ist das?", fragte Black.

„Das sind die Negative, die Sie mir gegeben haben, Sir", antwortete Gregorian glucksend. „Ich habe sie persönlich entwickelt."

„Das sind die Fotos, die Sie bei Mr Holland gefunden haben?" Tyrones Stimme klang gefährlich leise und wurde immer lauter. „Fünf Kontaktbögen mit nackten Frauen?"

„Das ist ein Irrtum", sagte Black. „Es ist der falsche Film ..."

Gregorian konnte sich gar nicht mehr einkriegen.

„Seien Sie still!", schrie Black. Ratlos sah er Tyrone an. „Ich habe keine Ahnung, wie das passieren konnte."

„Dann ist der Film, den wir wollen, noch da draußen?"

Black nickte kraftlos.

Tyrone griff nach seinem Handy. „Wir müssen das in Ordnung bringen. Und zwar schnell."

„Wen rufen Sie an?", wollte Black wissen.

„Den Mann, der den Job erledigen kann." Tyrone drückte auf die Tasten. „Savitch."

In seinem Motelzimmer auf der Lombard Street lief Victor auf dem avocadogrünen Teppichboden hin und her und dachte fieberhaft über Alternativen nach. Irgendeine Alternative. Sein gut strukturiertes Wissenschaftlergehirn hatte die Situation bereits in die Elemente eines Forschungsprojekts segmentiert. *Erkenne das Problem: Jemand will mich umbringen. Formuliere die Hypothese: Jerry Martinique hat etwas Gefährliches herausgefunden; dafür wurde er getötet. Jetzt glauben sie, dass ich die Informationen habe – und die Be-*

weise. Was ich nicht tue. Das Ziel: am Leben bleiben. Die Methode: alles, was dazu nötig ist!

Während der vergangenen beiden Tage hatte seine einzige Strategie darin bestanden, sich in billigen Motelzimmern zu verstecken und Trampelpfade auf den Teppichböden zurückzulassen. Er konnte nicht für immer unsichtbar bleiben. Wenn das FBI in die Sache verwickelt war – und er hatte Grund zu der Annahme, dass es so war –, würde man ihn mithilfe der Spuren, die seine Kreditkarte hinterließ, bald ausfindig machen.

Ich brauche einen Angriffsplan.

Sich dem FBI anzuvertrauen kam nicht infrage. Sam Polowski war der Agent, den Victor kontaktiert hatte und der ihn in Garberville treffen wollte. Außer ihnen beiden sollte niemand etwas von dem Termin erfahren. Aber Sam Polowski war nicht aufgetaucht.

Dafür jemand anders. Victors schmerzende Schulter war eine ständige Erinnerung an diese um ein Haar tödliche Begegnung.

Ich könnte mich an die Zeitungen wenden. Doch wie sollte er einen skeptischen Reporter überzeugen? Wer würde seiner Geschichte über ein Projekt Glauben schenken, das so gefährlich war, dass es Millionen töten konnte? Sie würden seine Geschichte für die Hirngespinste eines paranoiden Gehirns halten.

Aber ich bin nicht paranoid.

Er ging zum Fernsehgerät und schaltete die Fünf-Uhr-Nachrichten ein. Eine perfekt frisierte Moderatorin strahlte vom Bildschirm, als sie etwas von den letzten Schultagen, glücklichen Kindern und Weihnachtsferien erzählte. Danach wurde sie ernst und setzte eine besorgte Miene auf. Wie gebannt starrte Victor auf das Gerät, als sie zur nächsten Meldung kam.

„Keine neuen Spuren haben sich im Zusammenhang mit dem Mord an einer Frau in Garberville, Kalifornien, ergeben. Das Opfer wurde am Mittwochmorgen gefunden. Eine Bekannte, die sich im Haus aufhielt, hatte die neununddreißigjährige Sarah Boylan in der Einfahrt entdeckt. Sie wurde mit Messerstichen in den Hals getötet. Das Opfer war im fünften Monat schwanger. Die Polizei ist noch auf der Suche nach einem Motiv für diese schreckliche Tragödie ebenso wie nach einem Verdächtigen. Und nun zu den landesweiten Nachrichten ...“

Nein, nein, nein! dachte Victor. Sie war nicht schwanger gewesen. Und sie hieß auch nicht Sarah. Das war ein Irrtum ... Oder doch nicht?

„Ich heiße Catherine“, hatte sie ihm erzählt.

Catherine Weaver. Ja, so lautete ihr Name, da war er ganz sicher. An diesen Namen würde er sich bis zu seinem letzten Tag erinnern.

Er setzte sich auf das Bett. Tausend Gedanken schossen ihm durch den Kopf. Sarah. Cathy. Ein Mord in Garberville.

Schließlich stand er wieder auf. Er musste unbedingt etwas unternehmen. Fast stieg so etwas wie Panik in ihm auf. Entschlossen griff er zum Telefonbuch, das im Zimmer lag, und blätterte bis zum Buchstaben W. Allmählich wurde ihm klar, was geschehen war. Der Mörder hatte einen Fehler gemacht. Falls Cathy Weaver noch lebte, war die Filmrolle möglicherweise noch in ihrem Besitz – oder sie wusste, wo sie sich befand. Victor musste sie unbedingt ausfindig machen.

Ehe es jemand anderes tat.

Cathy fühlte eine unsägliche Traurigkeit, als sie in ihre Wohnung in San Francisco zurückkehrte. Dabei hatte sie geglaubt, alle Tränen in jener Nacht in dem Motel in Garberville vergossen zu haben – die Nacht nach Sarahs Tod. Doch kaum war sie hier, brach sie erneut in Tränen aus und versank in tiefschwarze Melancholie. Die Fahrt in die Stadt hatte sie ein wenig abgelenkt. Aber als sie nun die Treppe in den ersten Stock hinaufstieg und die tödliche Stille ihres Apartments sie umfing, hatte sie das Gefühl, vom Kummer erstickt zu werden. Ebenso groß war ihre Fassungslosigkeit. Warum musste ausgerechnet Sarah sterben?

Bedrückt und halbherzig begann sie, ihren Koffer auszupacken. Um sich abzulenken, schaute sie anschließend in den Kühlschrank und stellte fest, dass er praktisch leer war. Das war genau die Entschuldigung, die sie brauchte, um ihr Apartment fluchtartig zu verlassen. Sie streifte einen Pullover über und war geradezu erleichtert, als sie die vier Blocks zum nächsten Supermarkt lief. Dort kaufte sie nur das Wichtigste – Brot, Eier und Obst. Genug für die nächsten Tage. Bis dahin hatte sie den Schock hoffentlich überwunden und wieder Appetit auf ein ordentliches Essen.

Mit einer Tüte voller Lebensmittel in jedem Arm schlenderte sie durch die zunehmende Dunkelheit zurück zu ihrem Apartmenthaus. Die Nacht war kühl, und sie bedauerte es, keinen Mantel angezogen zu haben. Durch ein geöffnetes Fenster rief eine Frau auf die Straße hinaus: „Zeit fürs Abendessen!" Zwei Kinder unterbrachen ihr Ballspiel und trollten sich nach Hause.

Als Cathy ihr Haus erreichte, zitterte sie am ganzen Körper, und die Arme schmerzten vom Gewicht der Einkaufstüten. Sie schleppte sich die Stufen zur Haustür hinauf. Mit einer Tüte auf der Hüfte schaffte sie es, den Schlüssel aus der Tasche zu fischen und die Sicherheitstür aufzuschließen. Als sie eintrat, hörte sie Schritte. Aus den Augenwinkeln bemerkte sie einen Schatten, der sich ihr näherte. Eine der Tüten rutschte ihr aus dem Arm. Äpfel kullerten über den Boden. Sie stolperte und hielt sich am Holzgeländer fest. Hinter ihr fiel die Tür ins Schloss.

Sie fuhr herum, bereit, sich gegen ihren Angreifer zu wehren.

Es war Victor Holland.

„Sie", flüsterte sie entgeistert.

Er schien sich nicht so sicher zu sein, was ihre Identität anging. Gehetzt betrachtete er ihre Gesichtszüge, wie um sicherzugehen, dass er vor der richtigen Frau stand. „Cathy Weaver?"

„Was wollen Sie …?"

„Wo ist Ihre Wohnung?", unterbrach er sie.

„Was?"

„Wir können nicht hier draußen stehen bleiben."

„Sie ist … sie ist oben."

„Kommen Sie." Er griff nach ihrem Arm, aber sie trat einen Schritt zurück.

„Mein Essen." Sie betrachtete die Äpfel, die auf dem Boden verteilt waren.

Rasch sammelte er das Obst ein, warf es in eine der Tüten und drängte sie zur Treppe. „Wir haben nicht viel Zeit."

Cathy ließ sich von ihm die Treppe hinaufschieben. Als sie die Hälfte des Korridors zurückgelegt hatten, blieb sie abrupt stehen. „Warten Sie. Erzählen Sie mir erst mal, was das alles soll, Mr Holland. Vorher gehe ich keinen Schritt weiter."

„Geben Sie mir Ihren Schlüssel."

„Sie können doch nicht einfach …"

„Geben Sie mir Ihren Schlüssel!"

Schockiert von seinem Befehlston, starrte sie ihn an. Plötzlich bemerkte sie die Panik in seinen Augen. Es war der Blick eines gejagten Menschen.

Automatisch reichte sie ihm die Schlüssel.

„Warten Sie hier", befahl er. „Lassen Sie mich erst einen Blick in Ihr Apartment werfen."

Verblüfft sah sie ihm dabei zu, wie er die Tür aufschloss und vorsichtig hineinging. Einige Minuten lang hörte sie nichts. Sie stellte sich vor, wie er durch die Wohnung lief und versuchte, abzuschätzen, wie lange er brauchen würde, um jeden Raum zu inspizieren. Es war ein kleines Apartment. Warum benötigte er dafür so lange?

Vorsichtig näherte sie sich der Tür. Als sie sie erreichte, steckte er den Kopf heraus, und vor Schreck schrie sie leise auf. Im letzten Moment griff er nach der Einkaufstüte, die ihr erneut fast aus der Hand gefallen wäre.

„Alles in Ordnung", versicherte er ihr. „Kommen Sie rein."

Kaum war sie über die Schwelle getreten, warf er die Tür zu und verriegelte sie. Dann durchquerte er das Wohnzimmer, schloss die Fenster und zog die Vorhänge vor.

„Wollen Sie mir nicht erzählen, was los ist?", fragte sie, während sie ihm ins Zimmer folgte.

„Wir haben ein Problem."

„Sie meinen, *Sie* haben ein Problem."

„Nein. Ich meine *wir*. Wir beide." Er drehte sich um und schaute sie an. Sein Blick war offen und aufrichtig. „Haben Sie den Film?"

„Wovon reden Sie?" Der plötzliche Themenwechsel verwirrte sie.

„Eine Filmrolle. Fünfunddreißig Millimeter. In einem kleinen schwarzen Plastikbehälter. Haben Sie den?"

Sie antwortete nicht. Aber eine Szene vom vergangenen Abend, Sarahs letztem, stieg in ihrer Erinnerung auf: Auf der Küchentheke lag eine Filmrolle. Sie hatte geglaubt, der Film gehöre ihrem Freund Hickey. Sie hatte die Rolle in die Tasche ihres Bademantels und später in ihre Handtasche gesteckt. Aber sie würde es ihm nicht verraten – jedenfalls nicht, ehe er ihr erzählte, was er eigentlich wollte. Deshalb bemühte sie sich, seinen Blick so unverfänglich wie möglich zu erwidern.

Frustriert holte er Luft und begann noch einmal von vorn. „In der Nacht, als Sie mich gefunden haben ... auf dem Highway ... hatte ich ihn in meiner Tasche. Als ich im Krankenhaus aufgewacht bin, hatte ich ihn nicht mehr. Möglicherweise habe ich ihn in Ihrem Wagen verloren."

„Warum wollen Sie diesen Film haben?"

„Ich brauche ihn. Als Beweis ..."

„Wofür?"

„Das zu erklären würde zu lange dauern."

Sie zuckte mit den Schultern. „Ich habe gerade nichts vor."

„Verdammt!" Er stellte sich vor sie, packte sie bei den Schultern und zwang sie, ihn anzuschauen. „Verstehen Sie denn nicht? Wegen des Films ist Ihre Freundin ermordet worden. Als sie nachts Ihren Wagen aufgebrochen haben, haben sie nach dem Film gesucht."

Sie starrte ihn an. Plötzlich dämmerte es ihr, und in ihrer Miene zeichnete sich Entsetzen ab. „Sarah ..."

„... war zur falschen Zeit am falschen Ort. Der Mörder muss Sie beide verwechselt haben."

Er musterte sie so durchdringend, dass sie das Gefühl hatte, in einer Falle zu sitzen. Und ihr wurde bewusst, welche Bedrohung mit seinen Worten einherging. Die Knie wurden ihr weich. Sie sank auf den nächsten Stuhl und schwieg wie betäubt.

„Sie müssen von hier verschwinden", drängte er. „Bevor sie Sie finden. Ehe sie herausbekommen, dass Sie die Cathy Weaver sind, nach der sie suchen."

Sie rührte sich nicht. Sie war starr vor Entsetzen.

„Kommen Sie, Cathy. Uns bleibt nicht viel Zeit."

„Was war auf dem Film?", fragte sie leise.

„Das habe ich Ihnen doch schon gesagt. Beweismaterial. Gegen eine Firma namens Viratek."

Sie runzelte die Stirn. „Ist das die Firma, für die Sie arbeiten?"

„Für die ich gearbeitet habe."

„Was haben sie getan?"

„Sie sind an einer Art illegalem Forschungsprojekt beteiligt. Einzelheiten kann ich Ihnen nicht sagen."

„Warum nicht?"

„Weil ich sie selbst nicht kenne. Ich bin nicht derjenige, der die Beweise gesammelt hat. Ein Kollege – ein Freund – hat sie mir gegeben, kurz bevor er ums Leben kam."

„Was meinen Sie mit *ums Leben kam*?"

„Die Polizei glaubt, dass es ein Unfall war. Ich bin anderer Meinung."

„Sie behaupten, er ist wegen eines Forschungsprojekts umgebracht worden?" Sie schüttelte den Kopf. „Dann muss er aber an einer sehr gefährlichen Sache gearbeitet haben."

„Ich weiß nur, dass es um biologische Waffen geht. Womit die Forschung illegal wäre. Und ausgesprochen riskant."

„Waffen? Für welche Regierung?"

„Unsere."

„Das verstehe ich nicht. Wenn das ein staatliches Projekt ist, dann ist es doch legal, oder?"

„Keineswegs. Es gab schon häufiger Leute in höheren Positionen, die gegen die Regeln verstoßen haben."

„Über welche Höhe reden wir?"

„Keine Ahnung. Ich bin mir bei niemandem mehr sicher. Weder bei der Polizei noch beim Justizministerium. Und erst recht nicht beim FBI."

Sie kniff die Augen zusammen. Seine Worte klangen wie Anschuldigungen eines paranoiden Menschen. Aber er sprach mit vollkommen normaler Stimme, und auch der Blick seiner Augen wirkte klug und besonnen. Meergrün waren diese Augen. Sie schauten sie offen und ehrlich an. Hätte es eines weiteren Vertrauensbeweises bedurft?

Doch so schnell gab sie sich nicht zufrieden.

„Sie behaupten also, dass das FBI hinter Ihnen her ist", fragte sie mit ruhiger Stimme. „Ist das so?"

Unvermittelt blitzte Ärger in seinen Augen auf. Er verschwand so schnell, wie er gekommen war. Stöhnend sank er auf die Couch und fuhr sich mit der Hand durchs Haar. „Ich mache Ihnen keinen Vorwurf, wenn Sie mich für verrückt halten. Manchmal frage ich mich das sogar selber. Aber ich habe geglaubt, wenn ich jemandem vertrauen könnte, dann am ehesten Ihnen ..."

„Warum?"

Er schaute sie an. „Weil Sie mir das Leben gerettet haben. Deshalb stehen Sie als Nächste auf der Liste derer, die sie töten werden."

Ihr wurde eiskalt. Nein, das war Irrsinn. Er versuchte, sie in seine Albtraumwelt aus Mord und Verschwörung hineinzuziehen. Sie sollte seine Wahnvorstellungen für bare Münze nehmen. Das kam überhaupt nicht infrage! Sie stand auf und wollte das Zimmer verlassen, aber seine Stimme hielt sie zurück.

„Cathy, überlegen Sie doch mal. Warum wurde Ihre Freundin Sarah ermordet? Weil die sie mit Ihnen verwechselt haben. Mittlerweile wissen sie, dass sie die falsche Frau getötet haben. Sie müssen zurückkommen, um ihren Fehler gutzumachen. Sie könnten ja etwas wissen. Sie könnten Beweise haben ..."

„Das ist verrückt!", schrie sie und hielt sich die Ohren zu.

„Niemand wird ..."

„Sie haben es schon getan." Er zog einen Zeitungsausschnitt aus seiner Hemdtasche. „Auf meinem Weg zu Ihnen bin ich an einem Zeitungsstand vorbeigekommen. Das hier stand auf der Titelseite der Abendausgabe." Er reichte ihr den Ausschnitt.

Verwirrt betrachtete sie das Foto einer Frau mittleren Alters, die ihr vollkommen unbekannt war. „Frau aus San Francisco auf den Stufen ihres Hauses erschossen" lautete die Schlagzeile.

„Das hat doch nichts mit mir zu tun", erwiderte sie schließlich.

„Schauen Sie auf ihren Namen."

Cathys Blick wanderte zum dritten Absatz des Artikels, in dem der Name des Opfers erwähnt wurde.

Sie hieß Catherine Weaver.

Der Zeitungsausschnitt glitt ihr aus den Händen und flatterte zu Boden.

„Im Telefonbuch von San Francisco stehen drei Catherine Weavers", erklärte er. „Diese hier wurde heute Morgen um neun Uhr erschossen. Was mit der zweiten passiert ist, weiß ich nicht. Vielleicht ist sie schon tot. Damit wären Sie die Nächste auf der Liste. Zeit genug, Sie ausfindig zu machen, haben sie gehabt."

„Ich war gar nicht in der Stadt – ich bin erst vor einer Stunde zurückgekommen ..."

„Das erklärt auch, warum Sie noch am Leben sind. Vielleicht waren sie schon früher hier. Vielleicht haben sie beschlossen, zuerst die beiden anderen Frauen aufzusuchen."

Plötzlich verspürte sie den dringenden Wunsch, so schnell wie möglich wegzukommen. „Ich muss ein paar Sachen packen ..."

„Nein! Lassen Sie uns einfach nur verschwinden."

Ja! Tu, was er sagt, riet ihr eine innere Stimme.

Sie nickte, drehte sich um und lief zur Tür, die vor ihren Augen verschwamm. Auf halber Strecke blieb sie stehen. „Meine Handtasche …"

„Wo ist sie?"

Sie ging zurück, an einem Fenster vorbei, dessen Vorhänge geschlossen waren. „Ich glaube, ich habe sie …"

Der Rest des Satzes wurde von dem lauten Knall der berstenden Fensterscheibe verschluckt. Nur die Vorhänge verhinderten, dass die Splitter ihre Haut durchbohrten. Reflexartig ließ Cathy sich zu Boden fallen, als der zweite Pistolenschuss ertönte. Im Bruchteil einer Sekunde hatte Victor Holland sich auf sie geworfen und bedeckte ihren Körper, als die dritte Kugel in die gegenüberliegende Wand einschlug. Holzsplitter und Gipsbrocken spritzten von der Wand.

Die Vorhänge blähten sich auf, dann hingen sie still.

Einen Moment blieb Cathy starr liegen – nicht nur wegen des Schreckens, sondern auch wegen Victors Körper, der schwer auf ihr lag. Dann setzte die Panik ein. Sie schlängelte sich unter ihm hervor und wollte aus der Wohnung fliehen.

„Bleiben Sie unten!", befahl Victor.

„Sie wollen uns umbringen."

„Dann machen Sie es ihnen nicht zu leicht." Er zog sie auf den Boden zurück. „Wir kommen schon raus. Aber nicht durch die Tür."

„Wie …?"

„Wo ist die Feuertreppe?"

„Neben meinem Schlafzimmerfenster."

„Führt sie bis zum Dach?"

„Ich bin mir nicht sicher … ich glaube schon."

„Dann los."

Auf Händen und Knien krochen sie über den Flur in Cathys unbeleuchtetes Schlafzimmer. Unter dem Fenster hielten sie an und lauschten. Aus der Dunkelheit drang kein Laut. Von weit unten hörte man das Klirren zerbrechenden Glases. Jemand verschaffte sich gewaltsam Zugang durch die Eingangstür.

„Er ist schon im Haus", zischte Victor. Er riss das Fenster auf. „Raus hier!"

Cathy musste sich nicht lange bitten lassen. Mit zitternden Händen kletterte sie hinaus und hockte sich auf die Feuertreppe. Victor kam sofort hinterher.

„Rauf aufs Dach", flüsterte er.

Und dann? überlegte sie, während sie die Treppe zum zweiten Stock hinaufstieg – vorbei an Mrs Changs Wohnung. Mrs Chang war in dieser Woche nicht in der Stadt; sie besuchte ihren Sohn in New Jersey. In der Wohnung brannte kein Licht, und die Fenster waren verschlossen. Hier kamen sie nicht hinein.

„Weiter", drängte Victor.

Nur noch ein paar Stufen.

Endlich zog sie sich über die Brüstung auf das asphaltierte Dach. Eine Sekunde später ließ Victor sich schwer neben sie fallen, so dass die Pflanzen in den Töpfen erbebten. Es war Mrs Changs Dachgarten. Der Duft von chinesischen Kräutern und Gemüse wehte durch die Nachtluft.

Victor und Cathy bahnten sich einen Weg zwischen den Töpfen hindurch bis hinüber zum anderen Ende des Daches, das an das Nachbarhaus stieß.

„Weiter?", fragte Cathy.

„Weiter."

Sie sprangen auf das benachbarte Dach und rannten weiter, bis sich zum nächsten Gebäude ein Abgrund von einem knappen Meter Breite auftat. Sie verschwendete keinen Gedanken an die Gefahr beim Springen, sondern setzte über die Lücke hinweg und hastete weiter in dem Bewusstsein, dass sie die Gefahr mit jedem Schritt ein bisschen weiter hinter sich ließ. Erst auf dem Dach des vierten Gebäudes blieb Cathy stehen und schaute hinunter auf die Straße. Endstation! Plötzlich wurde ihr bewusst, dass die Straße ziemlich weit unten lag. Und die Feuertreppe sah auch nicht gerade vertrauenerweckend aus.

Sie schluckte. „Das ist vielleicht nicht gerade der passende Moment, Ihnen das zu sagen, aber …"

„Was zu sagen?"

„Ich habe Höhenangst."

Er kletterte über den Sims. „Dann schauen Sie einfach nicht nach unten."

Klar, dachte sie, während sie mit weichen Knien auf die Feuertreppe glitt. *Schau einfach nicht nach unten.* Ihre Hände waren schweißnass, sodass sie sich kaum am Geländer festhalten konnte. Als sie von einer Schwindelattacke überfallen wurde, erstarrte sie zur Eissäule. Verzweifelt umklammerte sie die dünnen Streben.

„Bleiben Sie nicht stehen", wisperte Victor von unten. „Klettern Sie weiter."

Doch sie kletterte nicht. Sie drückte ihr Gesicht so fest an die Strebe, dass ihr das Eisen ins Gesicht schnitt.

„Es ist alles in Ordnung, Cathy", beschwor er sie. „Kommen Sie."

Der Schmerz wurde so intensiv, dass er sogar den Schwindel und die Angst überlagerte. Als sie die Augen wieder öffnete, hatte sich die Welt stabilisiert. Mit Beinen wie Gummi kletterte sie die Leiter hinunter. Auf dem Treppenabsatz im zweiten Stock blieb sie stehen, um sich die schweißnassen Hände an ihren Jeans abzuwischen. Dann stieg sie weiter hinunter bis zur ersten Etage. Bis zum Boden waren es noch immer knapp drei Meter. Sie entriegelte die Ausziehleiter und wollte sie nach unten schieben, doch sie quietschte so durchdringend, dass Victor ihr sofort Einhalt gebot.

„Viel zu laut. Wir müssen springen."

„Aber …"

Verblüfft schaute sie ihm dabei zu, wie er über das Geländer kletterte und sich zu Boden fallen ließ. „Kommen Sie!", forderte er sie mit unterdrückter Stimme auf. „Es ist nicht so tief. Ich fange Sie auf."

Mit einem Gebet auf den Lippen kletterte sie über das Geländer und sprang.

Zu ihrer Überraschung fing er sie wirklich auf, ließ sie aber sofort wieder los. Die Schusswunde in seiner Schulter schwächte ihn offenbar immer noch. Beide stürzten zu Boden. Sie landete auf ihm, ihre Beine rittlings auf seinen Hüften, ihre Gesichter nur wenige Zentimeter voneinander entfernt. Verdattert starrten sie einander an. Beinahe hätten sie das Atmen vergessen.

Weiter oben wurde ein Fenster aufgerissen, und jemand schrie: „He, ihr Penner, wenn ihr nicht sofort verschwindet, rufe ich die Polizei!"

Sofort rollte Cathy von Victor und stieß gegen eine Mülltonne. Der Deckel fiel herunter und landete scheppernd auf dem Gehweg.

„Lange genug Pause gemacht", grummelte Victor und rappelte sich auf. „Kommen Sie."

Sie hasteten die Straße hinunter, bogen in eine Gasse ein und liefen weiter. Erst nach fünf Häuserblocks blieben sie atemringend stehen und schauten sich um.

Die Straße war leer.

Sie waren in Sicherheit.

Nicholas Savitch stand neben dem makellos gemachten Bett und ließ seinen Blick durch den Raum wandern. Es war unverkennbar das Zimmer einer Frau. Im Schrank hingen ein halbes Dutzend schlichter, aber sehr eleganter Kleider; auf dem Frisiertisch standen Puderdosen und Lotionen in Reih und Glied. Er musste nur einmal quer durch das Schlafzimmer gehen, um sich vorzustellen, wie die Frau aussah, zu der es gehörte. Sie war schlank, trug Kleidergröße sechsunddreißig bis achtunddreißig und Schuhgröße siebenunddreißig. Die Haare an der Bürste waren brünett und schulterlang. Sie besaß nur wenig Schmuck und bevorzugte natürliche Düfte – Rosenwasser und Lavendel. Ihre Lieblingsfarbe schien grün zu sein.

Im Wohnzimmer setzte er seine Erkundungstour fort. Die Frau hatte Fachzeitschriften über die Filmindustrie abonniert. Ihr Geschmack in puncto Musik war – ebenso wie ihr literarischer – vielseitig. Sein Blick fiel auf einen Zeitungsausschnitt, der auf dem Boden lag. Er hob ihn auf und überflog den Artikel. Das war ja interessant! Der Tod von Catherine Weaver I war Catherine Weaver III also nicht entgangen.

Er steckte den Artikel in die Tasche. Dann entdeckte er die Handtasche, die beim Fenster mitten zwischen Glasscherben lag.

Bingo!

Er kippte den Inhalt auf den Couchtisch. Heraus fielen eine Brieftasche, ein Scheckheft, Kugelschreiber, Wechselgeld und … ein Adressbuch. Er öffnete es bei B – und fand den Namen, den er gesucht hatte: Sarah Boylan.

Jetzt wusste er, dass sie die Catherine Weaver war, nach der er gesucht hatte. Zu dumm, dass er seine Zeit mit der Jagd nach den beiden anderen vergeudet hatte.

Er blätterte durch das Adressbuch und fand etwa ein halbes Dutzend Anschriften in San Francisco. Die Frau war zwar so clever gewesen, ihm dieses Mal zu entwischen. Aber ganz im Verborgenen zu bleiben war schon schwieriger. Und dieses kleine Buch mit den Namen von Freunden, Verwandten und Kollegen würde ihn vermutlich auf schnellstem Wege zu ihr führen.

Irgendwo in der Ferne jaulte eine Polizeisirene.

Es war Zeit zu verschwinden.

Savitch steckte das Adressbuch und die Brieftasche der Frau ein und verließ das Haus. In der kalten Luft kondensierte sein Atem zu Nebelwolken, während er gemächlich über die Straße schlenderte.

Er konnte sich Zeit lassen.

Im Gegensatz zu Catherine Weaver und Victor Holland.

4. KAPITEL

Ihnen blieb keine Zeit zum Ausruhen. Sie ließen sechs weitere Häuserblocks hinter sich. Cathy kam die Strecke unendlich lang vor. Victor schritt unbeirrt voran. Er führte sie durch Nebenstraßen und vermied belebte Kreuzungen. Sie überließ ihm das Denken und Führen. Ihre Angst wich langsam einem Gefühl der Taubheit und Unwirklichkeit, so dass sie manchmal überlegen musste, wo sie sich überhaupt befand. Die Stadt erschien ihr wie die Kulisse aus einem Traum – Asphalt und Straßenlaternen, endlose Gehwege, Ecken und Kurven, eine Wüste aus Beton. Das einzig Reale war der Mann, der dicht neben ihr herlief, mit wachem Blick und zielstrebigem Gang. Bestimmt hatte er ebenfalls Angst, aber die ließ er sich nicht anmerken.

Er nahm ihre Hand. Die Wärme seiner Berührung und die Stärke seines Griffs schienen in ihre kalten, erschöpften Glieder zu fließen.

Sie beschleunigte ihre Schritte. „Ich glaube, am Ende der Straße ist eine Polizeiwache", sagte sie. „Wenn wir noch ein oder zwei Häuserblocks laufen …"

„Wir gehen nicht zur Polizei."

„Was?" Wie vom Donner gerührt, blieb sie stehen und sah ihn an.

„Noch nicht. Nicht bis ich ein wenig darüber nachgedacht habe."

„Victor", begann sie langsam, „da versucht uns jemand umzubringen. Mich umzubringen. Was meinen Sie damit, dass Sie noch ein wenig darüber nachdenken müssen?"

„Hören Sie, wir können nicht hier herumstehen und darüber diskutieren. Wir müssen weg von der Straße." Wieder nahm er ihre Hand. „Kommen Sie."

„Wohin?"

„Ich habe ein Zimmer. Es ist ganz in der Nähe."

Sie ließ sich nur ein paar Meter mitziehen, ehe sie die Energie fand, sich aus seinem Griff zu befreien. „Warten Sie. Warten Sie einen Moment."

Er drehte sich zu ihr um, Verdrossenheit im Ausdruck. „Warten worauf?", fragte er barsch. „Dass uns dieser Irre erwischt? Dass uns wieder Kugeln um die Ohren fliegen?"

„Auf eine Erklärung!"

„Ich werde Ihnen alles erklären. Wenn wir in Sicherheit sind."

Sie trat einen Schritt zurück. „Warum haben Sie Angst vor der Polizei?"

„Weil ich denen nicht trauen kann."

„Haben Sie einen Grund, sie zu fürchten? Was haben Sie getan?"

Er stellte sich vor sie hin und fasste sie bei den Schultern. „Schon vergessen? Ich habe Sie gerade aus einer Todesfalle gerettet. Die Kugeln haben Ihr Fenster durchschlagen, nicht meins."

„Vielleicht waren sie für Sie bestimmt."

„Okay." Er ließ sie los. Sofort trat sie zurück, um ihm nicht so nahe zu sein. „Wollen Sie es allein versuchen? Nur zu. Vielleicht ist die Polizei ja eine Hilfe. Vielleicht auch nicht. Aber ich kann das nicht riskieren. Nicht ehe ich sämtliche Spieler kenne, die in dem Spiel mitmischen."

„Sie lassen mich gehen?"

„Sie sind nicht meine Gefangene."

„Nein." Sie holte tief Luft. Als sie ausatmete, bildeten sich Nebelwolken in der kalten Luft. Sie schaute die Straße hinunter zur Polizeiwache. „Das wäre das Vernünftigste", murmelte sie. „Dafür sind die ja schließlich da."

„Stimmt."

Sie runzelte die Stirn, während sie sich die Situation ausmalte. „Sie werden eine Menge Fragen stellen."

„Was werden Sie ihnen erzählen?"

Sie schaute ihm in die Augen, ohne mit der Wimper zu zucken. „Die Wahrheit."

„Die bestenfalls unvollständig ist. Und im schlimmsten Fall unglaubwürdig."

„Der Boden meines Apartments liegt voller Glassplitter. Wenn das kein Beweis ist!"

„Ein vorbeifahrender Amokschütze, der ziellos in der Gegend rumballert."

„Es ist deren Job, mich zu beschützen."

„Und wenn sie glauben, dass Sie nicht beschützt werden müssen?"

„Ich werde von Ihnen erzählen. Und von Sarah."

„Vielleicht nimmt man Sie ernst. Vielleicht auch nicht."

„Sie müssen mich ernst nehmen! Schließlich versucht jemand, mich zu töten." Ihre Stimme, schrill vor Verzweiflung, hallte über die Straße.

Ruhig entgegnete er: „Ich weiß."

Erneut schweifte ihr Blick zur Polizeiwache. „Ich gehe jetzt dahin."

Er schwieg.

„Und Sie?", wollte sie wissen.

„Ich bin erst mal auf mich allein gestellt."

Nach zwei Schritten blieb sie stehen, ohne sich umzudrehen. „Victor?"

„Ich bin noch hier."

„Sie haben mir das Leben gerettet. Danke."

Er antwortete nicht. Sie hörte, wie er langsam davonging, und fragte sich, ob sie das Richtige tat. Natürlich tat sie das.

Ein Mann, der sich vor der Polizei fürchtete und dessen Geschichte so paranoid klang, musste gefährlich sein.

Aber er hat mir das Leben gerettet!

Und in einer regnerischen Nacht in Garberville hatte sie seines gerettet.

Wie ein Film liefen die Ereignisse der vergangenen Tage in ihrem Kopf ab. Der unerklärliche Mord an Sarah. Die andere Catherine Weaver, die vor ihrer Haustür erschossen worden war. Die Filmrolle, die Sarah aus dem Wagen geholt und Cathy in die Tasche ihres Morgenrocks gesteckt hatte …

Victors Schritte waren nicht länger zu hören.

In diesem Moment wurde ihr schlagartig klar, dass sie den einzigen Mann, der ihr bei der Lösung all dieser Fragen helfen konnte, zu verlieren drohte. Der Mann, der ihr in ihrer schlimmsten Situation beigestanden hatte. Der Mann, dem sie vertrauen konnte, wie ihr eine innere Stimme ins Ohr flüsterte. Als sie über die leere Straße blickte, fühlte sie sich auf einmal einsam und verlassen. In heller Panik machte sie auf dem Absatz kehrt. „Victor!"

Eine Silhouette am Ende des Häuserblocks blieb stehen und drehte sich um. Sie schien die einzige Rettungsinsel in einem Meer von Verrücktheiten und Gefahren zu sein. Cathy setzte sich in Bewegung, lief der Gestalt entgegen, wurde immer schneller, bis sie zu rennen begann. Sie sehnte sich nach dem Schutz seiner Arme – den Armen eines Mannes, den sie kaum kannte. Seltsamerweise fühlte er sich gar nicht wie ein Fremder an, der sie an seine Brust nahm und in schützender Umarmung an sich drückte. Sie spürte das Klopfen seines Herzens, den festen Griff seiner Finger auf ihrem Rücken, und irgendetwas sagte ihr, dass dies ein Mann war, auf den sie sich verlassen konnte, einer, der nicht kneifen würde, wenn sie ihn am dringendsten brauchte.

„Ich bin hier", beruhigte er sie. „Ich bin hier." Er streichelte ihr durch das vom Wind zerzauste Haar und wickelte eine Strähne um den Finger. Sein warmer Atem streifte ihr Gesicht und vermischte sich mit ihren eigenen zitternden Atemzügen. Unvermittelt trafen sich ihre Lippen, und er küsste sie gierig und leidenschaftlich. Sie antwortete mit einem Kuss, der ebenso verzweifelt und hungrig war. Obwohl er ein Fremder war, hatte er ihr beigestanden und war noch immer hier. In seinen Armen war sie vor den Schrecken der Nacht in Sicherheit.

Sie schmiegte das Gesicht an seine Brust und hätte sich am liebsten noch fester an ihn gedrückt. „Ich weiß nicht, was ich tun soll. Ich habe solche Angst, Victor, und ich weiß nicht, was ich tun soll …"

„Wir schaffen das zusammen, einverstanden?" Er nahm ihr Gesicht in die Hände und hob es hoch, um ihr in die Augen zu sehen. „Du und ich, wir schaffen das schon."

Sie nickte. In seinem entschlossenen Blick fand sie die Bestätigung, die sie brauchte.

Eine Windböe fegte über die Straße, und sie schauderte. „Was machen wir zuerst?", wisperte sie.

Er zog seinen Anorak aus und legte ihn ihr über die Schultern. „Zuerst sorgen wir mal dafür, dass dir wieder warm wird. Von außen und von innen." Er nahm ihre Hand. „Komm. Ein heißes Bad und ein gutes Abendessen werden dich wieder zu Kräften bringen."

Bis zum Kon-Tiki-Motel waren es weitere fünf Blocks. Es war kein Fünfsternehaus, eher schlicht und anonym und fügte sich unauffällig in eine Reihe von etwa einem Dutzend weiterer Motels ein. Sie stiegen die Stufen zum Zimmer 214 hinauf, von dessen Fenster aus man einen Blick auf den halb leeren Parkplatz hatte. Victor schloss die Tür auf und ließ sie eintreten.

Sie genoss die Wärme, die ihr entgegenströmte. Während sie in der Mitte dieses unpersönlichen Motelzimmers stand, wunderte sie sich, wie gut es sich anfühlte, von vier Wänden geschützt zu werden. Die Einrichtung beschränkte sich auf das Nötigste: Doppelbett, Kleiderschrank, zwei Nachttische mit Lampen und ein Sessel. An der Wand hing ein Druck einer namenlosen Insel im Südpazifik. Eine billige Reisetasche aus Nylon auf dem Boden war das einzige Gepäckstück. Vor Kurzem hatte jemand im Bett geschlafen, die Laken waren zerknüllt und die Kissen gegen das Kopfende gedrückt.

„Nichts Großartiges", entschuldigte er sich. „Aber es ist warm. Und bezahlt." Er schaltete den Fernseher ein. „Wir sollten die Nachrichten im Auge behalten. Vielleicht gibt's Neuigkeiten über die andere Catherine Weaver."

Die andere Catherine Weaver, überlegte sie. *Das hätte ich sein können.* Wieder begann sie zu zittern, aber dieses Mal nicht vor Kälte. Sie ließ sich auf das Bett sinken und schaute auf den Fernseher, ohne die Bilder wahrzunehmen, die über den Schirm flimmerten. Seine Gegenwart war ihr allerdings sehr wohl bewusst. Er lief durchs Zimmer, kontrollierte die Fensterverriegelung, probierte das Türschloss aus.

Er bewegte sich geräuschlos und zielstrebig, und sein Schweigen verriet ihr einiges über die Gefährlichkeit der Situation, in der sie sich befanden. Die meisten Männer, die sie kannte, gerieten ins Schwätzen, wenn sie Angst hatten. Doch Victor Holland schwieg einfach. Allein seine Gegenwart war überwältigend. Er schien das ganze Zimmer zu füllen.

Er setzte sich neben sie, und sie zuckte zusammen, als er ihre Hände nahm und sie mit den Handflächen nach oben vorsichtig untersuchte. Als sie ebenfalls ihre Hände betrachtete, entdeckte sie die blutigen Kratzer und die Rostspuren, die die Feuertreppe auf ihrer Haut hinterlassen hatte.

„Ich muss ziemlich schrecklich aussehen", murmelte sie.
Lächelnd streichelte er ihr Gesicht. „Du könntest wirklich
etwas Wasser und Seife gebrauchen. Nur zu. Ich besorge uns
inzwischen etwas zu essen."

Sie zog sich ins Badezimmer zurück. Durch die geschlossene Tür konnte sie den Fernseher hören und darüber die
Stimme Victors, der am Telefon eine Pizza bestellte. Sie ließ
sich heißes Wasser über ihre kalten, tauben Hände laufen.
Aus dem Spiegel über dem Waschbecken schaute ihr ein
wenig schmeichelhaftes Bild ihrer selbst entgegen – das Haar
zerzaust, das Kinn mit Schmutz bedeckt. Sie wusch sich das
Gesicht und rieb neues Leben in ihre Wangen, die bleich
und kühl waren. Ihr Blick fiel auf Victors Rasiermesser auf
der Ablage. Der Anblick der Klinge ließ sie ihre Situation
in einer neuen Perspektive sehen – einer, die ihr Angst
machte.

Sie nahm das Messer zur Hand und überlegte, wie tödlich
diese Klinge aussah – und wie verletzlich sie in dieser Nacht
war. Victor war ein großer Mann, fast ein Meter neunzig, und
er hatte sehr kräftige Arme. Sie war knapp ein Meter fünf-
undsechzig und nicht besonders stark. Es gab nur ein Bett im
Zimmer. Sie war freiwillig mitgekommen. Was sollte er von
ihr denken? Dass sie ein williges Opfer war? Sie dachte an die
vielen Möglichkeiten, die ein Mann hatte, ihr wehzutun oder
sie zu töten. Dazu brauchte er nicht einmal ein Rasiermesser.
Victors Hände reichten aus. Was tue ich hier eigentlich? überlegte sie. *Verbringe die Nacht mit einem Mann, den ich kaum
kenne.*

Doch das war nicht der richtige Zeitpunkt für Zweifel. Sie
hatte ihre Entscheidung getroffen. Jetzt musste sie sich auf
ihren Instinkt verlassen, und ihr Instinkt sagte ihr, dass Victor
Holland sie niemals verletzen würde.

Vorsichtig legte sie das Rasiermesser zurück. Sie würde Victor vertrauen müssen. Es blieb ihr gar nichts anderes übrig.

Im Nebenzimmer fiel eine Tür ins Schloss. War er gegangen?

Sie öffnete die Tür einen Spalt und lugte hinaus. Der Fernseher lief noch immer. Aber keine Spur von Victor. Zögernd verließ sie das Bad und stellte fest, dass sie allein war. Langsam schritt sie durch das Zimmer und hielt nach Dingen Ausschau, die ihr mehr über den Mann verrieten. Die Schubladen des Schreibtischs waren ebenso leer wie der Kleiderschrank. Offenbar hatte er nicht vor, lange hier zu bleiben. Eine Nacht vielleicht, möglicherweise zwei. Sie ging zu der Reisetasche und schaute hinein. Sie fand ein sauberes Paar Socken, eine ungeöffnete Packung mit Unterwäsche und eine Ausgabe des *San Francisco Chronicle* vom Vortag. Das verriet ihr nur, dass der Mann sich auf dem Laufenden hielt und mit leichtem Gepäck reiste.

Wie ein Mann auf der Flucht.

Sie grub tiefer und fischte die Quittung eines Geldautomaten heraus. Gestern hatte er versucht, Bargeld abzuheben. Auf der Quittung stand: *Der Vorgang kann nicht ausgeführt werden. Bitte setzen Sie sich mit Ihrer Bank in Verbindung.* Warum hat man ihm das Bargeld verweigert? fragte sie sich. Hatte er sein Konto überzogen? Oder war der Automat außer Betrieb gewesen?

Beim Geräusch des Schlüssels im Schloss zuckte sie erschrocken zusammen. Sie schaute auf, als die Tür aufging.

Der Blick, mit dem er sie anschaute, ließ sie schuldbewusst erröten. Langsam erhob sie sich. Verlegen schwieg sie, als sie den Vorwurf in seiner Miene sah.

Hinter ihm fiel die Tür ins Schloss.

„Ich denke, es ist vernünftig von dir, das zu tun", meinte er schließlich. „Meine Sachen zu durchsuchen."

„Es tut mir leid. Ich habe nur ..." Sie schluckte. „Ich musste mehr über dich wissen."

„Und welche schrecklichen Dinge hast du ausgegraben?"

„Keine."

„Keine dunklen Geheimnisse? Hab keine Angst. Sag's mir, Cathy."

„Nur ... nur, dass du Probleme hattest, Geld von deinem Konto abzuheben."

Er nickte. „Ziemlich frustrierender Zustand. Nach meinen Schätzungen muss ich ungefähr sechstausend Dollar auf dem Konto haben. Und jetzt komme ich offenbar nicht daran." Er ließ sich in den Sessel fallen, ohne sie aus den Augen zu lassen. „Was hast du sonst noch so herausgefunden?"

„Du ... du liest Zeitung."

„Das tun viele Leute. Und?"

Sie zuckte mit den Schultern. „Du trägst Boxershorts."

In seinen Augen blitzte es amüsiert. „Jetzt wird's aber persönlich."

„Du ..." Sie holte tief Luft. „Du bist auf der Flucht."

Lange sah er sie an, ohne ein Wort zu sagen.

„Deshalb willst du nicht zur Polizei gehen", fuhr sie fort. „Hab ich recht?"

Er wandte den Kopf und starrte die gegenüberliegende Wand an. „Dafür gibt es Gründe."

„Nenn mir einen, Victor. Ein guter Grund reicht mir aus, und ich stelle keine weiteren Fragen."

Er seufzte. „Das bezweifle ich."

„Versuch's doch einfach. Ich habe allen Grund, dir zu glauben."

„Du hast allen Grund, zu glauben, ich sei paranoid." Er beugte sich nach vorn und fuhr sich mit der Hand durchs Gesicht. „Himmel, manchmal glaube ich es ja selbst schon."

Langsam ging sie zu ihm und kniete sich neben den Sessel. „Victor, diese Leute, die mich umbringen wollen – wer sind sie?"

„Ich weiß es nicht."

„Du hast gesagt, es könnten Leute in höheren Positionen sein."

„Das ist nur eine Vermutung. Es handelt sich um Steuergelder, die in illegale Forschung fließen. Tödliche Forschung."

„Und staatliche Gelder werden nur von Menschen in einflussreichen Positionen verteilt."

Er nickte. „Es muss jemand sein, der sich das Gesetz zurechtgebogen hat. Jemand, der von einem politischen Skandal weggefegt werden kann. Vielleicht versucht er, sich zu schützen, indem er das FBI beeinflusst. Oder sogar die Polizei in deiner Stadt. Deshalb wende ich mich nicht an sie. Deshalb habe ich auch nicht hier vom Motel aus telefoniert."

„Wann?"

„Eben, als du im Bad warst. Ich habe die Polizei von einer Telefonzelle aus angerufen, damit man den Anruf nicht zurückverfolgen kann."

„Du hast doch gerade gesagt, dass du sie nicht um Hilfe bitten würdest."

„Den Anruf musste ich machen. Im Telefonbuch steht noch eine dritte Catherine Weaver. Schon vergessen?"

Ein drittes Opfer auf der Liste. Plötzlich wurden ihr die Knie weich, und sie musste sich aufs Bett setzen. „Was hast du ihnen erzählt?", fragte sie leise.

„Dass ich Grund zu der Annahme habe, sie könnte in Gefahr sein. Sie geht nicht ans Telefon."

„Du hast es versucht?"

„Zwei Mal."

„Haben sie dich angehört?"

„Sie haben mich nicht nur angehört, sie wollten unbedingt meinen Namen wissen. Da habe ich gemerkt, dass ihr schon etwas zugestoßen sein muss. Ich habe aufgelegt und bin sofort raus aus der Telefonzelle. So einen Anruf kann man innerhalb von Sekunden zurückverfolgen. Dann hätten sie mich gehabt."

„Das wären dann also drei", flüsterte sie. „Die beiden anderen Frauen. Und ich."

„Sie können dich nicht ausfindig machen. Nicht solange du nicht in deine Wohnung zurückgehst. Bleib einfach ..."

Beide erstarrten vor Schreck.

Jemand hatte an die Tür geklopft.

Sie schauten einander an. In ihren Augen lag nackte Angst.

Victor zögerte kurz, ehe er fragte: „Wer ist da?"

„Dominos Lieferservice", antwortete eine dünne Stimme.

Vorsichtig öffnete Victor die Tür. Vor ihm stand ein Teenager, der eine Tüte und eine flache Pappschachtel in der Hand hielt.

„Hi", piepste der Junge, „eine große Pizza Mista nach Art des Hauses, zwei Cokes und extra Servietten. In Ordnung?"

„In Ordnung." Victor drückte dem Jungen ein paar Scheine in die Hand. „Der Rest ist für dich", sagte er und schloss die Tür. Er drehte sich um und warf Cathy einen verlegenen Blick zu. „Tja, da kannst du mal sehen", meinte er. „Wenn es an der Tür klopft, ist es manchmal tatsächlich nur der Pizzabote."

Sie mussten lachen. Es klang eher nervös als befreit. Der kurze Moment der Entspannung schien sein Gesicht zu verwandeln – von wachsam zu zugänglich. Ohne die harschen Linien könnte man ihn fast gut aussehend nennen, dachte sie.

„Ich mache dir einen Vorschlag", begann er. „Lass uns eine Weile nicht an dieses Desaster denken. Warum widmen wir uns nicht dem wirklich wichtigen Anliegen des Tages? Dem Essen."

Sie nickte und streckte die Hand nach der Schachtel aus. „Gib mir besser rasch ein Stück. Ehe ich die Bettdecke aufesse."

Während die Zehn-Uhr-Nachrichten über den Bildschirm liefen, fielen sie wie ausgehungerte Tiere über die Pizza her. Es war ein üppiges und ausgesprochen zufriedenstellendes Mahl auf einem Motelbett. Sie redeten kaum, weil sie viel zu sehr damit beschäftigt waren, Käse und Peperoni zu verschlingen. In den Nachrichten berichtete ein Moderator von einer Umstrukturierung im Büro des Bürgermeisters und der Kündigung des Stadtdirektors – Nachrichten, die ihnen angesichts ihrer derzeitigen Situation lächerlich trivial erschienen. Gerade einmal dreißig Sekunden wurden dem morgendlichen Mord an Catherine Weaver I gewidmet, und noch kein Verdächtiger war verhaftet worden. Von einem zweiten Opfer gleichen Namens war allerdings keine Rede.

Victor runzelte die Stirn. „Offenbar hat es die andere Frau nicht bis in die Nachrichten geschafft."

„Oder ihr ist nichts geschehen." Fragend schaute sie ihn an. „Und wenn es der zweiten Catherine Weaver gut geht? Als du mit der Polizei gesprochen hast, wollten sie dir vielleicht nur ein paar Routinefragen stellen. Wenn man unter Stress steht, geschieht es leicht, dass man sich …"

„… Dinge einbildet?" Fast hätte sie sich auf die Zunge gebissen, als sie seinen Blick bemerkte.

„Nein", erwiderte sie ruhig. „Falsch interpretiert. Die Polizei kann schließlich nicht jedem anonymen Anruf nachgehen. Ist doch logisch, dass sie einen Namen wollen."

„Das war mehr als eine Routinefrage, Cathy. Sie konnten es kaum erwarten, mich zu verhören."

„Ich bezweifle deine Worte nicht. Ich spiele nur den *Advocatus Diaboli* und versuche, in dieser verrückten Situation einen so klaren Kopf wie möglich zu bewahren."

Nachdenklich schaute er sie an. Schließlich nickte er. „Die Stimme einer rationalen Frau", seufzte er. „Genau das, was ich im Moment brauche. Die mich davon abhält, mich vor meinem eigenen Schatten zu erschrecken."

„Und dich daran erinnert weiterzuessen." Sie reichte ihm noch ein Stück Pizza. „Du hast dieses Riesending bestellt. Also hilf mir, es aufzuessen."

Sofort ließ die Anspannung zwischen ihnen nach. Er machte es sich auf dem Bett bequem und nahm das angebotene Stück an. „Dieser mütterliche Blick steht dir gut", spottete er. „Genau wie die Pizzasoße."

„Was?" Sie wischte sich übers Kinn.

„Du siehst aus wie eine Zweijährige, die sich das Gesicht mit Fingerfarben angemalt hat."

„Um Himmels willen! Gibst du mir mal bitte die Servietten?"

„Ich mach das schon." Er beugte sich vor und wischte die Soße vorsichtig weg. Dabei schaute sie in sein Gesicht, bemerkte die Lachfältchen in seinen Augen und die silbernen Strähnen, die sein braunes Haar durchzogen. Sie erinnerte sich an das Foto dieses Gesichts auf einem Viratek-Firmenausweis. Wie düster er in die Kamera geschaut hatte – das ernste Porträt eines Wissenschaftlers. Jetzt erschien er ihr jung und lebendig und beinahe glücklich.

Als er ihren Blick spürte, hob er den Kopf und schaute ihr in die Augen. Langsam wich das Lächeln von seinem Mund. Keiner von ihnen sagte ein Wort, als hätten sie in den Augen des anderen etwas entdeckt, das ihnen zuvor noch nicht aufgefallen war. Die Stimmen aus dem Fernseher kamen auf einmal wie aus weiter Ferne. Sie spürte seinen Finger, der über ihre Wange strich. Es war nur eine leichte Berührung, aber sie ließ sie erschauern.

Leise fragte sie: „Was passiert jetzt, Victor? Was sollen wir machen?"

„Wir haben mehrere Möglichkeiten."

„Zum Beispiel?"

„Ich habe Freunde in Palo Alto. Wir könnten uns an sie wenden."

„Oder?"

„Oder wir bleiben, wo wir sind. Zumindest eine Weile."

Wo wir sind. In diesem Zimmer, auf diesem Bett. Sie hätte nichts dagegen. Überhaupt nichts.

Sie lehnte sich an ihn, gezogen von einer Macht, gegen die sie sich nicht zu wehren vermochte. Er nahm ihr Gesicht in beide Hände – große Hände, aber unendlich zärtlich. Sie schloss die Augen in der Erwartung, dass dieser Kuss ebenso zärtlich sein würde.

Und das war er auch. Es war kein Kuss aus der Angst oder der Verzweiflung geboren. Es war ein Verschmelzen von Wärme und Seelen. Sie neigte sich zu ihm und spürte seine Arme im Rücken, die sie fest an ihn zogen, sodass es kein Entrinnen gab. Es war ein gefährlicher Moment. Sie stand kurz davor, sich ganz diesem Mann zu ergeben, den sie kaum kannte. Schon hatte sie die Arme um seinen Nacken gelegt, und mit den Händen fuhr sie durch sein dichtes braunes, von silbernen Strähnen durchzogenes Haar.

Er küsste ihren Hals und erkundete mit seinem Mund den Weg bis zu ihrer Kehle. All die Wünsche, die in den vergangenen Jahren in ihr geschlummert hatten, der Hunger und die

Begierde schienen sich in ihr zu rühren und unter seinen liebkosenden Händen zu erwachen.

Und dann, innerhalb von Sekunden, war der magische Moment zu Ende. Sie verstand nicht, warum er sich plötzlich zurückzog. Kerzengrade richtete er sich auf. Seine Miene war starr vor Staunen. Verblüfft folgte sie seinem Blick und sah, dass er auf das Fernsehgerät hinter ihrem Rücken gerichtet war. Sie drehte den Kopf, um nachzuschauen, was seine Aufmerksamkeit erregt hatte.

Ein irritierend bekanntes Gesicht sah vom Bildschirm zurück. Sie erkannte das Viratek-Logo am oberen Rand und den zielgerichteten Blick des Mannes auf dem Foto. Warum, um alles in der Welt, zeigten sie Victor Hollands Ausweis im Fernsehen?

„… wird wegen des Verdachts auf Industriespionage gesucht. Es gibt Hinweise auf eine Verbindung zwischen Dr. Holland und dem Tod eines seiner Kollegen. Dr. Gerald Martinique hatte ebenfalls als Wissenschaftler bei Viratek gearbeitet. Die Ermittler befürchten, dass der Verdächtige bereits umfangreiche Forschungsergebnisse an einen europäischen Konkurrenten verkauft haben könnte …"

Beide blieben wie angewachsen auf dem Bett sitzen. Sie starrten nur ungläubig auf den Moderator. Und dann kam der Werbeblock. Rosinen tanzten ausgelassen über ein Feld und warben für die Wunder, die die Sonne Kaliforniens zustande brachte. Die hektische Begleitmusik nervte kolossal.

Schließlich stand Victor auf und schaltete den Fernseher aus.

Langsam drehte er sich um und schaute sie an. Das Schweigen zwischen ihnen wurde allmählich qualvoll.

„Es ist nicht wahr", sagte er. „Nichts davon ist wahr."

Sie versuchte, in seinen unergründlichen grünen Augen zu

lesen, und hätte ihm zu gern geglaubt. Der Geschmack seiner Küsse haftete noch an ihren Lippen. Die Küsse eines Lügners? *Ist das nur eine weitere Lüge? War alles, was du mir bisher erzählt hast, nur gelogen? Wer und was bist du, Victor Holland?*

Sie schaute zur Seite auf das Telefon, das auf dem Nachttisch stand. Es war in Griffweite. Ein Anruf bei der Polizei – mehr war nicht nötig, um diesem Albtraum ein Ende zu bereiten.

„Das ist eine Verschwörung", sagte er. „Viratek verbreitet Falschinformationen."

„Warum?"

„Um mich in die Enge zu treiben. Der einfachste Weg, mich zu finden, ist, die Polizei auf mich anzusetzen."

Sie rutschte näher zum Telefon.

„Tu's nicht, Cathy."

Der drohende Unterton in seiner Stimme ließ sie erstarren.

Sofort bemerkte er die Furcht in ihren Augen. „Bitte ruf nicht an", bat er sie sanft. „Ich werde dir nichts tun. Wenn du willst, kannst du dieses Zimmer sofort verlassen. Das verspreche ich dir. Aber hör mir erst zu. Lass mich dir erzählen, was passiert ist. Gib mir eine Chance."

Sein Blick war ruhig und aufrichtig. Plötzlich stand er wieder neben ihr – um sie am Gehen zu hindern? Oder ihr den Arm zu brechen, falls es nötig sein sollte? Ihr blieb keine Wahl. Deshalb nickte sie und rutschte auf dem Bett zurück.

Er begann, im Zimmer auf und ab zu laufen, und hinterließ eine Spur im grünen Teppichboden.

„Das alles ist eine … eine unglaubliche Lüge", begann er. „Es ist absurd, zu glauben, dass ich ihn getötet habe. Jerry Martinique und ich waren die besten Freunde. Wir haben beide bei Viratek gearbeitet. Ich in der Entwicklungsabteilung für Impfstoffe; er war Mikrobiologe. Sein Spezialgebiet waren Viruserkrankungen und Genforschung."

„Du meinst so etwas wie Chromosomen?"

„Das virale Äquivalent, ja. Jedenfalls haben Jerry und ich uns in einer schlimmen Periode gegenseitig unterstützt. Er hatte eine schmerzhafte Scheidung hinter sich, und ich ...“ Seine Stimme erstarb. „Ich habe vor drei Jahren meine Frau verloren. Sie hatte Leukämie."

Er war also verheiratet gewesen. Irgendwie überraschte es sie. Er erschien ihr wie der Typ Mann, der viel zu unabhängig war, um vorm Altar jemals „Ja" zu sagen.

„Vor zwei Monaten wurde Jerry in eine neue Forschungsabteilung versetzt", fuhr er fort. „Man hatte Viratek Fördergelder für ein Verteidigungsprojekt zur Verfügung gestellt. Es war auf der obersten Sicherheitsstufe angesiedelt – Jerry durfte nicht darüber reden. Aber ich habe gespürt, dass ihn etwas bedrückte. Es hing mit irgendetwas zusammen, das in diesem Labor vor sich ging. Er hat mir nur gesagt: ‚Sie haben keine Ahnung von der Gefahr. Sie wissen nicht, worauf sie sich da einlassen.' Jerrys Spezialgebiet war die gentechnische Veränderung von Virusstämmen. Ich vermute daher, dass es bei dem Projekt um Viren als Waffen ging. Jerry war sich der Tatsache bewusst, dass diese Waffen gegen internationale Abkommen verstießen."

„Warum hat er denn mitgemacht, wenn er wusste, dass es illegal war?"

„Vielleicht hat er zu Anfang nicht realisiert, was das Ziel des Projekts war. Vielleicht haben sie ihm erzählt, dass es allein um Verteidigung ging. Jedenfalls hatte er irgendwann die Nase so voll, dass er nicht mehr mitmachen wollte. Er ist gleich bis ganz nach oben gegangen – zum Gründer von

Viratek. Er ist in Archibald Blacks Büro gestürmt und hat ihm gedroht, an die Öffentlichkeit zu gehen, falls das Projekt nicht umgehend eingestellt würde. Vier Tage später hatte er einen Unfall." Victors Augen blitzten zornig. Es war nicht gegen sie gerichtet, aber seine Wut hatte dennoch etwas Beängstigendes.

„Was ist ihm denn zugestoßen?", wollte sie wissen.

„Sein Auto wurde am Straßenrand gefunden. Vollkommen zerstört. Jerry saß noch am Steuer. Natürlich tot." Plötzlich war die Wut verschwunden und hatte einer überwältigenden Müdigkeit Platz gemacht. Er ließ sich aufs Bett sinken. „Ich hatte gehofft, dass die Untersuchung des Unfalls alles an die Öffentlichkeit bringen würde. Doch es war eine Farce. Die Polizei vor Ort hat ihr Bestes getan, aber dann ist ein FBI-Beamter aufgetaucht, angeblich ein Spezialist für Verkehrsunfälle, und hat die Leitung der Ermittlungen übernommen. Er behauptete, Jerry sei am Steuer eingeschlafen. Akte geschlossen. Da wurde mir klar, wie weite Kreise diese Angelegenheit gezogen hat. Ich wusste nicht, an wen ich mich wenden konnte. Deshalb habe ich das FBI-Büro in San Francisco angerufen und ihnen erzählt, dass ich Beweise habe."

„Du meinst den Film?"

Victor nickte. „Kurz vor seinem Tod erzählte Jerry mir von Kopien, die er in seinem Gartenschuppen versteckt hat. Nach dem … Unfall bin ich zu seinem Haus gefahren. Dort war alles auf den Kopf gestellt worden. Im Schuppen hatten sie allerdings nicht nachgeschaut. So bin ich an die Beweise gekommen – einen Aktenordner und eine Filmrolle. Ich habe ein Treffen mit einem der Agenten aus San Francisco vereinbart, einem Mann namens Sam Polowski. Ich hatte schon ein paarmal am Telefon mit ihm geredet. Er hat das Treffen in

Garberville vorgeschlagen. Niemand sollte davon erfahren; deshalb haben wir uns für einen Treffpunkt außerhalb der Stadt entschieden. Ich bin hingefahren, um ihm alles zu zeigen. Es ist auch tatsächlich jemand aufgetaucht. Aber der Betreffende hat mich von der Fahrbahn gedrängt." Er hielt inne und schaute ihr direkt in die Augen. „Das war die Nacht, in der du mich gefunden hast."

Die Nacht, die mein ganzes Leben verändert hat, dachte sie.

„Du musst mir glauben", beschwor er sie.

Sie betrachtete ihn, während ihre Gefühle und ihr Verstand miteinander kämpften. Seine Geschichte klang nicht gerade überzeugend – halb Wahrheit, halb Fantasie möglicherweise. Der Mann wirkte allerdings nicht gerade wie ein Märchenerzähler.

Sie nickte müde. „Ich glaube dir, Victor. Vielleicht bin ich verrückt. Oder einfach leicht hinters Licht zu führen. Aber ich glaube dir."

Das Bett schwankte, als er sich neben sie setzte. Sie berührten sich nicht; trotzdem spürte sie die Wärme zwischen ihren Körpern.

„Mehr ist mir im Moment nicht wichtig", erwiderte er. „Dass du tief in deinem Herzen davon überzeugt bist, dass ich die Wahrheit sage …"

„In meinem Herzen?" Lachend schüttelte sie den Kopf. „Auf mein Herz habe ich mich nie verlassen können, wenn es darum ging, Menschen zu beurteilen. Nein, ich vermute es nur. Für mich zählt, dass du mir das Leben gerettet hast. Dass es eine zweite Cathy Weaver gibt, die jetzt tot ist …"

Als sie sich an das Gesicht dieser anderen Frau erinnerte, das sie in der Zeitung gesehen hatte, begann sie plötzlich zu zittern. All diese Einzelteile fügten sich zu einer schrecklichen

Wahrheit: die Gewehrschüsse auf ihr Apartment, die andere tote Cathy. Und Sarah – die arme Sarah.

Ihr Atem ging unregelmäßig. Fast wäre sie in Tränen ausgebrochen.

Sie ließ es zu, dass er sie in den Arm nahm und zu sich hinunter aufs Bett zog. Er murmelte tröstende und beruhigende Worte in ihr Haar. Dann schaltete er das Licht aus. In der Dunkelheit hielten sie einander fest – zwei verängstigte Seelen gegen den Rest der schrecklichen Welt. An seiner Brust fühlte sie sich sicher. Dort konnte sie niemand verletzen. Es war zwar der Arm eines Fremden, aber vom Geruch seines Hemdes bis zum Schlagen seines Herzens schien ihr alles irgendwie vertraut. Am liebsten wäre sie nie mehr von hier fortgegangen.

Sie erbebte, als er mit seinen Lippen über ihre Stirn fuhr. Jetzt streichelte er ihr Gesicht und ihren Hals. Bei seiner Berührung wurde ihr ganz warm. Sie protestierte nicht, als er mit der Hand unter ihre Bluse fuhr. Es erschien ihr ganz natürlich, dass er die Hand auf ihre Brust legte. Es war nicht die Berührung eines Lüstlings – nur eine beruhigende Erinnerung daran, dass sie sich in Sicherheit befand.

Trotzdem spürte sie, wie ihr Körper darauf reagierte ...

Es kitzelte in ihrer Brustwarze, die unter seiner Berührung hart wurde. Das Kitzeln breitete sich weiter aus. Die Wärme stieg ihr in den Kopf und rötete ihre Wangen. Sie begann, sein Hemd aufzuknöpfen. Im Dunkeln war sie langsam und unbeholfen. Als sie endlich die Hand unter den Stoff schob, atmeten beide schneller in Erwartung der Dinge, die jetzt passieren würden.

Sie fuhr mit den Fingern durch sein dichtes Haar und über seinen breiten Brustkorb. Scharf sog er die Luft ein, als sie mit den Fingerspitzen Kreise um seinen Nippel zog.

Wenn es ihre Absicht gewesen war, mit dem Feuer zu spielen, dann hatte sie gerade ein Streichholz entzündet.

Plötzlich waren seine Lippen auf ihrem Mund, fordernd, leidenschaftlich. Die Stärke seines Kusses zwang sie auf den Rücken, und ihr Kopf sank auf die Kissen. Eine schwindlige Ewigkeit lang verlor sie sich in ihren Sinneseindrücken – sein maskuliner Duft, der unnachgiebige Griff, mit dem er ihr Gesicht zwischen seine Handflächen einschloss. Erst als er sich endlich wieder von ihr löste, kamen sie wieder zum Luftholen. Er schaute sie an, als stünde er kurz davor, der Versuchung nachzugeben.

„Das ist verrückt", flüsterte er.

„Ja. Ja, das ist es."

„Ich wollte so etwas nie tun ..."

„Ich auch nicht."

„Es liegt wohl daran, dass du Angst hast. Wir haben beide Angst. Und wir wissen nicht, was, zum Teufel, wir gerade tun."

„Nein." Sie schloss die Augen, als sie überraschenderweise Tränen spürte. „Das wissen wir nicht. Aber ich habe Angst. Und ich möchte, dass mich jemand festhält. Bitte, Victor, halte mich fest. Mehr will ich gar nicht."

Er zog sie an sich und murmelte ihren Namen. Dieses Mal war die Umarmung zärtlich, ohne das Feuer der Begierde. Sein Hemd war noch aufgeknöpft, und sein Oberkörper lag frei. Genau dort schmiegte sie ihr Gesicht an ihn. Seine Härchen kitzelten ihre Wange. Ja, er hatte recht. Er war so klug. Es war verrückt, sich zu lieben, wenn beide wussten, dass sie es nur aus Angst taten, die ihre Lust geweckt hatte, und keinem anderen Grund. Und nun war dieser Fieberanfall vorüber.

Ein Gefühl der Ruhe überkam sie. Sie schmiegte sich an ihn. Vor lauter Erschöpfung schwiegen beide. Ihre Glieder wurden schwer, während sie langsam einschlummerte. Selbst wenn sie sich bemühte, konnte sie ihre Arme und Beine nicht bewegen. Stattdessen löste sie sich von ihrem Körper wie ein Geist in der Dunkelheit, leicht und befreit, und trieb in einem warmen tiefblauen Meer.

Nur undeutlich nahm sie ein Licht wahr, das an ihren geschlossenen Augen vorüberstreifte.

Die Wärme, die ihren Körper umgab, verschwand. Sie wollte sie zurück – sie wollte *ihn* zurück. Nur einen Moment später spürte sie, wie er sie schüttelte.

„Cathy, wach auf."

Schläfrig sah sie ihn an. „Victor?"

„Da draußen geht etwas vor."

Sie rutschte aus dem Bett und folgte ihm zum Fenster. Durch einen Spalt im Vorhang sah sie, was ihn beunruhigt hatte: ein Streifenwagen, der am Eingang zum Motel parkte. Aus dem Funkgerät drangen knisternde Geräusche. Sofort war sie hellwach und überlegte, welche Ausgänge es aus dem Zimmer gab. Nur einen einzigen.

„Raus!", befahl er. „Bevor wir in der Falle sitzen."

Vorsichtig öffnete er die Tür. Sie traten auf den Gang hinaus. Die kalte Nachtluft traf sie wie ein Schlag ins Gesicht. Sofort begann sie zu zittern – allerdings mehr aus Furcht denn vor Kälte. Geduckt liefen sie den Gang entlang, weg von der Treppe, und verbargen sich hinter der Eismaschine.

Unten wurde die Eingangstür zum Motel geöffnet, und sie hörten die Stimme des Managers. „Ja, das ist eine Etage höher. Und er schien ein so netter Kerl zu sein …"

Mit kreischenden Reifen und blitzenden Lichtern fuhr ein weiterer Streifenwagen vor.

Victor versetzte ihr einen Stoß. „Los!"

Sie schlüpften in den überdachten Gang, der auf die andere Seite des Hauses führte. Dort gab es keine Treppe. Kurz ent-

94

schlossen kletterten sie über das Geländer und ließen sich auf den Parkplatz fallen.

Von Weitem hörten sie, wie an eine Tür geklopft wurde, gefolgt von der barschen Aufforderung: „Hier ist die Polizei. Öffnen Sie!"

Instinktiv suchten sie Schutz in den dunkleren Schatten. Niemand entdeckte sie; keiner begann, ihnen nachzusetzen.

Dennoch rannten sie, bis sie sämtliche Gebäude des Kon-Tiki-Motels hinter sich gelassen hatten und so erschöpft waren, dass sie nur noch vorwärtsstolperten.

Schließlich blieb Cathy stehen und lehnte sich an eine Tür. Ihr Atem verwandelte sich in der Kälte in weiße Nebelwolken. „Wie haben sie dich gefunden?", keuchte sie.

„Der Anruf kann's nicht gewesen sein …" Plötzlich stöhnte er. „Meine Kreditkarte. Ich musste sie benutzen, um die Rechnung zu bezahlen."

„Und jetzt? Sollen wir es in einem anderen Motel versuchen?"

Er schüttelte den Kopf. „Ich habe nur noch vierzig Dollar. Ich kann es nicht riskieren, noch mal die Karte zu benutzen."

„Und ich habe meine Handtasche in meiner Wohnung vergessen. Ich bin mir nicht sicher, ob ich …"

„Wir werden sie nicht holen. Sie überwachen dein Apartment."

Sie. Er meinte die Mörder.

„Dann sind wir also pleite", stellte sie deprimiert fest.

Er antwortete nicht. Die Hände in den Hosentaschen, den Kopf gesenkt, war seine Körperhaltung ein Bild der Frustration. „Hast du Freunde, zu denen du gehen kannst?"

„Ich denke schon. Nein, doch nicht. Sie kommt erst am Freitag wieder zurück. Abgesehen davon – was sollte ich ihr erzählen? Und wie sollte ich ihr dich erklären?"

„Überhaupt nicht. Im Moment können wir uns nicht mit Fragen und Antworten aufhalten."

Damit kämen die meisten meiner Freunde nicht infrage, dachte sie. Kein Ort, an den sie fliehen, kein Mensch, den sie um Hilfe bitten konnten. Es sei denn …

Nein! Sie hatte sich selbst versprochen, niemals so tief zu sinken und diese Person um Hilfe zu bitten.

Victor schaute die Straße hinauf. „Da drüben ist eine Bushaltestelle." Er griff in seine Tasche und holte eine Handvoll Scheine hervor. „Hier. Nimm das, und verlass die Stadt", forderte er sie auf. „Fahr allein zu deinen Freunden."

„Und was ist mit dir?"

„Ich komme schon klar."

„Pleite, wie du bist? Und die ganze Welt hinter dir her?" Sie schüttelte den Kopf.

„Es kann nur noch gefährlicher für dich werden." Er drückte ihr das Geld in die Hand.

Sie starrte das Bündel Scheine an und dachte: Das ist alles, was er hat – und er gibt es mir. „Das kann ich nicht annehmen", sagte sie.

„Du musst es."

„Aber …"

„Diskutier nicht mit mir!" Der Blick in seinen Augen ließ ihr keine Wahl.

Zögernd schloss sie die Finger um die Scheine.

„Ich warte, bis du im Bus sitzt. Das müsste reichen bis zum Bahnhof – und darüber hinaus."

„Victor?"

Mit einem weiteren Blick brachte er sie zum Schweigen. Er stellte sich vor sie hin und legte beide Hände auf ihre Schultern. „Du wirst schon klarkommen", versicherte er ihr. Dann drückte er ihr einen Kuss auf die Stirn. Eine Weile ließ er seine

Lippen dort, und die Wärme seines Atems in ihrem Haar verursachten, ihr einen wohligen Schauer. „Ich würde dich nicht allein lassen, wenn ich nicht davon überzeugt wäre."

Das Brummen eines Busmotors am Anfang des Häuserblocks ließ beide herumfahren.

„Da kommt dein Bus", flüsterte er. „Geh." Er versetzte ihr einen zärtlichen Stoß. „Pass auf dich auf, Cathy."

Zögernd ging sie zur Bushaltestelle. Drei Schritte ... vier. Sie wurde langsamer und blieb stehen. Als sie sich umdrehte, sah sie, dass er sich bereits in den Schatten zurückgezogen hatte.

„Steig ein!", rief er.

Sie betrachtete den Bus. Ich tu's nicht, dachte sie.

Sie drehte sich wieder zu Victor. „Ich weiß, wo wir hingehen können. Und wo wir beide bleiben können."

„Was?"

„Ich wollte erst nicht dahin, aber ..."

Ihre Worte wurden vom Bus verschluckt, als er bremste und gleich darauf mit röhrendem Motor weiterfuhr.

„Es ist allerdings eine Strecke zu laufen", warnte sie ihn. „Aber wir hätten Betten und etwas zu essen. Und ich lege meine Hand dafür ins Feuer, dass niemand die Polizei verständigt."

Er trat aus dem Schatten. „Warum hast du nicht früher daran gedacht?"

„Das habe ich getan. Aber bis jetzt war die Lage ... nun ja, nicht verzweifelt genug."

„Nicht verzweifelt genug", wiederholte er langsam. Er trat vor sie hin und schaute sie ungläubig an. „Nicht verzweifelt genug? Zum Teufel noch mal. Dann würde ich gerne mal wissen, wie schlimm es für dich noch werden muss, damit die Lage verzweifelt genug ist."

„Versteh doch … das ist wirklich die allerletzte Möglich-keit. Und es fällt mir nicht leicht, dort um Hilfe zu bitten."

Misstrauisch kniff er die Augen zusammen. „Dieser Ort scheint mir von Minute zu Minute weniger geeignet. Wovon reden wir hier eigentlich? Über eine Absteige?"

„Nein. Das Haus ist in Pacific Heights. Man könnte sogar von einer Luxusvilla sprechen."

„Wer wohnt denn da? Ein Freund?"

„Ganz im Gegenteil."

Er zog die Augenbrauen hoch. „Ein Feind?"

„So was Ähnliches." Sie stieß einen resignierten Seufzer aus. „Mein Exmann."

5. KAPITEL

„Jack, mach auf! Jack!" Wieder und wieder pochte Cathy an die Tür des luxuriösen Hauses in Pacific Heights. Niemand antwortete. Alle Fenster waren dunkel.

„Verdammt noch mal, Jack!" Frustriert schlug sie mit der flachen Hand gegen die Tür. „Warum bist du nie da, wenn man dich mal braucht?"

Victor ließ den Blick über die eleganten Nachbarhäuser und die makellos gepflegten Vorgärten schweifen. „Wir können nicht die ganze Nacht hier draußen stehen."

„Das werden wir auch nicht", murmelte sie. Sie ging auf die Knie und begann, in einem roten Übertopf zu buddeln.

„Was tust du da?"

„Etwas, von dem ich mir geschworen habe, es niemals zu tun." Ihre Finger fuhren durch die lehmige Erde auf der Suche nach dem Schlüssel, den Jack unter den Geranien aufbewahrte. Und da war er auch – genau dort, wo er immer gelegen hatte. Sie kam hoch und klopfte sich die Erde von den Händen. „Aber auch mein Stolz hat Grenzen. Eine Todesdrohung ist eine davon." Sie steckte den Schlüssel ins Schloss und geriet in Panik, als er sich nicht drehen ließ. Aber nach ein bisschen Ruckeln gab das Schloss nach. Die Tür schwang auf und gab den Blick frei auf einen matt schimmernden Parkettboden und ein massives Geländer.

Sie winkte Victor herein. Das satte Geräusch, mit dem die Tür ins Schloss fiel, schien alle Gefahren dieser Nacht auszuschließen. Eingehüllt in die Dunkelheit stießen beide einen Seufzer der Erleichterung aus.

„Wie ist denn das Verhältnis zu deinem Exmann?", wollte Victor wissen, während er ihr blind durch die Halle folgte.

„Wir reden kaum miteinander."

„Und es macht ihm nichts aus, wenn du durch sein Haus schleichst?"

„Warum sollte es?" Sie schnaubte verächtlich. „Jack lässt etwa die Hälfte der Menschheit in seinem Schlafzimmer herumschleichen. Einzige Bedingung: Sie muss weiblich sein."

Sie tastete sich in das stockdunkle Wohnzimmer und betätigte den Lichtschalter. Wie vom Donner gerührt, blieb sie stehen, als sie die beiden ineinander verschlungenen Körper auf dem Eisbärfell erblickte.

„*Jack!*", platzte sie heraus.

Der größere der beiden Körper löste sich aus der Umklammerung und setzte sich auf. „Hallo, Cathy!" Grinsend fuhr er sich mit der Hand durch sein dunkles Haar. „Ist ja fast wie in alten Zeiten."

Die Frau, die neben ihm lag, stieß einen Fluch aus, rappelte sich auf und stürmte hinaus. Eine wilde rote Mähne und ein weißer Hintern verschwanden im Schlafzimmer.

„Das ist Lulu." Gähnend stellte Jack sie vor.

Cathy seufzte. „Wie ich sehe, ist dein Geschmack, was Frauen angeht, nicht besser geworden."

„Nein, Schatz. Mein Geschmack, was Frauen angeht, war auf dem Höhepunkt, als ich dich geheiratet habe." Nackt, wie er war, stellte Jack sich vor sie und musterte Victor. Der Unterschied zwischen den beiden Männern sprang sofort ins Auge. Beide waren zwar groß und schlank, aber Jack sah besser aus, und er wusste es. Er hatte es immer gewusst. Eitelkeit war keine Schwäche, die man Victor Holland vorwerfen konnte.

„Du hast also einen vierten Mann mitgebracht." Jack betrachtete Victor von Kopf bis Fuß. „Also, was spielen wir? Bridge oder Poker?"

„Weder noch", erwiderte Cathy.

„Das lässt jetzt alle Möglichkeiten offen."

„Jack, ich brauche deine Hilfe."

Er musterte sie mit einem spöttischen Blick. „Nicht möglich!"

„Du weißt ganz genau, dass ich nicht hier wäre, wenn ich es vermeiden könnte."

Er zwinkerte Victor zu. „Glauben Sie ihr kein Wort. Sie ist immer noch ganz verrückt nach mir."

„Können wir mal ernst bleiben?"

„Darling, du hattest noch nie Sinn für Humor."

„Verdammt noch mal, Jack!" Irgendwann riss jedem Menschen der Geduldsfaden. Bei Cathy war es nun so weit. Ohne Vorwarnung brach sie in Tränen aus, ohne es verhindern zu können. „Kannst du mir einmal im Leben zuhören?"

Jetzt wurde auch Victor ungehalten. Er brauchte kein Psychologe zu sein, um zu spüren, dass dieser Jack ein Vollidiot erster Klasse war. Sah er nicht, dass Cathy erschöpft und verängstigt war? Bis jetzt hatte Victor sie für ihre Stärke bewundert. Nun Zeuge ihrer Verletzlichkeit zu werden versetzte ihm einen Stich ins Herz.

So war es ganz selbstverständlich für ihn, sie in seine Arme zu nehmen und ihr tränenüberströmtes Gesicht an seine Brust zu drücken. Über ihre Schulter hinweg stieß er einen Fluch aus, der nicht nur Jack, sondern auch gleich noch dessen Mutter einbezog.

Jack schien überhaupt nicht beleidigt zu sein. Vermutlich hatte er schon Schlimmeres gehört – und das durchaus häufiger. Jetzt verschränkte er nur die Arme und sah Victor mit hochgezogenen Augenbrauen an. „Der rücksichtsvolle Beschützer, wie?"

„Ein wenig Rücksicht wäre wirklich angebracht."

„Aus welchem Grund? Verraten Sie's mir?"

„Vielleicht haben Sie es noch nicht mitbekommen. Vor drei Tagen wurde ihre Freundin Sarah ermordet."

„Sarah ... Boylan?"

Victor nickte. „Und heute Nacht hat jemand versucht, Cathy umzubringen."

Jack starrte ihn an. Sein Blick wanderte zu seiner Exfrau. „Ist das wahr? Was er sagt?"

Cathy wischte sich mit der Hand durchs Gesicht und nickte.

„Warum hast du mir das nicht gleich erzählt?"

„Weil du dich gleich wieder wie ein Idiot benommen hast", konterte sie.

In der Eingangshalle klackerten hochhackige Schuhe. „Sie hat vollkommen recht", schrie eine weibliche Stimme. „Du bist wirklich ein Esel, Jack Zuckerman!" Die Haustür wurde geöffnet und fiel mit einem Knall ins Schloss. Das Geräusch echote endlos von den Wänden wider.

Ein langes Schweigen entstand.

Plötzlich musste Cathy unter Tränen lachen. „Soll ich dir mal was sagen, Jack? Die Frau gefällt mir."

Wieder verschränkte Jack die Arme, während er Cathy kritisch von Kopf bis Fuß musterte. „Entweder werde ich allmählich senil, oder du hast mir ein paar wichtige Einzelheiten verschwiegen. Warum gehst du nicht zur Polizei? Warum belästigst du den guten alten Jack damit?"

Cathy und Victor warfen sich einen Blick zu.

„Wir können nicht zur Polizei gehen", antwortete Cathy.

„Ich nehme an, es hat mit ihm zu tun?" Er deutete mit dem Daumen zu Victor.

Cathy holte tief Luft. „Es ist eine wirklich komplizierte Geschichte ..."

„Das glaube ich auch. Wenn du Angst hast, zur Polizei zu gehen."

„Ich kann es erklären", schaltete Victor sich ein.

„M-hm. Na gut." Jack griff nach dem Bademantel, der in einem unförmigen Haufen neben dem Eisbärenfell lag. „Na gut", wiederholte er, während er den Gürtel verknotete. „Ich habe es schon immer gemocht, wenn mir jemand etwas Originelles zu bieten hat." Er setzte sich auf die Ledercouch und warf Victor ein Lächeln zu. „Ich warte. Es ist Showtime!"

Fröstelnd lag Special Agent Sam Polowski im Bett und verfolgte die Elf-Uhr-Nachrichten. Jeder Muskel in seinem Körper schmerzte, sein Schädel dröhnte, und das Fieberthermometer auf seinem Nachttisch zeigte nach wie vor neununddreißig Grad an. Das hatte man davon, wenn man in strömendem Regen den Reifen wechselte. Er wünschte, er könnte den Witzbold in die Hände bekommen, der ihm den Nagel in den Reifen gehämmert hatte, während er im Café am Highway etwas gegessen hatte. Der Typ war nicht nur schuld, dass Sam seine Verabredung in Garberville verpasst hatte und damit die Spur zu Viratek abgerissen war; er hatte darüber hinaus den einzigen Kontakt zu seinem möglichen Informanten verloren: Victor Holland. Und jetzt kam auch noch die Grippe hinzu.

Sam griff nach dem Fläschchen Aspirin. Zum Teufel mit dem Magengeschwür. Sein Kopf drohte zu zerspringen. Und bei Kopfschmerzen half nichts so gut wie die Medizin, auf die seine Mom seit jeher schwor.

Er schluckte gerade die zweite von drei Tabletten, als die Nachricht über Victor Holland im Fernsehen gezeigt wurde.

„... deuten neue Hinweise auf eine Verbindung des Verdächtigen zu dem Mord an seinem Kollegen, Dr. Gerald Martinique, hin ..."

Sam saß kerzengrade im Bett. „Was, zum Teufel …?",
grollte er Richtung Fernsehgerät.

Dann nahm er den Telefonhörer zur Hand.

Nach sechsmaligem Läuten antwortete sein Vorgesetzter.

„Dafoe? Hier spricht Polowski."

„Wissen Sie, wie spät es ist?"

„Haben Sie die Elf-Uhr-Nachrichten gesehen?"

„Ich liege zufällig im Bett."

„Da läuft gerade was über Viratek."

Eine Pause entstand. „Ja, ich weiß. Ich habe das geklärt."

„Was hat das mit diesem Unsinn über Industriespionage
auf sich? Die machen aus Holland ja einen …"

„Polowski, lassen Sie's gut sein."

„Seit wann ist er ein Mordverdächtiger?"

„Hören Sie, betrachten Sie es einfach als irgendeine TV-
Nachricht. Ich möchte ihn haben. Zu seinem eigenen Besten."

„Also lassen Sie ihn von ein paar schießwütigen Bullen
hetzen?"

„Ich sagte, lassen Sie's gut sein."

„Aber …"

„Sie haben mit dem Fall nichts mehr zu tun." Dafoe legte
auf.

Ungläubig wechselte Sams Blick zwischen dem Hörer in
seiner Hand und dem Fernseher.

Ich habe mit dem Fall nichts mehr zu tun? Er schmetterte
den Hörer so heftig auf die Gabel, dass das Aspirinfläschchen
vom Nachttisch rollte.

Das werden wir ja sehen!

„Ich denke, ich habe genug gehört." Jack erhob sich vom Sofa.
„Ich will, dass dieser Mann mein Haus verlässt. Und zwar
auf der Stelle."

„Jack, bitte", flehte Cathy. „Gib ihm eine Chance."

„Du kaufst ihm diese lächerliche Geschichte ab?"

„Ich glaube ihm."

„Warum?"

Sie schaute in Victors Augen und sah das Feuer der Aufrichtigkeit darin flackern. „Weil er mir das Leben gerettet hat."

„Du bist verrückt, Schätzchen." Jack griff nach dem Telefon. „Du hast es doch selbst in den Nachrichten gesehen. Er wird wegen Mordes gesucht. Wenn du die Polizei nicht anrufst, dann mache ich es."

Als Jack den Hörer zum Ohr führen wollte, packte Victor seinen Arm. „Nein." Obwohl er sehr leise sprach, war der autoritäre Ton nicht zu überhören.

Die beiden Männer schauten einander an. Keiner von ihnen wollte klein beigeben.

„Es geht um mehr als nur um Mord", erklärte Victor. „Es geht um todbringende Forschungen. Um die Herstellung illegaler Waffen. Die Affäre könnte bis nach Washington reichen."

„Zu wem in Washington?"

„Jemand, der das alles kontrolliert und der über ausreichende Steuergelder verfügt, um diese Forschungen zuzulassen."

„Verstehe. Irgendein Beamter, der über allem steht, lässt Wissenschaftler abmurksen. Mit Unterstützung des FBI."

„Jerry war nicht irgendein Wissenschaftler. Er hatte ein Gewissen. Er war ein Whistleblower, der mit dieser Sache an die Presse gegangen wäre, um dieses Forschungsprojekt zu stoppen. Die politischen Folgen wären ein Desaster gewesen – für die gesamte Regierung."

„Warten Sie. Reden wir hier etwa über das Weiße Haus?"

„Gut möglich."

Jack schnaubte verächtlich. „Holland, ich produziere billige Horrorfilme. Ich lebe nicht in ihnen."

„Das ist kein Film. Das ist die Realität. Echte Kugeln, echte Leichen."

„Ein Grund mehr für mich, nicht in diese Sache hineingezogen zu werden." Jack wandte sich an Cathy. „Tut mir leid, Schätzchen. Nimm's nicht persönlich, aber deine Begleitung finde ich äußerst fragwürdig."

„Jack", beschwor sie ihn. „Du musst uns helfen."

„Dir helfe ich. Ihm – auf keinen Fall. Die rote Linie verläuft bei mir bei Verrückten und Verbrechern."

„Du hast gehört, was er gesagt hat: Es ist ein abgekartetes Spiel."

„Du bist so leichtgläubig."

„Nur was dich betrifft."

„Ist schon gut, Cathy", schaltete Victor sich ein. Er blieb ganz ruhig und gelassen. „Ich gehe."

„Nein, das tust du nicht." Cathy erhob sich und ging energisch auf ihren Exmann zu. Sie musterte ihn mit einem so vorwurfsvollen und anklagenden Blick, dass er plötzlich den Eindruck machte, als würde er jeden Moment in einem Sessel versinken. „Das bist du mir schuldig, Jack. Wegen all der Jahre, die wir verheiratet waren. All die Jahre, die ich in deine Karriere gesteckt habe, in deine Firma, in deine idiotischen Filme. Ich habe dich nie um etwas gebeten. Du hast das Haus. Den Jaguar. Das Bankkonto. Ich habe dich niemals gefragt, weil ich nichts aus dieser Ehe mitnehmen wollte. Ich wollte nur meine Seele retten. Aber jetzt bitte ich dich. Dieser Mann hat mir heute Abend das Leben gerettet. Wenn ich dir jemals etwas bedeutet habe, wenn du mich jemals geliebt hast – auch nur ein kleines bisschen –, dann tu mir bitte diesen Gefallen."

„Einen Kriminellen unter meinem Dach beherbergen?"

„Nur bis wir überlegt haben, was wir als Nächstes tun können."

„Und wie lange soll das dauern? Wochen? Monate?"

„Ich weiß es nicht."

„Genau die konkrete Antwort, die ich liebe."

Victor meldete sich zu Wort. „Ich brauche Zeit, um herauszufinden, was Jerry beweisen wollte. Woran Viratek arbeitet …"

„Sie hatten doch eine seiner Akten", unterbrach Jack ihn. „Warum haben Sie nicht in das verdammte Ding reingeschaut?"

„Ich bin kein Virologe. Mit den Daten wüsste ich nichts anzufangen. Es war irgendeine Art von RNA-Sequenz, vermutlich ein virales Genom. Viele von den Dateien sind verschlüsselt. Sicher bin ich mir nur beim Namen: Projekt Cerberus."

„Und wo sind all diese entscheidenden Beweise jetzt?"

„Ich habe die Unterlagen verloren. Sie waren in meinem Wagen – in der Nacht, als auf mich geschossen wurde. Ich bin sicher, dass sie sie an sich genommen haben."

„Und der Film?"

Victor sank in einen Sessel. Plötzlich sah er sehr müde aus. „Ich habe ihn nicht mehr. Ich hatte gehofft, dass Cathy …" Seufzend fuhr er sich mit der Hand durchs Haar. „Den habe ich auch verloren."

„Na ja", meinte Jack. „Wenn nicht ein oder zwei Wunder geschehen, würde ich sagen, dass Ihre Chancen gegen null tendieren. Und ich bin als bekennender Optimist bekannt."

„Ich weiß, wo der Film ist", warf Cathy ein.

Eine lange Stille folgte. Victor hob den Kopf und starrte sie an. „Was?"

„Ich war deiner nicht sicher – zuerst nicht. Ich wollte es dir erst sagen, wenn ich das Gefühl hatte, dir vertrauen zu können ..."

Victor sprang auf. „Wo ist er?"

Sein barscher Tonfall ließ sie zusammenzucken. Er musste gemerkt haben, wie erschrocken sie war. Ruhig, aber eindringlich fuhr er fort: „Ich brauche diesen Film, Cathy. Ehe die ihn in die Hände bekommen. Wo ist er?"

„Sarah hat ihn in meinem Wagen gefunden. Ich wusste nicht, dass es deiner war. Ich dachte, er gehört Hickey."

„Wer ist Hickey?"

„Ein Fotograf – ein Freund von mir."

Jack schnaubte verächtlich. „Hickey. Der Frauenversteher."

„Er musste Hals über Kopf ein Flugzeug bekommen", fuhr sie fort. „Im letzten Moment hat er mir ein paar Filmrollen in die Hand gedrückt und mich gebeten, auf sie aufzupassen, bis er aus Nairobi zurückkommt. Aber all seine Filme wurden aus meinem Wagen gestohlen."

„Und meiner?", erkundigte Victor sich.

„In der Nacht, in der ... Sarah ermordet wurde ...", sie musste schlucken, als sie den Namen ihrer Freundin aussprach, „... war er in der Tasche meines Bademantels. Als ich wieder hier in der Stadt war, habe ich ihn in einen Briefumschlag gesteckt und zu Hickeys Studio geschickt."

„Wo ist das Studio?"

„Auf der Union Street. Heute Nachmittag habe ich den Brief eingeworfen ..."

„Dann müsste er also morgen irgendwann ankommen." Er begann, im Zimmer auf und ab zu gehen. „Wir brauchen also nur auf die Post zu warten."

„Ich habe keinen Schlüssel."

„Wir finden schon eine Möglichkeit, um hineinzukommen."

„Na toll", seufzte Jack. „Jetzt macht er aus meiner Exfrau auch noch eine Einbrecherin."

„Es geht uns doch nur um den Film", widersprach Cathy.

„Es ist trotzdem ein Einbruch, Herzchen."

„Du hast doch gar nichts damit zu tun."

„Aber du bittest mich, die Einbrecher zu beherbergen."

„Nur für eine Nacht, Jack. Mehr verlange ich gar nicht."

„Das könnte ein Satz von mir sein."

„Und deine Sätze haben doch immer Wirkung gezeigt, nicht wahr?"

„Dieses Mal nicht."

„Dann habe ich noch einen anderen Satz für dich: deine Steuerklärung. Oder vielmehr – die nicht abgegebene."

Jack erstarrte. Wütend funkelte er erst Victor und dann Cathy an. „Das war jetzt unter der Gürtellinie."

„Dein verwundbarster Punkt."

„Ich habe einen Aufschub beantragt …"

„Ich habe noch ein paar Wörter für dich. Betriebsprüfung. Steuerfahndung. Gefängnis …"

„Schon gut, schon gut." Resigniert hob Jack die Arme. „Himmel, wie ich dieses Wort hasse."

„Welches? Gefängnis?"

„Lach nicht, Schätzchen. Das könnte uns nämlich allen blühen." Er machte kehrt und ging zur Treppe.

„Wo willst du hin?", wollte Cathy wissen.

„Die Gästebetten herrichten. Sieht ganz so aus, als hätte ich Übernachtungsbesuch …"

„Können wir ihm trauen?", fragte Victor, als Jack nach oben verschwunden war.

Cathy ließ sich auf die Couch sinken. Plötzlich schien alle Energie aus ihr gewichen zu sein. Erschöpft schloss sie die Augen. „Wir müssen es. Ich weiß nämlich nicht, wohin wir sonst könnten …"

Sie merkte, dass er näher kam. Und dann saß er neben ihr – so dicht, dass sie seine Nähe als geradezu überwältigend empfand. Er sagte kein Wort, aber sie spürte instinktiv, dass er sie beobachtete.

Sie öffnete die Augen und schaute ihn an. Sein Blick war so intensiv, dass er sie mit neuer Energie zu füllen schien.

„Ich weiß, dass es nicht einfach für dich war, Jack um einen Gefallen zu bitten", sagte er.

Sie lächelte. „Ich wollte mit Jack schon immer mal Tacheles reden." Reumütig fügte sie hinzu: „Bis heute habe ich es mich aber nicht so recht getraut."

„Ich nehme mal an, Tacheles zu reden ist nicht so ganz dein Ding."

„Stimmt. Wenn es zur Konfrontation kommt, bin ich nicht besonders sturmerprobt."

„Für jemanden, der nicht sturmerprobt ist, hast du dich aber wacker gehalten. Du warst sogar großartig."

„Weil ich nicht für mich gekämpft habe. Sondern für dich."

„Glaubst du nicht, dass es sich auch lohnt, für dich selbst zu kämpfen?"

Sie zuckte mit den Schultern. „Liegt wohl an meiner Erziehung. Man hat mir dauernd gesagt, dass es nicht ladylike ist, für sich selber zu reden. Für andere einzutreten dagegen war in Ordnung."

Er nickte bedächtig. „Selbstaufopferung. Eine schöne feminine Tradition."

Sie musste lachen. „Da redet ein Mann, der die Frauen kennt."

„Nur zwei. Meine Mutter und meine Frau."

Bei der Erwähnung seiner toten Frau verstummte sie. Wie mochte seine Frau wohl ausgesehen haben? Wie hatte sie geheißen? Wie sehr hatte er sie geliebt? Die Liebe musste sehr groß gewesen sein, denn sie erinnerte sich an den Schmerz in seiner Stimme, als er früher am Abend von ihrem Tod gesprochen hatte.

Sie spürte einen Anflug von Neid bei dem Gedanken, dass diese namenlose Frau so sehr geliebt worden war. Was hätte Cathy darum gegeben, so sehr von einem Mann geschätzt und begehrt zu werden. Sofort verjagte sie den Gedanken, entsetzt über sich selbst. Wie konnte sie bloß eifersüchtig auf eine tote Frau sein?

Schuldbewusst wandte sie den Kopf ab. „Ich denke, Jack wird damit klarkommen", meinte sie. „Jedenfalls heute Nacht."

„Das war Erpressung, nicht wahr? Die Sache mit der Steuererklärung?"

„Er ist ein nachlässiger Mensch. Ich habe ihn nur auf seine Versäumnisse hingewiesen."

Victor schüttelte den Kopf. „Du bist erstaunlich. Im einen Moment springst du noch über Dächer, und im nächsten erpresst du deinen Exmann."

„Sie haben vollkommen recht." Jack stand auf der untersten Treppenstufe. „Sie ist eine erstaunliche Frau. Ich bin gespannt, was sie als Nächstes tut."

Müde stand Cathy auf. „Im Moment würde ich alles tun …", sie ging an Jack vorbei und die Treppe hoch, „… was mich am Leben hält."

Die beiden Männer lauschten den leiser werdenden Schritten nach. Dann sahen sie einander schweigend an.

„Was steht denn jetzt auf der Liste?", fragte Jack mit er-
zwungener Heiterkeit. „Eine Partie Scrabble?"

„Versuchen Sie's mal mit Solitaire." Victor erhob sich von
der Couch. Er hatte keine Lust auf Small Talk mit Jack Zuckerman. Der Mann war gerissen und egoistisch und wechselte offenbar die Frauen wie andere Männer ihre Socken.
Victor konnte sich beim besten Willen nicht vorstellen, was
Cathy an diesem Mann gefunden hatte – abgesehen von seinem guten Aussehen und seinem offensichtlichen Reichtum.
Er war fraglos ein Adonis, und ein wohlhabender obendrein.
Vielleicht war es diese Kombination, von der sie sich hatte
blenden lassen.

Eine Kombination, die niemals auf mich zutreffen wird,
dachte er.

Er durchquerte das Zimmer. Plötzlich blieb er stehen und
drehte sich um. „Lieben Sie Ihre Frau noch, Zuckerman?",
wollte er wissen.

Die Frage schien Jack zu überraschen. „Liebe ich sie noch?
Mal sehen … Nein, nicht wirklich. Aber ich glaube, ich habe
so eine sentimentale Anhänglichkeit. Nach zehn Jahren Ehe
wohl auch kein Wunder. Und ich respektiere sie."

„Sie respektieren sie?"

„Ja. Ihre Talente. Ihre technischen Fähigkeiten. Immerhin
ist sie meine beste Maskenbildnerin."

Das also war sie für ihn. Eine Person, die ihm nützlich
sein konnte. *Er denkt nur an sich selbst, dieser Idiot.* Wenn
es möglich gewesen wäre, hätte Victor sofort jemand anderen um Hilfe gebeten. Aber der einzige Mann, dem er vertraut hätte – Jerry –, war tot. Und seine anderen Freunde
wurden wahrscheinlich bereits observiert. Hinzu kam, dass
sie nicht in der Gehaltsklasse mitspielten, um sich verschwie-
gene Landhäuser mitten im Wald leisten zu können. Jack

dagegen verfügte über die Möglichkeit, Cathy an einen sicheren Ort zu bringen. Victor konnte nur hoffen, dass seine sentimentale Anhänglichkeit stark genug war, um auf sie achtzugeben.

„Ich möchte Ihnen einen Vorschlag machen", sagte Victor. Sofort sah Jack ihn misstrauisch an. „Und der wäre?"

„Ich bin derjenige, hinter dem man her ist. Nicht Cathy. Ich möchte sie nicht in noch größere Gefahr bringen, als ich es bereits getan habe."

„Anständig von Ihnen."

„Es ist besser, wenn ich allein unterwegs bin. Ich lasse sie bei Ihnen. Werden Sie auf sie aufpassen?"

Jack schaute zu Boden und scharrte unbehaglich mit den Füßen. „Ja, doch. Klar. Warum nicht?"

„Könnten Sie sich ein bisschen präziser ausdrücken?"

„Hören Sie, nächsten Monat beginnen wir mit einem Film in Mexiko. Dschungelszenen, Drehs an Lagunen – solche Sachen. Sollte eigentlich ein sicherer Ort sein."

„Aber erst nächsten Monat. Wie sieht es im Moment aus?"

„Ich werde mir etwas überlegen. Aber erst mal verschwinden Sie aus dem Bild. Da Sie der Grund sind, dass sie überhaupt in Gefahr ist."

Victor konnte nicht widersprechen. *Seit jener Nacht, als ich gegen ihr Auto gelaufen bin, habe ich ihr nur Probleme bereitet.*

Er nickte. „Morgen verschwinde ich von hier."

„Gut."

„Passen Sie auf Cathy auf. Bringen Sie sie aus der Stadt. Am besten aus dem Land. So schnell wie möglich."

„Ja. Sicher."

Die Art, wie gleichmütig Jack auf seine Bitte reagierte, sein desinteressierter Tonfall ließen Victor daran zweifeln, dass dieser Mann sich jemals um einen anderen kümmern würde als um sich selbst. Aber im Moment blieb ihm keine Wahl. Er musste Jack Zuckerman einfach vertrauen.

Während er die Stufen zum Gästezimmer hinaufging, wurde ihm klar, dass ihm am Morgen ein Abschied bevorstand. Zwischen ihnen war eine – wenn auch nur flüchtige – Verbindung entstanden. Er verdankte ihr sein Leben – und sie ihm ihres. Ein solches Band würde nicht reißen.

Selbst wenn wir uns niemals wiedersehen sollten.

Auf der ersten Etage blieb er vor ihrer geschlossenen Tür stehen. Er hörte, wie sie sich im Zimmer bewegte, Schubladen öffnete und schloss, Bettfedern quietschten.

Er klopfte an die Tür. „Cathy?"

Eine Pause entstand. Dann: „Komm rein."

Gedämpftes Licht erhellte den Raum. Sie saß auf dem Bett und hatte ein absurd großes Herrenhemd angezogen. Das Haar hing ihr in feuchten Strähnen über die Schulter. Der Geruch von Seife und Shampoo erfüllte den dämmerigen Raum. Es erinnerte ihn an seine Frau – süße, feminine Düfte, die nach dem Duschen das Zimmer durchzogen.

Stocksteif blieb er stehen, überwältigt von einem Gefühl der Sehnsucht, die er lange nicht empfunden hatte – Sehnsucht nach der Wärme und der Liebe einer Frau. Nicht irgendeine Frau. Er war schließlich nicht wie Jack, der sich mit einem ansehnlichen Körper zufriedengab. Victor sehnte sich nach Herz und Seele – die Verpackung, in der sie steckten, war ihm nicht so wichtig.

Lily, seine Frau, war keine Schönheit gewesen, aber auch nicht unattraktiv. Selbst am Ende, als die Krankheit ihrem Körper und ihrem Aussehen so schrecklich zugesetzt hatte, war ein Leuchten in ihren Augen gewesen, ein sanfter, freundlicher Glanz.

Den gleichen Glanz hatte er in Catherine Weavers Augen in jener Nacht wahrgenommen, als sie ihm das Leben gerettet hatte. Und diesen Glanz sah er auch jetzt.

Sie saß mit dem Rücken gegen ein Kissen gelehnt. Stumm und erwartungsvoll schaute sie ihn an, vielleicht sogar ein wenig ängstlich. Mit den Fingern umklammerte sie ein Bündel Papiertaschentücher. Warum hast du geweint? überlegte er.

Ohne näher zu treten, blieb er im Türrahmen stehen. „Ich habe gerade mit Jack gesprochen", sagte er.

Sie nickte schweigend.

„Wir sind uns einig. Es ist besser, wenn ich so schnell wie möglich verschwinde. Morgen früh verlasse ich das Haus."

„Und was ist mit dem Film?"

„Den kriege ich schon. Ich brauche nur Hickeys Adresse."

„Ja. Natürlich." Sie schaute auf die Papiertücher in ihrer Hand.

Er spürte, dass sie etwas sagen wollte. Deshalb trat er ins Zimmer und setzte sich neben sie aufs Bett. Der süße feminine Duft war geradezu berauschend. Der Ausschnitt des Hemdes war tief genug gerutscht, um einen verführerischen Schatten erahnen zu können. Er zwang sich, ihr ins Gesicht zu schauen.

„Cathy, dir wird nichts passieren. Jack hat versprochen, sich um dich zu kümmern. Er wird dich aus der Stadt bringen."

„Jack?" Ein Lachen entrang sich ihrer Kehle.

„Bei ihm bist du sicherer. Ich weiß noch nicht einmal, wohin ich gehen werde. Ich will dich auf keinen Fall in die Sache hineinziehen ..."

„Aber das hast du schon getan. Du hast mich Hals über Kopf in die Sache hineingezogen, Victor. Was soll ich denn jetzt machen? Ich kann doch nicht einfach nur … herumsitzen und warten, dass alles wieder in Ordnung kommt. Ich bin es Sarah schuldig …"

„Und ich bin es dir schuldig, dafür zu sorgen, dass dir nichts zustößt."

„Du glaubst, du kannst mich an Jack weiterreichen, und alles wird wieder gut? Das wird es aber nicht. Sarah ist tot. Ihr Baby ist tot. Und es ist nicht allein deine Schuld. Sondern irgendwie auch meine."

„Nein, das stimmt nicht, Cathy …"

„Es *ist* meine Schuld. Wusstest du, dass sie die ganze Nacht in der Einfahrt gelegen hat? Im Regen. In der Kälte. Sie ist da gestorben, und ich habe im Bett gelegen und geschlafen …" Sie vergrub das Gesicht in den Händen. Das Schuldgefühl, das sie seit Sarahs Ermordung gequält hatte, brach sich einen Weg und überwältigte sie. Sie begann zu weinen, leise und beschämt. Sie konnte die Tränen nicht länger zurückhalten.

Victor reagierte instinktiv. Er zog sie an sich und bot ihr einen warmen, sicheren Platz zum Weinen. Sobald er sie in die Arme genommen hatte, wusste er, dass es ein Fehler gewesen war. Es passte irgendwie zu gut. Sie hatte das Gefühl, dorthin zu gehören, ganz nahe an seinem Herz, und er hatte das Gefühl, dass sie ein Loch bei ihm hinterlassen würde, so groß, dass es niemals ausgefüllt werden könnte, wenn sie sich von ihm löste.

Er drückte seine Lippen an ihr feuchtes Haar und sog den Duft von Seife und warmer Haut ein. Dieses süße Aroma war genug, um einen Mann, dessen Begierde ungestillt war, den Verstand verlieren zu lassen. Hinzu kam ihr sanftes Gesicht, der Schimmer unter dem Hemd … Die ganze Zeit streichelte er ihr übers Haar, murmelte alberne Trostworte und dachte dabei: Ich muss sie verlassen. Um ihretwillen muss ich diese

Frau allein lassen. Oder wir werden beide getötet. Und ich bin dafür verantwortlich.

„Cathy", stieß er hervor. Es bedurfte seiner ganzen Willenskraft, um sich von ihr zu lösen. Er legte die Hände auf ihre Schultern und drehte sie zu sich, so dass sie ihn anschauen musste. Ihr Blick war verwirrt, und in ihren Augen schimmerten Tränen. „Wir müssen über morgen reden."

Sie nickte und wischte sich die Tränen von den Wangen.

„Ich möchte, dass du morgen früh sofort die Stadt verlässt. Fahr mit Jack nach Mexiko. Irgendwohin. Halte dich einfach nur versteckt."

„Und was wirst du tun?"

„Ich werde mir die Filmrolle anschauen. Ich muss wissen, was für Beweise darauf zu sehen sind."

„Und dann?"

„Ich weiß es noch nicht. Vielleicht wende ich mich an die Zeitungen. Das FBI kommt jedenfalls nicht infrage."

„Wie werde ich wissen, dass es dir gut geht? Wie kann ich dich erreichen?"

Während er ihren Duft und ihr weiches Haar zu ignorieren versuchte, dachte er angestrengt nach. Und ertappte sich dabei, wie er die nackte Haut ihrer Schultern streichelte und sich darüber wunderte, wie zart sie sich unter seinen Fingern anfühlte.

Er konzentrierte sich auf ihr Gesicht und ihren angstvollen Blick. „Jeden zweiten Sonntag gebe ich in der *Los Angeles Times* eine Kleinanzeige auf – adressiert an, sagen wir … Cora. Alles, was ich dir sagen muss, wirst du da finden."

„Cora." Sie nickte.

Schweigend sahen sie sich an – in stillem Einverständnis, dass diese Trennung notwendig war. Er nahm ihr Gesicht in die Hände und küsste sie auf den Mund. Sie reagierte kaum auf die Berührung. Es schien, als hätte sie sich bereits von ihm verabschiedet.

Er stand vom Bett auf und ging zur Tür. Dort angekommen, konnte er nicht anders, als sich noch einmal umzudrehen und zu fragen: „Glaubst du, dass du das schaffst?"

Sie nickte geistesabwesend. Es war die Art von Nicken, mit der man eine unwichtige Frage quittiert. „Das schaffe ich. Immerhin passt Jack ja auf mich auf."

Die Ironie in ihrer Antwort entging ihm nicht. Keiner von beiden schien viel Vertrauen in Jack zu haben. *Doch was ist die Alternative? Sie mit mir zu nehmen – als bewegliche Zielscheibe?*

Er legte seine Hand auf den Türknauf. Nein, so war es schon besser. Er hatte ihr Leben ohnehin schon ganz schön durcheinandergewirbelt. Er würde sich hüten, noch mehr Chaos anzurichten …

Im Hinausgehen schaute er ein letztes Mal zurück. Sie saß immer noch reglos auf dem Bett; die Knie hatte sie bis zur Brust hochgezogen. Das übergroße Hemd war auf einer Seite von der Schulter gerutscht. Einen Moment lang glaubte er, sie weinte. Dann hob sie den Kopf, und ihre Blicke trafen sich. Doch in ihren Augen standen keine Tränen. Er entdeckte etwas viel Bewegenderes, etwas Reines, Leuchtendes und Großartiges.

Mut.

Im fahlen Licht des Morgens stand Savitch vor Jack Zuckermans Haus. Durch die Nebelschwaden betrachtete er die Fenster, deren Vorhänge geschlossen waren, und versuchte, sich ein Bild von den Bewohnern zu machen. Er fragte sich, was es für Menschen sein mochten, in welchem Zimmer sie schliefen – und ob Catherine Weaver auch in diesem Haus war.

Er würde es bald herausfinden.

Er steckte das schwarze Adressbuch in die Tasche, das er in der Wohnung der Frau gefunden hatte. Der Name C. Zuckerman und diese Anschrift in Pacific Heights standen auf der Innenseite des Deckblatts. Später war Zuckerman durchgestrichen und durch Weaver ersetzt worden. Er schloss daraus, dass sie geschieden war. Unter Z fand er mehrere Einträge für einen Mann namens Jack – verschiedene Telefonnummern und Anschriften, sowohl im In- als auch im Ausland. Es handelte sich um ihren Exmann, wie er nach einem Gespräch mit einem anderen herausgefunden hatte, dessen Name ebenfalls im Buch verzeichnet war und den er kurzerhand angerufen hatte. Fremde nach Auskünften zu fragen war eine einfache Angelegenheit. Man brauchte nur einen gewissen Anschein von Autorität und einen Dienstausweis von der Polizei. Diesen Dienstausweis wollte er auch jetzt benutzen.

Noch einmal betrachtete er das Haus von oben bis unten, registrierte den sauber gemähten Rasen und die makellos gestutzten Büsche sowie das Rankgitter mit den winterharten Zweigen des Blauregens. Musste ein erfolgreicher Mann sein, dieser Jack Zuckerman. Savitch hatte wohlhabende Männer stets bewundert. Er richtete sein Jackett, um sicherzugehen, dass das Schulterhalfter verdeckt war. Anschließend überquerte er die Straße und läutete an der Haustür.

6. KAPITEL

Beim ersten Licht des neuen Tages wachte Cathy auf. Es war keine sanfte Rückkehr, sondern ein abruptes Aufschrecken aus dem Schlaf. Sofort war sie sich der Tatsache bewusst, dass sie nicht im eigenen Bett lag und irgendetwas schrecklich schiefgelaufen war. Sie brauchte einige Sekunden, um zu überlegen, was genau es war. Als die Erinnerung zurückkehrte, war ihr Bedürfnis, aktiv zu werden, so intensiv, dass sie sofort aus dem Bett schlüpfte und begann, sich im Halbdunkel anzuziehen. *Muss bereit sein zum Weglaufen ...*

Das Knarren der Holzdielen im Nebenzimmer verriet ihr, dass Victor ebenfalls schon wach war und wahrscheinlich bereits Pläne für den Tag schmiedete. Sie durchsuchte den Schrank nach Sachen, die er für seine Flucht gebrauchen konnte. Doch sie fand nur eine Reisetasche und einen Regenmantel. Dann nahm sie sich die Kommode vor, in der lediglich ein paar Männersocken lagen. Dazu eine Kollektion Damenunterwäsche. *Dieser verdammte Jack mit seinen Weibergeschichten!* Wütend knallte sie die Schublade zu. Das dumpfe Geräusch echote noch durchs Haus, als ein anderer Laut ihn übertönte.

Die Haustürklingel.

Es war erst sieben Uhr – viel zu früh für Besucher oder Lieferanten. Plötzlich wurde die Tür zu ihrem Zimmer aufgerissen. Sie drehte sich um. Victor stand vor ihr mit angespanntem Gesichtsausdruck.

„Was sollen wir tun?", fragte sie.

„Mach dich fertig. Schnell."

„Es gibt eine Hintertür ..."

„Dann los."

Sie hasteten über den Korridor und hatten den obersten Treppenabsatz fast erreicht, als sie Jacks schläfrige Stimme von unten hörten. „Ich komme ja schon, verdammt noch mal", grummelte er. „Hören Sie auf mit dem Lärm. Bin ja unterwegs."

Wieder klingelte es.

„Mach nicht auf", zischte Cathy. „Noch nicht!"

Doch Jack hatte die Tür bereits geöffnet. Sofort riss Victor Cathy in den Korridor zurück, damit sie nicht gesehen wurden. Stocksteif standen sie mit dem Rücken zur Wand und lauschten auf die Stimmen von unten.

„Ja", hörten sie Jack sagen. „Ich bin Jack Zuckerman. Und wer sind Sie?"

Die Stimme des Besuchers war zu leise, um die Antwort zu verstehen. Sie konnten nur hören, dass es ein Mann war.

„Wirklich?", fragte Jack. Er klang plötzlich nervös. „Sie sind vom FBI, sagen Sie? Und was, um alles in der Welt, will das FBI von meiner *Exfrau*?"

Cathy blickte Victor an. Er schaute gehetzt zurück, in seinem Blick die Frage: *Wie kommen wir hier raus?*

Stumm zeigte sie zum Schlafzimmer am Ende des Korridors. Er nickte. Zusammen schlichen sie auf Zehenspitzen über den Teppich. Ihnen war klar, dass jeder laute Tritt oder ein vernehmliches Knarren den Agenten an der Tür sofort alarmiert hätte.

„Zeigen Sie mir Ihren Durchsuchungsbescheid", verlangte Jack mit barscher Stimme. „He, warten Sie mal. Ohne richterliches Dokument können Sie hier nicht so einfach hereinplatzen."

Bloß raus hier, dachte Cathy voller Panik, als sie in das Zimmer am Ende des Korridors schlüpften. Rasch schlossen sie die Tür hinter sich.

„Das Fenster", flüsterte sie.

„Wir sollen springen?"

„Nein." Sie lief durch das Zimmer und öffnete leise das Fenster. „Hier ist ein Rankgerüst."

Zweifelnd schaute er an den verschlungenen Zweigen und Ästen des Blauregens hinunter. „Bist du sicher, dass das trägt?"

„Ich weiß es", versicherte sie ihm und schwang ein Bein über das Fenstersims. „Ich habe mal eine von Jacks Blondinen dabei erwischt, wie sie hier nachts gehangen hat. Und glaub mir, sie war ein *sehr* großes Mädchen." Sie schaute auf den Boden, der weit weg war, und verspürte ein plötzliches Gefühl von Übelkeit, als die vertraute Höhenangst in ihr aufstieg. „Himmel", murmelte sie, „warum hängen wir ständig an irgendwelchen Fenstern und Leitern?"

Aus dem Haus erklang Jacks wütende Stimme. „Sie können da nicht hoch. Zeigen Sie mir erst Ihren Durchsuchungsbefehl!"

„Los!", befahl Victor.

Cathy ließ sich auf das Rankgitter hinuntergleiten. Zweige schlugen ihr ins Gesicht, als sie sich am Blauregen entlanghangelte. Kaum war sie auf dem taufeuchten Gras gelandet, ließ Victor sich neben sie fallen.

Sofort rappelten sie sich auf und sprinteten in den Schutz der Büsche. Gerade als sie sich hinter einer Azalee duckten, hörten sie ein Fenster im ersten Stock aufgehen und Jacks vorwurfsvolle Stimme: „Ich kenne meine Rechte. Das ist eine illegale Durchsuchung. Ich werde meinen Anwalt verständigen."

Hoffentlich sieht er uns nicht, flehte Cathy voller Panik, während sie sich im Gebüsch versteckte. Sie spürte Victors Körper in ihrem Rücken. Seine Arme zogen sie fest an ihn.

Sein Atem blies heiß und heftig gegen ihren Nacken. Eine Ewigkeit lagen sie zitternd im feuchten Gras, umgeben von wabernden Nebelfetzen.

„Sehen Sie jetzt selbst, dass außer mir niemand hier ist?", hörten sie Jack sagen. „Wollen Sie auch noch in der Garage nachsehen?"

Das Fenster wurde geschlossen.

Victor gab Cathy einen leichten Stoß. „Geh", flüsterte er. „Bis ans Ende der Hecke. Ab da rennen wir."

Auf Händen und Knien krochen sie hinter den Azaleenbüschen entlang. Ihre durchnässten Jeans klebten eiskalt an ihrer Haut, ihre Handflächen waren blutig gekratzt, aber die Angst war so übermächtig, dass sie jedes Schmerzgefühl betäubte. Ihr ganzes Denken war auf Flucht gerichtet. Victor folgte dicht hinter ihr. Als er gegen ihre Hüfte stieß, musste sie daran denken, welch lächerlichen Anblick ihm ihr Rumpf bot, der praktisch vor seiner Nase hin und her schwankte.

Beim letzten Busch in der Reihe hielt sie an und schob sich eine Haarsträhne aus dem Gesicht. „Bis zum nächsten Haus?", fragte sie.

„Ja. Los."

Wie zwei verängstigte Kaninchen hasteten sie über das knapp zwanzig Meter freie Rasenstück zwischen den Häusern. Selbst in der Deckung des Nachbarhauses hielten sie nicht an. Zwischen geparkten Wagen und frühmorgendlichen Fußgängern rannten sie weiter. Nach fünf Häuserblocks suchten sie Schutz in einem Coffeeshop. Durch das Schaufenster behielten sie die Straße im Auge, um zu sehen, ob sie jemand verfolgt hatte. Doch ihnen bot sich nur das typische Bild eines hektischen Montagmorgens: Autoschlangen, die nur langsam vorwärtskamen, Passanten eingehüllt in Schals und Mäntel.

Im Grillofen hinter ihnen zischte und brutzelte der Frühstücksspeck. Von der Theke wehte der Duft von frisch gebrühtem Kaffee zu ihnen hinüber. Den Geruch empfanden sie fast als qualvoll, denn er erinnerte Cathy daran, dass sie und Victor gemeinsam wahrscheinlich nur gerade einmal vierzig Dollar besaßen. Verdammt, warum hatte sie Jack nicht um Geld gebeten? Oder ihm ein paar Scheine aus der Brieftasche stibitzt?

„Und jetzt?", fragte sie. Halb hoffte sie, dass er vorschlagen würde, vom restlichen Geld ein Frühstück zu kaufen.

Er schaute auf die Straße. „Gehen wir weiter."

„Wohin?"

„Zu Hickeys Studio."

„Oh." Sie seufzte. Noch so ein weiter Weg – und das mit leerem Magen.

Auf der Straße fuhr ein Wagen vorbei. Er hatte einen Aufkleber an der Stoßstange: *Heute ist der erste Tag vom Rest deines Lebens.*

Hoffentlich werden die restlichen Tage besser, dachte sie, ehe sie Victor nach draußen in die morgendliche Kälte folgte.

Abteilungsleiter Larry Dafoe saß am Schreibtisch und war auf seinem Trainingsstuhl mit den Übungen zur Stärkung seiner Brustmuskulatur beschäftigt. Ein kräftiger Oberkörper ist für einen Mann der Schlüssel zum Erfolg, pflegte er zu sagen. Muskeln kräftig anspannen und – lockern; aufpumpen, bis das Jackett (Größe vierundfünfzig) zu zerreißen droht. So konnte man sich Schultern antrainieren, die jeder Frau imponierten und jedem Gegner Respekt einflößten. Und dabei brauchte man dieses todschicke Siebenhundert-Dollar-Übungsgerät nicht mal mehr zu verlassen.

Sam Polowski schaute seinem Vorgesetzten dabei zu, wie er mit den Schaltern und Hebeln hantierte. Seiner Meinung nach sah das Teil eher wie ein exotisches Folterinstrument aus.

„Sie müssen verstehen", keuchte Dafoe, „dass in diesem Fall andere Mechanismen greifen. Dinge, von denen Sie nichts wissen."

„Zum Beispiel?", hakte Polowski nach.

Dafoe ließ die Hebel los und schaute hoch. Sein Gesicht glänzte vor Schweiß. „Meinen Sie nicht, dass ich es Ihnen schon längst erzählt hätte, wenn ich es dürfte?"

Polowski betrachtete die schwarz glänzenden Übungshebel und überlegte, ob auch er von einem solchen Trainingsstuhl profitieren könnte. Vielleicht benötigte er ebenfalls ein paar durchtrainierte Bizepse, um sich in seiner Abteilung ein wenig Respekt zu verschaffen.

„Ich verstehe immer noch nicht", sinnierte er, „warum Sie Victor Holland auf den Schleudersitz befördert haben."

„Das brauchen Sie auch nicht zu verstehen", konterte Dafoe. „Weil Sie nichts mehr zu bestimmen haben."

„Ich habe Holland mein Wort gegeben, ihn aus diesem Schlamassel herauszuhalten."

„Er ist ein Teil dieses Schlamassels. Erst behauptet er, Beweise zu haben, dann macht er sich vom Acker."

„Das ist teils meine Schuld. Ich habe es nicht geschafft, rechtzeitig am vereinbarten Treffpunkt zu erscheinen."

„Warum hat er nicht versucht, sich mit Ihnen in Verbindung zu setzen?"

„Keine Ahnung." Seufzend schüttelte Polowski den Kopf. „Vielleicht ist er tot."

„Vielleicht müssen wir ihn einfach nur finden." Dafoe presste ein weiteres Mal die Hebel von sich weg. „Vielleicht sollten Sie sich besser mit der Akte Lanzano beschäftigen. Oder einfach nach Hause gehen. Sie sehen beschissen aus."

„Klar. Mach ich." Polowski drehte sich um. Beim Verlassen des Büros hörte er, wie Dafoe erneut zu keuchen und stöhnen begann. Polowski setzte sich an seinen Schreibtisch und begutachtete seine Kollektion von Tabletten, Aspirin und Hustensirup. Von jedem nahm er die doppelte Menge. Dann öffnete er seine Aktentasche und holte die Viratek-Unterlagen hervor.

Die hingekritzelten Notizen, Telefonnummern und Zeitungsausschnitte hatte er für seine persönlichen Recherchen gesammelt. Nachdenklich blätterte er durch die Unterlagen und grübelte erneut über die Verbindung zwischen Holland und dieser Catherine Weaver. Ihren Namen hatte er zum ersten Mal auf dem Aufnahmeformular des Krankenhauses gelesen – und gestutzt, als er später erneut von ihr im Zusammenhang mit der ermordeten Frau aus Garberville hörte. Zu viele Zufälle, zu viele Wendungen und Unwägbarkeiten. Gab es irgendetwas Offensichtliches, das er nicht sah? Konnte ihm die Frau vielleicht ein oder zwei Fragen beantworten?

Er griff zum Telefon und rief die Polizeiwache in Garberville an. Sie würden ja wohl wissen, wie sie ihre Zeugin erreichen konnten. Und die würde vielleicht wissen, wo er Victor Holland finden konnte. Das alles war zwar reine Spekulation, aber Sam Polowski war ein unverbesserlicher Pferdewetter. Er hatte eine Vorliebe für Spekulationen.

Der Mann, der an seiner Tür geläutet hatte, sah aus wie ein Baumstumpf in einem braunen Kunstfaseranzug. Jack stand im Türrahmen und sagte: „Tut mir leid, aber ich kaufe nichts."

„Ich verkaufe nichts, Mr Zuckerman", antwortete der Mann. „Ich bin vom FBI."

Jack seufzte. „Nicht schon wieder."

„Ich bin Special Agent Sam Polowski. Ich bin auf der Suche nach einer Frau namens Catherine Weaver, ehemals Zuckerman. Ich glaube, sie ..."

„Wisst ihr Kerle denn nie, wann es Zeit ist aufzuhören?"

„Womit aufhören?"

„Einer Ihrer Kollegen war heute Morgen schon hier. Fragen Sie ihn doch."

Der Mann runzelte die Stirn. „Einer unserer Agenten?"

„Ja. Und ich überlege gerade, ob ich nicht Anzeige gegen ihn erstatte. Stürmt ohne Durchsuchungsbescheid in mein Haus und trampelt hier überall herum."

„Wie sah er aus?"

„Keine Ahnung. Dunkle Haare, ziemlich stämmig. Aber ein paar Manieren hätten ihm gut gestanden."

„War er so groß wie ich?"

„Größer. Dünner. Und mehr Haare."

„Hat er seinen Namen genannt? Es war nicht Mac Braden, oder?"

„Nee, wie er heißt, hat er nicht gesagt."

Polowski zog seine Dienstmarke hervor. Jack blinzelte auf die Schrift: Federal Bureau of Investigation. „Hat er Ihnen so was gezeigt?", wollte Polowski wissen.

„Nein. Er hat nur nach Cathy und einem Mann namens Victor Holland gefragt. Und ob ich wüsste, wo man sie finden kann."

„Haben Sie's ihm gesagt?"

„Diesem Schwachkopf?" Jack lachte. „Dem hätte ich nicht mal gesagt, wie spät es ist. Und da erzähle ich ihm bestimmt nicht, wo ..." Er hielt inne und räusperte sich. „Ich habe ihm jedenfalls nichts erzählt. Selbst wenn ich es wüsste, hätte ich es nicht getan. Und ich weiß es nicht."

Polowski steckte seine Dienstmarke in die Tasche, ohne Jack aus den Augen zu lassen. „Ich denke, wir sollten uns unterhalten, Mr Zuckerman."

„Worüber?"

„Über Ihre Exfrau. Und über die Tatsache, dass sie in Schwierigkeiten steckt."

„Das weiß ich bereits", seufzte Jack.

„Man könnte ihr etwas antun. Ich kann Sie nicht über alle Einzelheiten informieren, weil ich selber noch im Dunkeln tappe. Aber ich weiß, dass eine Frau bereits ermordet wurde. Ihre Frau ..."

„Meine Exfrau."

„Ihre Exfrau könnte die Nächste sein."

Jack schwieg und musterte ihn zweifelnd.

„Es ist Ihre Pflicht als Staatsbürger, mir zu erzählen, was Sie wissen", erinnerte Polowski ihn.

„Meine Pflicht. Ach ja."

„Hören Sie, kooperieren Sie einfach, und wir beide werden prima miteinander zurechtkommen. Wenn Sie mir Probleme machen, mache ich Ihnen auch Probleme." Polowski grinste. Jack blieb ernst. „Also, Mr Zuckerman ... darf ich Sie Jack nennen? Jack, warum erzählen Sie mir nicht, wo sie ist? Ehe es zu spät ist. Für Sie beide."

Zornig funkelte Jack ihn an. Mit den Fingern klopfte er gegen den Türrahmen. Er dachte nach. Schließlich trat er einen Schritt beiseite. „Als pflichtbewusster Bürger ist es wohl meine Pflicht." Widerstrebend bedeutete er dem Mann einzutreten. „Kommen Sie rein, Polowski. Ich erzähle Ihnen alles, was ich weiß."

Das Fenster zerbarst, und eine Flut von Glassplittern ergoss sich über den Boden des düsteren Raumes.

Bei dem Geräusch zuckte Cathy zusammen. „Tut mir leid, Hickey", murmelte sie.

„Wir werden es ihm ersetzen", beruhigte Victor sie, während er die restlichen Glassplitter aus dem Rahmen schlug. „Er bekommt einen schönen großen Scheck. Hast du jemanden bemerkt?"

Sie ließ ihren Blick durch die Gasse schweifen. Bis auf eine zerknüllte Zeitung, die der Wind an den Mülltonnen vorbeitrieb, bewegte sich nichts. Von Weitem, gedämpft durch mehrere Häuserzeilen, hörten sie das Hupen von Autos. Auf der Union Street herrschte der übliche Stau.

„Die Luft ist rein", flüsterte sie.

„Okay." Victor legte seinen Anorak über die Fensterbank. „Hinauf mit dir."

Er hob sie hoch. Sie kletterte durch die Öffnung und landete mitten in den Glasscherben. Sekunden später ließ Victor sich neben sie fallen.

Sie befanden sich im Umkleideraum des Studios. An einer Wand war eine Ablage für Frauenunterwäsche befestigt; gegenüber standen Schminktische und ein langer Spiegel.

Stirnrunzelnd betrachtete Victor eine pfirsichfarbene Stoffbahn, die über einem der Stühle hing. „Was für Fotos macht dein Freund eigentlich?"

„Hickey hat sich auf das spezialisiert, was man höflich als ‚Boudoirporträts' bezeichnet."

Victors verdutzter Blick wanderte zu einem schwarzen Seidennegligé, das an einem Wandhaken hing. „Bedeutet das, was ich glaube, dass es bedeutet?"

„Was glaubst du denn, was es bedeutet?"

„Das weißt du genau."

Sie ging ins nächste Zimmer. „Hickey besteht darauf, dass es keine Pornografie ist. Sondern geschmackvolle erotische

Kunst ..." Wie vom Donner gerührt, blieb sie stehen, als ihr Blick auf ein vergrößertes Foto an der Wand fiel. Nackte Gliedmaßen – acht, vielleicht auch mehr – waren so ineinander verschlungen, dass das Objekt wie ein menschlicher Oktopus aussah. Nichts blieb der Fantasie überlassen. Rein gar nichts.

„Sehr geschmackvoll", bemerkte Victor trocken.

„Das muss einer seiner ... Werbeaufträge sein."

„Ich frage mich, was die verkaufen."

Sie drehte sich um und stand einem anderen Foto gegenüber. Es zeigte zwei sehr attraktive Frauen – splitternackt.

„Noch ein Werbeauftrag?", erkundigte Victor sich freundlich, der ihr über die Schulter schaute.

Sie schüttelte den Kopf. „Frag mich nicht."

Im Vorzimmer lag, verstreut unter dem Briefschlitz der Eingangstür, die Post von einer Woche – Briefe, Werbung und Prospekte und Flyer für Fotografiezubehör. Die Filmrolle, die Cathy am Tag zuvor aufgegeben hatte, war noch nicht darunter.

„Ich schlage vor, wir machen's uns gemütlich und warten auf den Postboten", meinte sie.

Er nickte. „Hier scheinen wir ja sicher zu sein. Glaubst du, dein Freund bewahrt hier irgendwo etwas Essbares auf?"

„Ich meine, ich hätte im Nebenzimmer einen Kühlschrank gesehen."

Sie führte Victor in den Raum, den Hickey seine „Schießbude" nannte. Cathy betätigte den Lichtschalter, und sofort wurde das Zimmer von einer Vielzahl von Punktstrahlern erhellt.

Victor blinzelte in das gleißende Licht. „Hier macht er's also." Er stieg über ein Durcheinander von elektrischen Kabeln und schlenderte durch den Raum. Amüsiert betrachtete er die Requisiten – eine bizarre Kollektion von unterschiedlichsten Objekten: eine echte englische Telefonzelle, eine Parkbank, ein Trimmrad. Auf einem Podest stand ein Himmelbett. Die zerwühlte Bettdecke stammte aus der Viktorianischen Zeit – im Gegensatz zu den Handschellen, die von den Pfosten baumelten.

Victor nahm eine der Handschellen und ließ sie gleich wieder fallen. „Wie eng ist denn deine Freundschaft mit diesem Hickey?"

„Die Sachen waren vor einem Monat noch nicht hier, als er mich fotografiert hat."

„Er hat *dich* fotografiert?" Victor drehte sich um und musterte sie durchdringend.

Sie wurde rot, als sie darüber nachdachte, was ihm in diesem Moment durch den Kopf gehen musste. Sie spürte förmlich, wie er sie mit seinen Blicken auszog und sich vorstellte, wie sie quer auf diesem lächerlichen Himmelbett lag. Natürlich mit Handschellen …

„D-das waren nicht solche Fotos", verteidigte sie sich. „Ich meine, ich habe ihm einen Gefallen tun wollen …"

„Einen Gefallen?"

„Es war nur für eine Werbeanzeige."

„Oh."

„Ich war komplett angezogen. Im Overall, wenn du's genau wissen willst. Ich sollte einen Klempner darstellen."

„Einen weiblichen Klempner?"

„Ich bin eingesprungen. Eines seiner Models ist an dem Tag nicht erschienen, und er brauchte jemanden mit einem Durchschnittsgesicht. Ich denke, die Voraussetzungen dazu habe ich. Durchschnittlich. Und er hat auch nur mein Gesicht fotografiert."

„Und deinen Overall."

„Genau."

Sie sahen einander an und brachen in schallendes Gelächter aus.

„Ich kann deine Gedanken erraten", sagte sie.

„Ich werde den Teufel tun, sie dir zu verraten." Er sah sich suchend um. „Hast du nicht gesagt, hier ist irgendwo ein Kühlschrank?"

Der Kühlschrank stand an der gegenüberliegenden Wand. Neben einer Ablage, die ausschließlich für Filme reserviert war, fand sie ein Glas mit süßsauren Gurken, ein paar gummiartige Möhren und eine halbe Salami. Im Tiefkühlfach entdeckten sie wahre Schätze: gemahlenen Kaffee aus Sumatra und ein Sauerteigbrot.

Grinsend drehte sie sich zu ihm um. „Ein Festmenü!"

Sie saßen nebeneinander auf dem Himmelbett, aßen Salami und kauten halbgefrorenes Brot, das sie mit mehreren Tassen Kaffee hinunterspülten. Es war ein seltsames Picknick: Auf dem Schoß hatten sie Pappteller mit Gurken und Möhren, und an der Decke brannten grelle Punktstrahler, die sie wie zwölf kleine Sonnen wärmten.

„Warum hast du das von dir gesagt?" Er schaute ihr dabei zu, wie sie an einer Möhre knabberte.

„Was gesagt?"

„Dass du durchschnittlich bist. So durchschnittlich, dass er dich als weiblichen Klempner ablichtet."

„Weil ich durchschnittlich bin."

„Das glaube ich nicht. Was den Charakter angeht, habe ich ein recht gutes Urteilsvermögen."

Sie betrachtete ein Poster, das eines von Hickeys Supermodels zeigte. Die Frau schaute mit großem Selbstbewusstsein von dem Hochglanzfoto herab. „Nun ja, mit *der da* kann ich es bestimmt nicht aufnehmen."

„*Die da* ist ein reines Fantasieprodukt", konterte er. „Das ist keine echte Frau, sondern ein Kunstprodukt aus Make-up, Haarspray und falschen Wimpern."

„Das weiß ich. Es ist schließlich mein Job, Schauspieler in die Fantasiefiguren des Publikums zu verwandeln. Oder Horrorgestalten, je nachdem." Sie fischte die letzte Gurke aus dem Glas. „Nein, ich meine unterhalb der Hülle. Tief im Inneren fühle ich mich ziemlich gewöhnlich."

„Ich halte dich für ziemlich außergewöhnlich. Und nach der vergangenen Nacht muss ich es ja wohl wissen."

„Es gab mal eine Zeit – ich glaube, eine solche Zeit erlebt jeder … wenn wir jung sind, kommen wir uns wie etwas ganz Besonderes vor. Wir glauben, dass die Welt nur für uns gemacht ist. Zum letzten Mal habe ich mich so gefühlt, als ich Jack geheiratet habe." Sie seufzte. „Es hat nicht lange vorgehalten."

„Warum hast du ihn eigentlich geheiratet?"

„Ich weiß es nicht. Vielleicht war ich geblendet. Ich war gerade dreiundzwanzig, Praktikantin im Filmstudio. Er war der Regisseur." Sie machte eine Pause. „Er war Gott."

„Er hat dich wohl mächtig beeindruckt, nicht wahr?"

„Jack kann sehr beeindruckend sein. Er weiß seine Macht einzusetzen und sein Charisma anzuknipsen und kann damit ein Mädchen faszinieren. Dann war da noch der Champagner, die Abendessen, die Blumen … Ich glaube, ich war deshalb reizvoll für ihn, weil ich seinem Charme nicht sofort erlegen bin. Dass ich nicht jedes Mal in Ohnmacht gefallen bin, wenn er mich angeschaut hat. Für ihn war ich eine Herausforderung, die er schließlich gemeistert hat." Reumütig sah sie ihn an. „Nachdem er das geschafft hatte, hat er sich größere Herausforderungen und schönere Frauen gesucht. Da wurde mir klar, dass ich nichts Besonderes bin. Sondern nur eine ganz gewöhnliche Frau. Es ist kein schlechtes Gefühl. Ich gehe nicht durchs Leben und wünsche mir ständig, jemand anders oder etwas Besonderes zu sein."

„Wer ist denn deiner Meinung nach etwas Besonderes?"

„Meine Großmutter. Aber sie ist tot."

„Großmütter stehen meistens oben auf der Liste."

„Okay. Mutter Teresa."

„Die steht auf jeder Liste."

„Katharine Hepburn. Gloria Steinem. Meine Freundin Sarah …" Ihre Stimme erstarb. Sie schaute zu Boden. „Aber sie ist auch tot", fügte sie leise hinzu.

Er nahm ihre Hand und drückte sie sanft. Es kam ihr seltsam vor, dass seine langen Finger sich über ihre legten, und sie dachte darüber nach, wie die Kraft, die sie in seiner Berührung spürte, die Kraft des Mannes selbst wiedergab. Trotz allem Glanz und Glitter hatte Jack niemals auch nur einen Bruchteil dieses Vertrauens in ihr erweckt, das sie gegenüber Victor empfand. Übrigens hatte das noch kein Mann geschafft.

Schweigend musterte er sie mit wärmendem Mitgefühl. „Erzähl mir von Sarah", forderte er sie auf.

Cathy schluckte und versuchte, die Tränen zurückzuhalten. „Sie war ganz reizend. Irgendwie vollkommen. Ich meine nicht so." Mit dem Kopf deutete sie auf das Foto von Hickeys makellosem Model. „Sie hatte andere Werte. Dieser Blick in ihren Augen. So gelassen. Als hätte sie genau das gefunden, was sie wollte, während alle anderen um sie herum noch immer nach dem verlorenen Schatz suchten. Ich glaube nicht, dass sie von Anfang an so war. Den Weg hat sie selbst gefunden. Auf dem College waren wir beide wenig selbstbewusst. Unsere Ehen haben keiner von uns geholfen. Meine war ein Desaster. Aber Sarahs Scheidung hat sie sogar noch stärker gemacht. Es hat ihr dabei geholfen, noch besser alleine klarzukommen. Als sie schließlich schwanger wurde, war es genau so, wie sie es geplant hatte. Es gab keinen Vater, nur ein Reagenzglas. Ein anonymer Spender. Sarah hat immer gesagt, die Urfamilie hat nicht aus dem Mann, der Frau und dem Kind bestanden. Sondern nur aus der Frau und dem Kind. Ich habe sie für ihren Mut bewundert ... dafür, dass sie diesen Schritt so konsequent gegangen ist. Sie war viel mutiger, als ich es jemals sein könnte ..." Sie räusperte sich. „Jedenfalls war Sarah wirklich etwas Besonderes. Einige Menschen sind eben so."

„Ja", bestätigte er. „Manche Menschen sind so."

Sie schaute ihn an. Er starrte auf die gegenüberliegende Wand, sein Blick unendlich traurig. Der Schmerz, der die Furchen in seinem Gesicht hinterlassen hatte, musste sehr groß gewesen sein. Würden sie jemals verschwinden? Über manche Verluste kam man nie hinweg – und man fand sich nie mit ihnen ab.

Leise fragte sie: „Was für ein Mensch war deine Frau?"

Er antwortete nicht sofort. Warum habe ich das gefragt? überlegte sie schuldbewusst. *Warum muss ich in diesen schrecklichen Erinnerungen wühlen?*

Schließlich sprach er. „Sie war eine herzensgute Frau. Daran werde ich mich immer erinnern. An ihre Güte." Er schaute Cathy an, und in seinem Blick sah sie keine Traurigkeit. Er hatte sich mit seinem Schicksal abgefunden.

„Wie hieß sie?"

„Lily. Lillian Dorinda Cassidy. Ziemlich viel Name für eine so kleine Frau." Er lächelte. „Sie war etwa einen Meter fünfundfünfzig groß und etwa fünfundvierzig Kilo schwer. Manchmal hatte ich Angst um sie, weil sie so zierlich wirkte. Fast zerbrechlich. Besonders am Ende, als sie praktisch nur noch Haut und Knochen war. Es sah so aus, als bestünde sie nur noch aus ihren großen braunen Augen."

„Sie muss sehr jung gestorben sein."

„Sie war erst achtunddreißig. Es erschien mir so unfair. Ihr ganzes Leben lang hatte sie alles richtig gemacht. Sie hat nicht geraucht und nur ganz selten ein Glas Wein getrunken. Sie hat sich sogar geweigert, Fleisch zu essen. Nachdem sie die Diagnose bekommen hatte, haben wir uns den Kopf darüber zerbrochen, wie das geschehen sein konnte. Irgendwann sind wir darauf gekommen, was wahrscheinlich der Grund war. Sie ist in einer Kleinstadt in Massachusetts aufgewachsen. In unmittelbarer Nachbarschaft eines Atomkraftwerks."

„Du glaubst, das war der Grund?"

„Man kann nie wissen. Aber wir haben Erkundigungen eingezogen. Und wir haben erfahren, dass es in der unmittelbaren Nachbarschaft mindestens zwanzig Familien gab, in denen ein Mitglied an Leukämie erkrankt war. Vier Jahre haben wir gebraucht, bis wir eine Sammelklage einreichen konnten, um eine Untersuchung zu erzwingen. Und sie haben herausgefunden, dass bereits seit der Eröffnung des Atomkraftwerks immer wieder gegen Sicherheitsvorschriften verstoßen worden war."

Ungläubig schüttelte Cathy den Kopf. „Und in all den Jahren durfte es weiter betrieben werden?"

„Davon wusste ja niemand etwas. Keiner der Vorfälle geriet an die Öffentlichkeit. Selbst die staatlichen Kontrolleure wurden im Dunkeln gelassen."

„Aber dann wurde es abgestellt, nicht wahr?"

Er nickte. „Ich kann nicht sagen, dass mich die Schließung besonders befriedigt hat. Lily war da bereits gestorben. Und die Familien waren erschöpft von dem jahrelangen Kampf. Selbst wenn wir manchmal das Gefühl hatten, mit dem Kopf gegen eine Wand zu laufen, war uns klar, dass wir es durchziehen mussten. Irgendjemand musste es tun – für alle Lilys auf dieser Welt." Er schaute hoch zu den Punktstrahlern. „Und jetzt sitze ich hier und renne wieder mit dem Kopf gegen die Wand. Dieses Mal fühlt es sich allerdings an wie die Chinesische Mauer. Und diesmal ist es dein und mein Leben, das auf dem Spiel steht."

Ihre Blicke trafen sich. Sie bewegte sich nicht, als er mit dem Finger sanft die Linie ihrer Wange nachzeichnete. Sie nahm seine Hand und drückte sie an ihre Lippen. Seine Finger umfassten ihre und ließen sie nicht mehr los. Langsam zog er sie näher zu sich. Ihre Lippen trafen sich. Sein Kuss war ebenso zärtlich wie vorsichtig und weckte in ihr Lust auf mehr.

„Es tut mir so leid, dass du da mit hineingezogen wurdest", flüsterte er. „Du und Sarah und die anderen Cathy Weavers. Ein solches Schicksal hat niemand verdient. Und ich bin's, der dieses ganze Leid zu verantworten hat."

„Nicht du, Victor. Dir kann man keinen Vorwurf machen. Es ist dieser Kampf gegen Windmühlenflügel, den du zu kämpfen hast. Diese riesige, gefährliche Windmühle. Jeder andere hätte seine Lanze weggeworfen und wäre geflohen. Doch du kämpfst weiter."

„Mir blieb ja keine Wahl."

„Natürlich. Du hättest deinen toten Freund einfach abhaken können. Es könnte dir egal sein, was bei Viratek passiert. So hätte Jack sich jedenfalls verhalten."

„Aber ich bin nicht Jack. Es gibt Dinge, die kann man nicht einfach ignorieren. Ich müsste immer an die Lilys dieser Welt denken. An all die Tausenden von Menschen, die darunter leiden könnten."

Bei der neuerlichen Erwähnung seiner verstorbenen Frau hatte Cathy das Gefühl, dass sich plötzlich zwischen ihnen eine unüberwindbare Mauer erhob – der Schatten von Lily, der Frau, die sie niemals kennengelernt hatte. Cathy rutschte ein wenig beiseite – und hatte sofort das Gefühl, etwas verloren zu haben. Es versetzte ihr einen Stich ins Herz.

„Glaubst du, dass viele Menschen sterben könnten?", fragte sie.

„Jerry muss das geglaubt haben. Das Ergebnis kann niemand vorhersagen. Es hat noch nie einen Krieg gegeben, der ausschließlich mit biologischen Waffen geführt wurde; man weiß also nicht, wie das ausgehen würde. Ich rede mir gern ein, es liegt daran, dass wir zu clever sind, mit unserer eigenen Vernichtung zu spielen. Doch dann denke ich an all die vielen verrückten Dinge, die die Menschen in den vergangenen Jahren bereits unternommen haben, und das jagt mir Angst ein …"

„Sind biologische Waffen wirklich so gefährlich?"

„Wenn man ein paar Viren verändert, sie ein wenig ansteckender macht und die Letalität steigert, wird eine zerstörerische Kettenreaktion in Gang gesetzt. Allein die Forschungstätigkeit ist ungemein riskant. Eine winzige Nachlässigkeit bei den Sicherheitsvorkehrungen in den Labors könnte zu einer ungewollten Infizierung von Millionen von Menschen führen. Und es gäbe keine Behandlungsmethoden. Das ist genau das weltweite Katastrophenszenario, an das Wissenschaftler nicht einmal zu denken wagen."

„Armageddon."

Er nickte mit einer Ernsthaftigkeit, die sie schaudern ließ. „Wenn du daran glaubst. Aber genau das wäre es: der Weltuntergang."

Sie schüttelte den Kopf. „Ich verstehe nicht, warum so etwas überhaupt erlaubt ist."

„Ist es überhaupt nicht. Es gibt ein internationales Abkommen, das diese Forschungen ächtet. Aber irgendwo hinter den

Kulissen lauert immer ein Verrückter, der genau auf diesen Vorteil aus ist – die Waffe, die kein anderer hat."

Ein Verrückter. Das musste man schon sein, wenn man auch nur daran dachte, eine solche Waffe gegen die Welt einzusetzen. Ihr fiel ein Buch ein, das sie gelesen hatte. Darin ging es um eine Seuche, die dazu geführt hatte, dass die Städte verlassen wurden und verfielen und selbst die Luft vergiftet war. Aber das waren nur die Albträume der Science-Fiction. Das hier dagegen war die Realität.

Irgendwo im Gebäude ertönte ein Pfeifen.

Cathy und Victor setzten sich kerzengrade auf. Die Melodie wanderte durch den Korridor und kam immer näher, bis sie genau vor Hickeys Tür verstummte. Sie hörten ein Rascheln und das Geräusch von Zeitschriften, die zu Boden fielen.

„Die Post!" Cathy sprang auf.

Victor folgte ihr dicht auf den Fersen, als sie ins Vorderzimmer lief. Der wattierte Umschlag mit der von ihr geschriebenen Adresse fiel ihr sofort ins Auge; er lag zuoberst auf einem Haufen. Sie ergriff ihn und riss die Lasche auf. Die Filmrolle fiel heraus. Der Notizzettel, den sie an Hickey geschrieben hatte, flatterte auf den Boden. Mit einem triumphierenden Grinsen hielt sie die Rolle hoch. „Hier ist dein Beweis."

„Hoffentlich. Wollen erst mal sehen, was auf dem Film ist. Wo ist die Dunkelkammer?"

„Neben dem Umkleideraum." Sie gab ihm den Film. „Weißt du, wie man ihn entwickelt?"

„Ich habe ein bisschen Amateurfotografie betrieben. Wenn ich Entwicklerlösung finde, kann ich …" Er unterbrach sich und sah zum Schreibtisch.

Das Telefon klingelte.

Victor schüttelte den Kopf. „Ignoriere es einfach", riet er ihr und wandte sich zur Dunkelkammer.

Während sie den Vorraum verließen, schaltete sich der Anrufbeantworter ein. Hickeys Stimme, weich und einschmeichelnd, ertönte vom Band. „Hier ist das Fotostudio von Hickman von Trapp, Spezialist für geschmackvolle und künstlerische Frauenfotografie …"

Victor lachte. „Geschmackvoll?"

„Kommt auf deinen Geschmack an", entgegnete Cathy, während sie ihm über den Korridor folgte.

Gerade als sie die Dunkelkammer erreicht hatten, endete die Ansage, und ein Piepen ertönte. Eine aufgeregte Stimme drang aus dem Lautsprecher. „Hallo? Hallo, Cathy? Wenn du dort bist, geh bitte ans Telefon. Hier ist ein FBI-Agent, der dich sprechen möchte – ein gewisser Polowski."

Wie vom Donner gerührt, blieb Cathy stehen. „Es ist Jack." Sie machte kehrt und lief zurück.

Die Stimme aus dem Lautsprecher hatte einen Unterton von Panik bekommen. „Ich konnte nicht anders – er hat es irgendwie geschafft, dass ich ihm von Hickey erzählt habe. Verschwindet so schnell wie möglich."

Die Nachricht endete genau in dem Moment, als Cathy zum Hörer griff. „Hallo, Jack?"

Sie hörte nur das Freizeichen. Er hatte bereits aufgehängt. Mit zitternden Fingern wählte sie Jacks Nummer.

„Wir haben keine Zeit", warnte Victor.

„Ich muss mit ihm reden …"

Er riss ihr den Hörer aus der Hand und warf ihn auf die Gabel. „Später. Wir müssen von hier verschwinden."

Sie nickte wie betäubt und eilte zur Tür. Dort blieb sie stehen. „Warte. Wir brauchen Geld." Sie lief zum Empfangstresen und durchsuchte die Schubladen, bis sie die kleine Geldkassette entdeckte. Sie enthielt nur zwanzig Dollar. „Man muss immer genug Kleingeld für einen anständigen Kaffee haben", pflegte Hickey zu sagen. Sie steckte die Scheine in die Tasche. Dann nahm sie einen von Hickeys alten Mänteln vom Garderobenhaken. Er würde ihn nicht vermissen, und ihr könnte er als Tarnung dienen. „Okay." Sie schlüpfte in den Regenmantel. „Gehen wir."

Sie öffneten die Tür und spähten hinaus auf den Korridor. Aus einem anderen Büro erklang leises Gelächter. Irgendwo über ihnen stöckelte jemand mit hohen Absätzen über einen Parkettboden. Victor lief voran durch die Eingangshalle und hinaus auf die Straße.

Die Mittagssonne schien auf sie herab wie ein vorwurfsvolles Auge. Sie passten sich an das Tempo der Menschen an, die zu ihrem Lunch eilten – Geschäftsleute und Künstler, das übliche Publikum der Union Street. Niemand beachtete sie. Aber selbst mit all den Leuten um sie herum hatte Cathy das Gefühl aufzufallen. Als ob sie inmitten der Menschenmenge zwischen den Wohnhäusern von einem Maler ins Auge gefasst würde.

Sie drückte sich tiefer in den Regenmantel und wünschte, er wäre eine Tarnkappe. Victor beschleunigte seine Schritte, und sie musste laufen, um ihn nicht zu verlieren.

„Wo gehen wir jetzt hin?", flüsterte sie.

„Ich schlage den Busbahnhof vor – jetzt, wo wir den Film haben."

„Und dann?"

„Irgendwohin." Er sah starr geradeaus. „Nur raus aus der Stadt."

7. KAPITEL

Jack öffnete die Haustür, als es klingelte, und stieß einen Seufzer aus. Vor ihm stand der nervige FBI-Agent. „Schon wieder zurück?"

„Sieht ganz so aus!" Polowski stampfte herein und warf die Tür hinter sich zu. „Ich will wissen, wo ich sie jetzt finden kann."

„Das habe ich Ihnen doch bereits gesagt, Mr Polowski. Auf der Union Street ist das Fotostudio von Mr Hickman ..."

„Ich war in dem Studio von diesem Mr Hackman ... oder so ähnlich."

Jack schluckte. „Sie haben sie nicht gefunden?"

„Das wussten Sie doch genau. Sie haben sie gewarnt, stimmt's?"

„Ich weiß wirklich nicht, warum Sie mich belästigen. Ich habe versucht, Ihnen zu helfen ..."

„Die beiden sind Hals über Kopf abgehauen. Die Tür stand noch offen. Überall lagen Essensreste. Die leere Geldkassette haben sie einfach auf dem Empfangstresen stehen lassen."

Jack tat empört. „Halten Sie meine Frau etwa für eine Diebin?"

„Ich halte sie für eine verzweifelte Frau. Und Sie für einen Idioten, weil Sie alles noch viel schlimmer machen. Also, wo steckt sie?"

„Ich weiß es nicht."

„An wen könnte sie sich wenden?"

„Ich kenne niemanden."

„Denken Sie nach!"

Jack schaute hinunter in Polowskis aufgedunsenes Gesicht und wunderte sich darüber, dass ein menschliches Wesen so unattraktiv sein konnte. Eigentlich hätten derart unakzeptable Gene im Verlauf der natürlichen Auslese nicht weitergegeben werden dürfen.

Jack schüttelte den Kopf. „Ich weiß es wirklich nicht."

Es war die Wahrheit, und Polowski schien es zu spüren. Nachdem sich die beiden Männer eine Weile lang schweigend angefunkelt hatten, versuchte er es auf andere Weise. „Dann können Sie mir vielleicht sagen, warum Sie sie gewarnt haben."

„Ich … es war …" Hilflos zuckte Jack mit den Schultern. „Ach, ich weiß es nicht. Nachdem Sie gegangen waren, war ich mir nicht sicher, ob ich das Richtige getan hatte. Ich wusste nicht, ob ich Ihnen trauen kann. Er jedenfalls tut es nicht."

„Wer?"

„Victor Holland. Er glaubt, dass Sie Teil dieser Verschwörung sind. Offen gesagt erschien mir der Mann ein wenig paranoid."

„Er hat auch allen Grund dazu, wenn man bedenkt, was er bis jetzt durchgemacht hat." Polowski machte Anstalten zu gehen.

„Was passiert denn jetzt?"

„Ich werde weiter nach ihnen suchen."

„Wo?"

„Glauben Sie ernsthaft, dass ich Ihnen das auf die Nase binde?" Er stapfte hinaus. „Verlassen Sie die Stadt nicht, Zuckerman", warf er ihm über die Schulter zu. „Wir sehen uns später noch mal."

„Das glaube ich kaum", murmelte Jack. Er sah dem Mann hinterher, bis er sein Auto erreicht hatte. Dann schaute er hoch und stellte fest, dass keine Wolke am Himmel war. Lächelnd schloss er die Tür.

In Mexiko war es bestimmt auch sonnig.

Hier hatte es jemand sehr eilig gehabt wegzukommen.

Savitch schlenderte durch die Räume des Fotostudios, dessen Tür nicht abgeschlossen worden war. Er betrachtete die Reste eines improvisierten Picknicks auf dem Himmelbett: Brotkrümel, ein Stück Salami, ein leeres Gurkenglas. Auch die Kaffeetassen entgingen ihm nicht: Es waren zwei. Interessant, denn Savitch hatte nur eine Person aus dem Fotostudio kommen sehen – einen kleinen untersetzten Mann in einem Kunstfaseranzug. Der Mann hatte sich nicht lange hier aufgehalten. Savitch hatte ihn in einen dunkelgrünen Ford einsteigen sehen, den er an einer Fünfzehn-Minuten-Parkuhr abgestellt hatte. Er hätte noch drei Minuten länger dort stehen bleiben können.

Er setzte seine Erkundungstour durch das Studio fort. Beim Blick auf die geschmacklosen Fotos überlegte er, ob er hier nicht erneut seine Zeit verschwendete. Schließlich hatte er bei allen Adressen, die er in dem schwarzen Notizbuch der Frau entdeckt und abgeklappert hatte, keine Spur von ihr entdeckt. Warum sollte es bei Hickman von Trapp anders sein?

Dennoch sagte ihm sein Instinkt, dass er ihr näher kam. Überall gab es Hinweise. Er studierte sie und fügte sie zusammen. Dieses Fotoatelier war heute von zwei hungrigen Menschen heimgesucht worden. Sie waren durch eine eingeschlagene Fensterscheibe in den Umkleideraum eingedrungen. Sie hatten den Kühlschrank geplündert und Reste gegessen. Sie – oder der Mann im Kunstfaseranzug – hatten die Geldkassette geleert.

Savitch beendete seinen Rundgang im Empfangsraum. In diesem Moment entdeckte er das blinkende Licht auf dem Anrufbeantworter.

Er drückte den Abspielknopf. Die Anzahl der Nachrichten schien unendlich zu sein. Sämtliche Anrufe waren für einen gewissen Hickey – zweifellos der Hickman von Trapp aus dem Adressbuch. Während er den Stimmen mit halbem Ohr lauschte, schlenderte Savitch durch den Raum. Die meisten Anrufe waren geschäftlicher Natur. Es ging um Terminabsprachen, Fragen nach fertigen Abzügen und ob er daran interessiert sei, Fotos für das Magazin *Snoop* zu machen. An der Tür bückte Savitch sich und durchsuchte den Stapel Post. Langweiliges Zeug, alles an von Trapp adressiert. Plötzlich fiel ihm der Notizzettel ins Auge, der ein wenig abseits lag. Es war eine Botschaft für Hickey.

„Tut mir schrecklich leid, aber jemand hat alle Filmrollen aus meinem Wagen gestohlen. Das hier war die einzige, die zurückgelassen wurde. Ich dachte, ich schicke sie dir, damit sie nicht auch noch verloren geht. Hoffentlich reicht sie aus, damit deine Fotosession nicht völlig umsonst war …"

Unterzeichnet war die Nachricht mit „Cathy".

Abrupt richtete er sich auf. Catherine Weaver? Sie musste es sein. Aber die Filmrolle – wo, zum Teufel, war die Filmrolle?

Er durchwühlte die Post und ließ keinen Brief auf dem anderen. Doch alles, was er fand, war ein Umschlag mit dem Absender von Cathy Weaver. Der Film war verschwunden. Frustriert schleuderte er die Magazine durch den Raum. Plötzlich erstarrte er mitten in der Bewegung.

Auf dem Anrufbeantworter wurde eine neue Nachricht abgespielt.

„Hallo? Hallo, Cathy? Wenn du dort bist, geh bitte ans Telefon. Hier ist ein FBI-Agent, der dich sprechen möchte – ein gewisser Polowski. Ich konnte nicht anders – er hat es irgendwie geschafft, dass ich ihm von Hickey erzählt habe. Verschwindet so schnell wie möglich."

Savitch ging zum Anrufbeantworter und starrte auf das Gerät, das automatisch zum Anfang zurückspulte. Er spielte es noch einmal ab.

Verschwindet so schnell wie möglich.

Jetzt gab es keinen Zweifel mehr. Catherine Weaver war hier gewesen, und Victor Holland begleitete sie. Aber wer war dieser Agent Polowski, und warum suchte er nach Holland? Man hatte Savitch versichert, dass das FBI sich nicht weiter um den Fall kümmerte. Er würde es überprüfen müssen.

Er stellte sich ans Fenster, schaute in den strahlenden Sonnenschein hinaus und betrachtete die Menschenmassen auf den Gehwegen. So viele Gesichter, so viele Fremde. Wo würden sich zwei zu Tode verängstigte Flüchtlinge in dieser Stadt verstecken? Sie zu finden wäre nicht leicht, aber auch nicht unmöglich.

Umgehend verließ er das Studio und suchte auf der Straße nach einer Telefonzelle. Dort wählte er eine Nummer in Washington, D.C. Es passte ihm gar nicht, den Cowboy um Hilfe zu bitten, aber ihm blieb keine Wahl. Victor Holland hatte die Beweise in seiner Hand, womit das Risiko unvermittelt unberechenbar geworden war.

Höchste Zeit, die Verfolgung mit Hochdruck voranzutreiben.

„Am nächsten Schalter anstellen!", schrie der Beamte und zog das Gitter herunter.

„Warten Sie!" Cathy trommelte gegen die Scheibe. „Mein Bus fährt gleich ab."

„Welcher?"

„Nummer dreiundzwanzig nach Palo Alto …"

„Es gibt noch einen um sieben Uhr."

„Aber …"

„Ich mache jetzt Pause."

Hilflos sah Cathy dem Beamten hinterher. Aus dem Lautsprecher schepperte der letzte Aufruf für den Palo-Alto-Express. Cathy drehte sich um. Im selben Moment fuhr die Nummer dreiundzwanzig mit dröhnendem Motor vom Bussteig los.

„Der Service ist auch nicht mehr das, was er mal war", murmelte ein alter Mann hinter ihr. „Inzwischen ist man ja als Anhalter schneller da."

Seufzend stellte sich Cathy in die nächste Schlange, in der acht Passagiere warteten und im Schneckentempo vorrückten. Die Frau am Schalter versuchte, dem Beamten zu erklären, dass ihre Sozialversicherungskarte als Identifikation ausreichte, um ihren Scheck zu akzeptieren.

Na gut, überlegte Cathy. *Dann fahren wir eben um sieben los. Dann sind wir um acht in Palo Alto. Und danach? Übernachten wir in einem Park? Betteln in einem Restaurant um Reste? Was hat Victor vor …?*

Sie schaute sich um und entdeckte seinen breiten Rücken geduckt in einer der Telefonkabinen. Wen mochte er wohl anrufen? Jetzt hängte er ein und fuhr sich müde mit der Hand durchs Gesicht. Kurz darauf nahm er den Hörer wieder zur Hand und wählte eine andere Nummer.

„Der Nächste." Jemand klopfte Cathy auf die Schulter. „Machen Sie schon, Miss."

Cathy drehte sich wieder um. Der Fahrkartenverkäufer wartete bereits. Sie trat an den Schalter.

„Wohin?", fragte der Beamte.

„Ich brauche zwei Karten nach …" Plötzlich versagte Cathy die Stimme.

„Wohin?"

Cathy blieb stumm. Wie gebannt starrte sie auf ein Plakat, das direkt neben dem Fahrkartenschalter hing. Die Worte *Wer kennt diesen Mann?* standen über dem Foto eines ernst dreinblickenden Victor Holland. Darunter waren die Anklagen aufgelistet: *Industriespionage und Mord. Bitte setzen Sie sich mit Ihrer örtlichen Polizeistation oder dem FBI in Verbindung, wenn Sie über entsprechende Informationen verfügen.*

„Junge Frau, wollen Sie nun irgendwohin oder nicht?"

„Was?" Cathys Blick wanderte zurück zu dem Beamten, der sie mit unverhohlenem Missfallen musterte. „Oh ja. Ich ... ich möchte zwei Fahrkarten. Nach Palo Alto." Wie betäubt legte sie eine Handvoll Münzen in die Schale. „Einfache Fahrt."

„Zweimal Palo Alto. Der Bus fährt um sieben, Bahnsteig elf."

„Ja. Danke ..." Cathy nahm die Tickets und wollte aus der Schlange treten. In diesem Moment entdeckte sie die beiden Polizisten am Eingang der Halle. Sie schienen den Busbahnhof genau im Blick zu haben und nach jemandem zu suchen. Nach wem?

In Panik schweifte ihr Blick zu der Telefonzelle. Sie war leer. Plötzlich fühlte sie sich schrecklich verloren. *Du hast mich im Stich gelassen. Du hast mich mit zwei Karten nach Palo Alto und fünf Dollar in der Tasche im Stich gelassen!*

Victor, wo bist du?

Es wäre idiotisch, einfach stehen zu bleiben. Sie musste etwas tun, musste weitergehen. Sie zog den Regenmantel fester um die Schultern und zwang sich, unauffällig durch die Halle zu laufen. Mach, dass sie mich nicht sehen, betete sie. *Bitte. Ich bin niemand. Ein Nichts.* Vor einem Stuhl blieb sie stehen und nahm eine Ausgabe des *San Francisco Chronicle* zur Hand, die jemand liegen gelassen hatte. Ganz in die Kleinanzeigen vertieft, schlenderte sie an den beiden Polizisten vorbei. Sie würdigten sie keines Blickes, als sie durch den Haupteingang ins Freie trat.

Und jetzt? überlegte sie, während sie mitten zwischen hin und her eilenden Menschen auf dem Gehweg innehielt. Wie ein Roboter setzte sie sich wieder in Bewegung. Nach ein paar Schritten wurde sie unvermittelt in eine Gasse hineingezerrt.

Mit dem Rücken stieß sie gegen die Mülltonnen. Vor Erleichterung wäre sie fast in Tränen ausgebrochen. „Victor!"

„Haben sie dich gesehen?"

„Nein. Ich meine, doch, schon, aber sie haben mich nicht beachtet ..."

„Bist du sicher?" Sie nickte. Er drehte sich um und schlug frustriert mit der flachen Hand gegen die Mauer. „Was, zum Teufel, machen wir jetzt?"

„Ich habe die Fahrkarten."

„Wir können sie nicht benutzen."

„Wie sollen wir denn aus der Stadt herauskommen? Per Anhalter? Victor, wir haben nur noch fünf Dollar!"

„Sie werden jeden Bus kontrollieren, der von hier losfährt. Und mein Gesicht hängt überall in diesem verdammten Busbahnhof!" Stöhnend lehnte er sich gegen die Mauer. „‚Wer kennt diesen Mann?' Himmel, ich sehe ja aus wie der letzte miese Gangster."

„Ein schmeichelhaftes Foto ist es wirklich nicht."

Er lachte rau. „Hast du jemals ein schmeichelhaftes Fahndungsfoto gesehen?"

Sie lehnte sich neben ihn an die Mauer. „Wir müssen aus der Stadt verschwinden, Victor."

„Einspruch. Du musst aus der Stadt verschwinden."

„Was soll das heißen?"

„Nach dir sucht die Polizei nicht. Also nimmst du den Bus nach Palo Alto. Ich setze mich mit ein paar alten Freunden in Verbindung. Sie werden dich dann irgendwie in Sicherheit bringen."

„Nein!"

„Cathy, wahrscheinlich hängt meine Visage inzwischen in jedem Flughafen und jeder Mietwagenzentrale in der Stadt. Wir haben fast unser ganzes Geld für die Busfahrkarten ausgegeben. Deshalb bitte ich dich: Benutze sie!"

„Ich lasse dich nicht allein."

„Dir bleibt keine Wahl."

„Oh doch! Ich habe mich dazu entschieden, an dir zu kleben wie Leim. Denn du bist der Einzige, bei dem ich mich sicher fühle. Der Einzige, auf den ich zählen kann."

„Allein bin ich aber schneller. Wenn ich dich nicht im Schlepptau habe." Er ließ seinen Blick über die Straße schweifen. „Es wäre mir sogar lieber, wenn du nicht mehr bei mir wärst."

„Das glaube ich nicht."

„Ist mir egal, was du glaubst."

„Schau mich an! Schau mich an, und sag das noch mal." Sie packte ihn am Arm und zwang ihn, ihr ins Gesicht zu sehen. „Sag mir, dass du mich nicht mehr bei dir haben willst."

Er öffnete den Mund, um die Lüge zu wiederholen. Sie wusste, dass es eine Lüge war; sie erkannte es in seinen Augen. Und sie bemerkte noch etwas anderes in diesem Blick – etwas, das ihr den Atem nahm.

Er begann: „Ich möchte dich … ich möchte nicht, dass du …"

Ohne mit der Wimper zu zucken, schaute sie ihm ins Gesicht und wartete auf die Wahrheit.

Womit sie nicht gerechnet hatte, war der Kuss. Hinterher wusste sie nicht mehr, wie es dazu gekommen war. Sie erinnerte sich nur daran, dass sie seine Arme um sich spürte, die sie an einen wundervoll warmen und sicheren Ort zogen. Zunächst war die Umarmung eher verzweifelt als leidenschaftlich – ein Zusammentreffen zweier verängstigter Menschen. Aber in dem Moment, als sich ihre Lippen berührten, wurde es sehr viel mehr. Es ging weit über Angst und Begehren hinaus. Es war ein Verschmelzen von zwei Seelen, eine Verbindung, die nicht mehr getrennt werden konnte – auch wenn diese Umarmung vorbei war und sie einander nie mehr berühren würden.

Als sie sich endlich voneinander lösten und in die Augen sahen, spürte sie noch seinen Geschmack auf ihren Lippen.

„Siehst du", flüsterte sie. „Ich hatte recht. Du möchtest, dass ich bei dir bleibe. Du willst es."

Lächelnd berührte er ihre Wange. „Ich bin ein schlechter Lügner."

„Und ich werde dich nicht allein lassen. Du brauchst mich. Du darfst dein Gesicht nicht zeigen, aber ich. Ich kann Busfahrkarten kaufen, Dinge erledigen …"

Er seufzte. „Was ich wirklich brauche, ist ein neues Gesicht." Wieder schaute er über die Straße. „Da gerade kein Schönheitschirurg in der Nähe ist, schlage ich vor, wir gehen zur U-Bahn-Station. Dort müsste im Moment viel Betrieb herrschen. Vielleicht schaffen wir es bis zur East Bay …"

„Himmel, ich bin so dämlich", stöhnte sie plötzlich. „Ein neues Gesicht ist genau das, was du brauchst." Sie setzte sich in Bewegung. „Komm schon. Wir haben nicht viel Zeit …"

„Cathy?" Er folgte ihr aus der Gasse. An der Einmündung zur Straße blieben sie stehen und hielten nach Polizisten Ausschau. Es waren keine zu sehen. „Wo gehen wir denn hin?", flüsterte er.

„Wir suchen eine Telefonzelle."

„Aha. Und wen rufen wir an?"

Sie drehte sich zu ihm und schaute ihn mit einem gequälten Blick an. „Jemanden, den wir beide kennen und lieben."

Jack packte gerade seinen Koffer, als das Telefon klingelte. Einen Moment lang überlegte er, ob er den Anruf überhaupt entgegennehmen sollte, aber etwas an dem Läuten schien von einer Dringlichkeit zu sein – jedenfalls bildete er sich das ein –, die ihn doch zum Hörer greifen ließ. Und er bereute es sofort.

„Jack?"

Er seufzte. „Sag mir, dass ich das nur träume."

„Jack, ich rede ganz schnell, denn dein Telefon könnte angezapft sein ..."

„Was du nicht sagst."

„Ich brauche meine Utensilien. Den ganzen Kram. Und ein bisschen Geld. Ich verspreche dir, dass du es zurückbekommst. Bitte pack alles zusammen, und bring es dorthin, wo wir die letzte Szene von *Die Durchgeknallten* gedreht haben. Du weißt, welchen Ort ich meine."

„Moment mal, Cathy. Ich habe schon genug Probleme am Hals."

„In einer Stunde. Länger kann ich nicht warten."

„Wir haben Rushhour. Das schaffe ich ..."

„Es ist der letzte Gefallen, um den ich dich bitte." Eine Pause entstand. Dann fügte sie leise hinzu: „Bitte."

Er atmete tief durch. „Es ist wirklich das allerletzte Mal, ja?"

„In einer Stunde, Jack. Ich warte auf dich."

Jack hängte ein und starrte auf seinen Koffer. Er war erst halb gepackt, aber es würde reichen müssen. Heute Abend würde er auf keinen Fall mehr hierher zurückkommen.

Er schloss den Koffer und trug ihn zu seinem Jaguar. Als er losfuhr, fiel ihm plötzlich ein, dass er vergessen hatte, seine Verabredung mit Lulu für den Abend abzusagen.

Zu spät, dachte er. Ich habe Wichtigeres zu tun – zum Beispiel aus der Stadt verschwinden.

Lulu würde stinksauer sein, aber er würde es wiedergutmachen. Vielleicht mit einem Paar Diamantohrringen. Die müssten sie versöhnlich stimmen.

Die gute Lulu war so leicht zufriedenzustellen. Das war mal eine Frau, die er verstehen konnte.

Die Ecke Fifth und Mission Street war eine unscheinbare Gegend und ein beliebter Treffpunkt für Leute, die kein Aufsehen erregen wollten. Um Viertel vor sechs herrschte hier noch mehr Betrieb als sonst. Man erzählte sich, dass es in der Suppenküche weiter unten auf der Straße ein Bœuf bourguignon gab, das mit Rotwein zubereitet wurde – eine sehnsüchtige Erinnerung an jene guten alten Zeiten, als die Mahlzeiten noch üppiger waren. Niemand hatte sich damals die Chance auf etwas Alkoholisches entgehen lassen, selbst wenn der letzte Tropfen Wein beim Kochen längst verdunstet war. Deshalb standen sie nun an der Ecke und erzählten sich von anderen Mahlzeiten, die sie hier genossen hatten, sprachen übers Wetter und die endlosen Schlangen vor dem Arbeitsamt.

Niemand beachtete die beiden armseligen Gestalten, die sich im Eingang des Pfandleihgeschäfts herumdrückten.

Was für ein Glück, dachte Cathy, während sie sich in die Falten des Regenmantels einhüllte. Traurig, aber wahr: Sie fingen allmählich an, in dieser Menge nicht mehr aufzufallen. Einen Moment zuvor hatte sie noch ihr Spiegelbild im Schaufenster des Pfandleihers gesehen und die unordentliche Gestalt, die sie anstarrte, beinahe nicht erkannt. *Ist es schon so lange her, dass ich mir die Haare gekämmt habe? Dass ich etwas gegessen oder eine Nacht durchgeschlafen habe?*

Victor sah kaum besser aus. Das zerrissene Hemd und der Zweitagebart unterstrichen seine unübersehbare Erschöpfung. Er hätte die Suppenküche betreten können, ohne dass ihn jemand zweimal angeschaut hätte.

Er wird noch viel schlimmer aussehen, wenn ich erst mal mit ihm fertig bin, dachte sie.

Falls Jack mit den Utensilien auftauchte.

„Es ist fünf Minuten nach sechs", murmelte Victor. „Die Stunde ist um."

„Gib ihm noch etwas Zeit."

„Wir haben nicht mehr viel davon."

„Den Bus schaffen wir noch." Sie schaute die Straße entlang, als könnte sie ihren Exmann mit schierer Willenskraft herbeizaubern. Doch lediglich ein Stadtbus kam in Sicht. *Na los, Jack, komm schon. Lass mich wenigstens einmal nicht im Stich …*

„Na, schau sich das einer an." Ein leises Grollen war zu hören, gefolgt von einem bewundernden Gemurmel der Menge.

„He, junger Mann!", rief jemand, als die Menschen sich an der Straßenecke versammelten, um den Ankömmling zu bestaunen. „Was muss man machen, um eine solche Karre unter den Arsch zu kriegen?"

Durch die Meute erspähte Cathy das Glänzen von Chromteilen und schimmerndem Burgunderrot. „Finger weg von meinem Wagen", warnte eine ärgerliche Stimme. „Ich habe ihn gerade polieren lassen."

„Siehst ganz so aus, als hätte sich der Schönling verirrt. Bist wohl in die falsche Straße eingebogen, was?"

Cathy sprang auf. „Da kommt er."

Sie und Victor drängten sich durch die Menge. Jack stand vor seinem blitzenden Jaguar und bewachte ihn mit Argusaugen.

„Fass ihn ja nicht an", blaffte er einen Mann an, der mit

einem Finger über die Kühlerhaube strich. „Warum sucht ihr euch nicht Arbeit oder tut sonst was Vernünftiges?"

„Arbeit?", schrie jemand. „Was ist das?"

„Jack!", rief Cathy.

Bei ihrem Anblick stieß Jack einen Seufzer der Erleichterung aus. „Das ist wirklich der letzte Gefallen, den ich dir tue. Der allerletzte Gefallen!"

„Wo ist es?", fragte sie.

Jack ging zum Kofferraum und schlug eine andere Hand fort, die den burgunderroten Kotflügel zu berühren versuchte. „Hier. Deine Utensilien. Der ganze Kram." Mit Schwung holte er den Koffer heraus und gab ihn ihr. „Geliefert wie versprochen. Und jetzt muss ich los."

„Wo fährst du hin?", rief sie.

„Keine Ahnung." Er stieg wieder in den Wagen. „Irgendwohin. Hauptsache weg von hier."

„Hört sich an, als hätten wir dieselbe Richtung."

„Ganz bestimmt nicht." Er startete den Motor und ließ ihn ein paarmal aufheulen.

Jemand schrie: „Bis bald, mein Hübscher."

Jack betrachtete Cathy einen Augenblick ausdruckslos. „Du solltest wirklich auf deinen Umgang achten. Ciao, Schätzchen."

Der Jaguar sauste davon. Mit quietschenden Reifen bog er um die Ecke und verschwand im Straßenverkehr.

Cathy drehte sich um. Alle Blicke waren auf sie gerichtet. Automatisch stellte Victor sich neben sie – ein müder, hungriger Mann gegen eine müde, hungrige Meute.

Irgendjemand rief: „Wer ist denn nun der Typ in dem Schlitten?"

„Mein Exmann", antwortete Cathy.

„Dann geht's ihm aber besser als dir, Schätzchen."

„Das kann man wohl sagen." Sie hielt ihren Make-up-Koffer hoch und lachte höhnisch. „Ich habe den Kerl um meine Kleider gebeten, und alles, was er mir bringt, ist Unterwäsche zum Wechseln."

„Aber Baby, läuft das nicht immer so?"

Die Gruppe löste sich bereits auf. Die Männer suchten Schutz in Hauseingängen oder beim Zeitungsstand. Mit dem Jaguar war auch ihr Interesse verschwunden.

Nur einer der Männer war bei Cathy und Victor stehen geblieben, und er betrachtete sie mit unverhohlenem Mitgefühl. „Mehr hat er dir nicht gelassen, dieser Typ mit dem schicken Schlitten?" Er schaute in die Richtung, in die der Jaguar gefahren war. Dann wandte er sich wieder ihnen zu. „Braucht ihr beiden einen Platz zum Pennen oder so? Ich habe eine Menge Freunde. Und ich sehe es gar nicht gern, wenn eine Dame in der Kälte stehen muss."

„Danke für das Angebot." Victor griff nach Cathys Hand. „Aber wir müssen einen Bus erwischen."

Der Mann nickte und schlurfte davon – eine mitfühlende Seele, der die Straße trotz der erbarmungswürdigen Situation nicht die Würde genommen hatte.

„Der Bus fährt in einer halben Stunde", sagte Victor, während er Cathy mit sich zog. „Wir machen uns besser an die Arbeit."

Sie liefen die Straße entlang, um in den Schutz einer Gasse zu gelangen, als Cathy plötzlich stehen blieb. „Victor …"

„Was gibt's?"

„Sieh mal." Mit zitternder Hand deutete sie zu einem Zeitungsstand.

Unter der Plastikhülle steckte die Nachmittagsausgabe des *San Francisco Examiner*. Die Schlagzeile lautete: *Zwei Opfer, gleicher Name. Polizei untersucht möglichen Zusammen-*

hang. Daneben war das Foto einer jungen blonden Frau zu sehen. Die Bildunterzeile befand sich unterhalb des Bruchs, aber Cathy musste sie gar nicht lesen. Den Namen der Frau konnte sie erraten.

„Jetzt sind es schon zwei", flüsterte sie. „Victor, du hattest recht."

„Ein Grund mehr für uns, aus der Stadt zu verschwinden." Er packte ihren Arm. „Beeil dich."

Sie ließ sich von ihm weiterführen. Doch selbst als sie die Straße entlangeilten und den Zeitungsstand hinter sich ließen, ging ihr das Bild nicht aus dem Kopf: das Foto einer blonden Frau, dem zweiten Opfer.

Die zweite Catherine Weaver.

Patrolman O'Hanley war eine hilfsbereite Seele. Anders als viele seiner Kollegen war er zur Polizei gegangen, weil es ihm ein wirkliches Anliegen war, zu helfen und zu schützen. Hinter seinem Rücken nannten die anderen Männer ihn „den Pfadfinder". Über diese Bezeichnung war er halb verärgert, halb erfreut, war sie für ihn doch ein Beweis, dass ihm die rauen und ungehobelten Umgangsformen der anderen nicht zusagten. Außerdem stand er über den kleinen Bestechungen und Intrigen und Schmeicheleien, die die anderen einsetzten, um auf der Karriereleiter nach oben zu steigen. Er maß der Dienstmarke auf seiner Brust nicht allzu viel Bedeutung bei. Stattdessen freute er sich, wenn er auf Streife in seinem Viertel einem Kind den Kopf tätscheln oder eine Großmutter vor einem Handtaschenraub bewahren konnte.

Deshalb fand er seinen derzeitigen Einsatz so frustrierend. Stand bloß im Busbahnhof herum auf der Suche nach einem Mann, den irgendein Zeuge vielleicht vor ein paar Stunden gesehen hatte. O'Hanley hatte ihn jedenfalls nicht entdeckt.

Er hatte jeden, der durch die Eingangstür kam, mit Argusaugen gemustert. Die meisten waren armselige Gestalten. Kaum überraschend, denn jeder, der ein wenig Geld übrig hatte, nahm heutzutage das Flugzeug. Diese Menschen sahen jedoch so aus, als könnten sie kaum mehr als ein paar Pennys zur Seite legen.

Zum Beispiel dieses Pärchen da drüben im Wartebereich. Wahrscheinlich Vater und Tochter, sinnierte er, und beide vom Glück verlassen. Die Tochter hatte einen alten Regenmantel um sich geschlungen und den Kragen hochgestellt, so dass nur die windzerzauste Frisur zu sehen war – wenn man das überhaupt „Frisur" nennen konnte.

Der Vater bot einen noch traurigeren Anblick. Hageres Gesicht, weißer Backenbart – mindestens so alt wie Methusalem. Trotzdem schien sich der alte Knabe einen Rest Würde bewahrt zu haben – O'Hanley erkannte es an der Haltung des Mannes. Er saß kerzengrade mit gestrafften Schultern. Als junger Mann muss er ein eindrucksvolles Bild abgegeben haben, denn er war gut und gern fast einen Meter neunzig groß.

Aus dem Lautsprecher kam der letzte Aufruf für Nummer vierzehn nach Palo Alto.

Der alte Mann und seine Tochter erhoben sich.

Mitleidig betrachtete O'Hanley die beiden, als sie durch die Halle zum Abfahrtssteig schlurften. Die Frau trug einen kleinen Koffer in der Hand, der jedoch sehr schwer zu sein schien. Mit der anderen Hand war sie vollauf damit beschäftigt, den alten Mann in die richtige Richtung zu führen. Aber sie kamen voran, und O'Hanley rechnete damit, dass sie es noch rechtzeitig bis zum Bus schaffen würden.

Bis zu dem Moment, als das Kind sie anrempelte.

Es war etwa sechs Jahre alt und von der Art, zu dem sich keine Mutter freiwillig bekennen würde – eines jener Bälger, das zum Inbegriff des Schreckens all seiner Altersgenossen geworden war. Während der vergangenen dreißig Minuten war der Junge durch den Busbahnhof getobt, hatte den Sand aus den Aschenbechern verstreut, Koffer umgestoßen und gegen die Schließfächer gehämmert. Jetzt rannte er ziellos umher. Allerdings *rückwärts*.

O'Hanley sah es kommen. Der alte Mann und seine Tochter schlurften langsam zum Ausgang. Das Kind trippelte ihnen entgegen. Überschneidende Wege, unvermeidlicher Zusammenstoß. Der Junge prallte gegen die Knie der Frau; der Koffer flog ihr aus der Hand. Sie stolperte gegen ihren Begleiter. O'Hanley stand stocksteif und sah die Frau schon umfallen. Zu seiner Überraschung nahm der alte Mann die Frau mit einer geschickten Bewegung in die Arme und stellte ihr Gleichgewicht wieder her.

Inzwischen hatte O'Hanley sich in Bewegung gesetzt, um ihnen zu helfen. Er erreichte die Frau, als sie gerade wieder sicher auf den Füßen stand. „Alles in Ordnung mit Ihnen?", erkundigte er sich.

Die Frau reagierte, als hätte er ihr ins Gesicht geschlagen. Mit weit aufgerissenen Augen sah sie ihn an wie ein erschrecktes Tier. „Wie bitte?", stammelte sie.

„Ist alles in Ordnung mit Ihnen? Ich hatte den Eindruck, dass er Sie mit voller Wucht getroffen hat."

Sie nickte.

„Und was ist mit Ihnen, Opa?"

Die Frau warf ihrem Begleiter einen Blick zu. O'Hanley hatte den Eindruck, dass eine bestimmte Botschaft in diesem Blick lag – eine sehr wichtige außerdem, in die er nicht eingeweiht wurde.

„Wir sind beide okay", antwortete die Frau rasch. „Los, Pop. Sonst verpassen wir noch den Bus."

„Soll ich Ihnen behilflich sein?" Vielsagend schaute er den Mann an.

„Das ist sehr freundlich von Ihnen, Officer, aber wir kommen schon klar." Die Frau warf O'Hanley ein Lächeln zu. Irgendetwas an diesem Lächeln stimmte nicht. Als er dem Paar auf dem Weg zum Bus Nummer vierzehn hinterherschaute, überlegte er, was es wohl sein mochte. Irgendetwas war mit diesen beiden Reisenden nicht in Ordnung. Aber was?

Er drehte sich um und wäre fast über den Koffer gestolpert. Die Frau hatte ihn vergessen. Er packte ihn und rannte zum Bus. Zu spät – Nummer vierzehn nach Palo Alto hatte sich bereits in Bewegung gesetzt. Hilflos blieb O'Hanley am Bahnsteigrand stehen und sah die Rücklichter um eine Ecke verschwinden.

Na gut.

Er brachte den Make-up-Koffer ins Fundbüro. Anschließend bezog er wieder Stellung neben dem Haupteingang. Schon sieben Uhr – und noch immer keine Spur von dem verdächtigen Victor Holland.

O'Hanley seufzte. Welch eine Verschwendung von polizeilicher Arbeitszeit.

Fünf Minuten nach der Abfahrt von Bus Nummer vierzehn aus San Francisco wandte sich der alte Mann an die Frau im Regenmantel und sagte: „Dieser Bart bringt mich noch um."

Lachend streckte Cathy die Hand aus und zupfte an dem falschen Bart. „Aber er hat funktioniert, nicht wahr?"

„Und ob. Wir haben sogar eine Polizeieskorte zum Fluchtbus bekommen." Irritiert kratzte er sich am Kinn. „Himmel, wie halten Schauspieler dieses Zeug bloß aus? Der Juckreiz treibt mich die Wände hoch."

„Soll ich ihn abnehmen?"

„Besser nicht. Warte, bis wir in Palo Alto sind."

In einer Stunde, dachte sie. Sie lehnte sich zurück und schaute auf den Highway, der vor dem Fenster an ihr vorbeiglitt. „Und dann?", fragte sie leise.

„Werde ich an ein paar Türen klopfen. Vielleicht kann ich ein oder zwei alte Freunde auftreiben. Es ist zwar schon lange her, aber ich glaube, ein paar leben immer noch dort."

„Du hast da mal gewohnt?"

„Ist schon Jahre her. Als ich auf der Universität war."

„Oh." Sie setzte sich gerade hin. „Einer aus Stanford."

„Warum klingt das bei dir so, als sei es etwas Despektierliches?"

„Ganz und gar nicht. Ich war eine glühende Anhängerin der Bears."

„Habe ich mich da etwa mit dem Erzfeind verbündet?"

Kichernd legte sie den Kopf an seine Brust und atmete den warmen, vertrauten Geruch seines Körpers ein. „Es erscheint mir wie ein anderes Leben. Berkeley und Bluejeans."

„Football. Wilde Partys."

„Wilde Partys?", hakte sie nach. „Du?"

„Nun ja, Gerüchte über wilde Partys."

„Frisbee. Vorlesungen auf dem Rasen …"

„Unschuld", sagte er leise.

Sie schwiegen.

„Victor", fragte sie schließlich, „was ist, wenn deine Freunde nicht mehr da sind? Oder wenn sie uns nicht die Tür aufmachen wollen?"

„Eins nach dem anderen. So müssen wir vorgehen. Sonst wächst uns die Angelegenheit über den Kopf."

„Das tut sie bereits."

Er drückte sie fest an sich. „Bis jetzt halten wir uns doch ganz gut. Wir haben die Stadt verlassen. Sozusagen unter den Augen eines Polizisten. Das finde ich sehr beeindruckend."

Bei der Erinnerung an den beflissenen jungen O'Hanley konnte Cathy sich das Lachen nicht verbeißen. „Alle Polizisten sollten so hilfsbereit sein."

„Oder blind", schnaubte Victor. „Nicht zu fassen, dass er mich ‚Opa' genannt hat."

„Wenn ich einem Gesicht eine Maske verpasse, dann mache ich es richtig."

„Offenbar."

Sie hakte sich bei ihm ein und drückte ihm einen Kuss auf die Wange. Er blickte noch immer grimmig drein. „Kann ich dir ein Geheimnis anvertrauen?"

„Und das wäre?"

„Ich bin ganz verrückt nach alten Männern."

Das Grollen verschwand und machte einem zweifelnden Lächeln Platz. „Über welchen Altersunterschied reden wir gerade?"

Wieder küsste sie ihn, dieses Mal auf die Lippen. „Über einen sehr großen."

„Hm. Vielleicht ist der Bart doch nicht so schlecht." Er nahm ihr Gesicht zwischen die Hände. Dieses Mal war er es, der sie küsste – lange und leidenschaftlich, ohne einen Gedanken daran zu verschwenden, wo sie sich befanden oder wohin das führen konnte. Cathy lehnte sich in ihren Sitz zurück und fühlte sich unendlich sicher und geborgen.

Hinter ihnen rief jemand: „Weiter so, Opa!"

Zögernd lösten sie sich voneinander. Im Dämmerlicht des Busses bemerkte Cathy das Blitzen in Victors Augen und sein amüsiertes Lächeln.

Sie erwiderte das Lächeln und flüsterte: „Weiter so, Opa!"

Die Fahndungsfotos mit Victor Hollands Konterfei waren überall im Busbahnhof aufgehängt.

Polowski schnaubte irritiert, als er die unvorteilhaften Aufnahmen eines Mannes sah, von dem ihm sein Instinkt sagte, dass er unschuldig war. Seiner Ansicht nach hatte sich das Ganze zu einer verdammten Hexenjagd entwickelt. Wenn Holland nicht bereits total verschreckt war, würde ihn dieser öffentliche Aufruf endgültig dazu bringen unterzutauchen – und dann würde ihm niemand helfen können. Blieb nur zu hoffen, dass er auch unerreichbar für jene war, die ihm weniger wohlgesonnen waren.

Holland musste verrückt sein, diesen Busbahnhof zu betreten, wo ihm aus jeder Ecke sein Bild entgegenstarrte. Polowski verfügte allerdings über ein untrügliches Bauchgefühl, wenn es darum ging, wie Menschen sich verhielten, wenn sie verzweifelt waren. Wäre er an Hollands Stelle, verfolgt von einem Mörder und mit einer Frau in seiner Begleitung, die er beschützen musste, wüsste er genau, was er tun würde – nämlich so schnell wie möglich aus San Francisco verschwinden. Ein Flug kam eher nicht infrage. Laut Jack Zuckerman war Holland knapp bei Kasse. Und eine Kreditkarte hinterließ Spuren. Deshalb schied auch ein Mietwagen aus. Welche Möglichkeiten blieben also noch? Per Anhalter oder Bus.

Polowski tippte auf den Bus.

Seine letzte Information bestärkte ihn in dieser Vermutung. Da er Zuckermans Telefon abhörte, hatte er den Anruf von Cathy Weaver mitbekommen. Für irgendeine Übergabe hatte sie einen Treffpunkt vorgeschlagen, den Polowski zunächst nicht identifizieren konnte. Eine Stunde lang hatte er zunehmend frustrierter beim FBI nachgefragt, ob erstens irgendjemand Zuckermans ziemlich überflüssigen Film *Die Durchgeknallten* gesehen hatte und ihm zweitens erzählen konnte, wo die letzte Szene gedreht worden war. „Im Mission

District", hatte er schließlich von einer filmverrückten Buchhalterin erfahren. Ja, da sei sie sich ganz sicher. Das Monster sei direkt aus dem Gully an der Ecke Fifth und Mission Street geklettert und habe ein oder zwei Obdachlose verspeist, ehe der Held den Unhold mit einem Klavier zerquetscht hatte. Polowski hatte auf den Rest ihrer Erzählung verzichtet und war schnurstracks zu seinem Wagen gerannt.

Doch er kam zu spät. Holland und die Frau waren bereits fort, und Zuckerman war ebenfalls verschwunden. Langsam, mit gesicherten Türen und geschlossenen Fensterscheiben fuhr Polowski über die Mission Street und fragte sich, wann die Polizei endlich für Ordnung in dieser versifften Straße sorgen würde.

In diesem Augenblick war ihm eingefallen, dass der Busbahnhof nur wenige Häuserblocks entfernt war.

Als er jedoch nun inmitten der müden und verhärmten Reisenden stand, dämmerte es ihm, dass er hier nur seine Zeit verschwendete. Dutzende Fahndungsfotos starrten ihm entgegen. Und drüben am Kaffeeautomaten stand ein Polizist, der möglichst unauffällig aus einem Plastikbecher trank.

Polowski schlenderte zu dem Beamten hinüber. „FBI", stellte er sich vor und zeigte seine Dienstmarke.

Der Polizist – noch ein ziemlich grünes Jüngelchen – stand sofort stramm. „Patrolman O'Hanley, Sir!"

„Viel los hier?"

„Ähm … Sie meinen – heute?"

„Ja. Heute."

„Nein, Sir." O'Hanley seufzte. „Das hier ist ziemliche Zeitverschwendung. Ich meine, ich könnte draußen auf Streife sein. Stattdessen haben sie mich hierherbeordert, damit ich mir Gesichter ansehen soll."

„Eine Überwachung?"

„Ja, Sir." Mit dem Kopf deutete er auf Hollands Fahndungsplakat. „Dieser Typ da. Alle sind scharf darauf, ihn zu kriegen. Er soll ein Spion sein."

„Wirklich?" Mit gespieltem Desinteresse ließ Polowski seinen Blick durch die Halle schweifen. „Ist Ihnen denn hier jemand über den Weg gelaufen, der ihm ähnlich sieht?"

„Nicht ein Einziger. Und ich halte meine Augen schon die ganze Zeit offen."

Das bezweifelte Polowski nicht. O'Hanley gehörte zu den jungen Kollegen, die, wenn man sie darum bäte, die Stiefel ihres Vorgesetzten mit einer Zahnbürste putzen würden. Und er würde seine Sache besonders gut machen.

Offenbar war Holland hier nicht aufgetaucht. Polowski wollte gerade gehen, als ihm ein anderer Gedanke durch den Kopf schoss. Noch einmal wandte er sich an O'Hanley. „Der Verdächtige ist möglicherweise in Begleitung einer Frau", erklärte er. Er zog das Foto von Cathy Weaver hervor, das Jack Zuckerman dem FBI nach langem Zureden überlassen hatte. „Haben Sie die vielleicht hier gesehen?"

O'Hanley runzelte die Stirn. „Oje. Sie sieht wirklich aus wie … Nee, das kann sie nicht sein."

„Wer?"

„Nun ja, vor etwa einer Stunde war hier eine Frau … sah ziemlich heruntergekommen aus. Irgend so ein Balg hätte sie fast umgerannt. Ich bin zu ihr gelaufen, um nachzusehen, ob ihr was passiert ist. Sie sah dieser Frau hier sehr ähnlich … allerdings viel abgerissener."

„War sie allein unterwegs?"

„Sie hatte einen alten Mann bei sich. Ihren Vater, nehme ich an."

Auf einmal war Polowski ganz Ohr. Da war es wieder, sein

Bauchgefühl, das ihm etwas sagen wollte. „Wie sah der alte Mann denn aus?"

„Ziemlich alt. Um die siebzig. Er hatte einen buschigen Bart und weiße Haare, sehr viel übrigens …"

„Wie groß?"

„Ziemlich groß. Fast ein Meter neunzig …" O'Hanleys Stimme erstarb, als sein Blick zu dem Fahndungsfoto schweifte. Victor Holland war eins einundneunzig groß. Der junge Polizist wurde schneeweiß. „Um Himmels willen …"

„War er es?"

„Ich … ich bin mir nicht sicher …"

„Na los, überlegen Sie!"

„Ich weiß es wirklich nicht … Warten Sie. Der Frau ist ein Make-up-Koffer aus der Hand gefallen. Ich habe ihn im Fundbüro abgegeben …" O'Hanley deutete mit dem Kopf zum Schalter.

Beim Anblick der FBI-Dienstmarke händigte der Beamte im Fundbüro ihm den Koffer sofort aus. Kaum hatte Polowski den Koffer geöffnet, wusste er, dass er auf der richtigen Spur war. Er war randvoll mit Make-up-Utensilien für Theater oder Film. In der Innenseite des Deckels stand *Eigentum der Jack Zuckerman Produktion*.

Er schlug den Deckel zu. „Wohin sind sie gegangen?", blaffte er O'Hanley an.

„Sie … ähm … sie sind da drüben in einen Bus eingestiegen. An diesem Bahnsteig. Etwa gegen sieben Uhr."

Polowski schaute hoch zu der Abfahrtstafel. Um sieben Uhr war die Nummer vierzehn nach Palo Alto abgefahren.

Er brauchte zehn Minuten, bis er den Stationsleiter von Palo Alto am Telefon hatte, und weitere fünf, um den Mann davon zu überzeugen, dass sich niemand einen Telefonscherz mit ihm erlaubte.

„Nummer vierzehn aus San Francisco?", kam die Antwort. „Der ist vor zwanzig Minuten eingetroffen."

„Was ist mit den Fahrgästen?", drängte Polowski. „Sehen Sie noch irgendwen in der Nähe?"

Der Stationsleiter lachte nur. „Hören Sie, guter Mann, wenn Sie die Wahl hätten, würden Sie dann länger als unbedingt nötig in einem stinkenden Busbahnhof verbringen?"

Fluchend beendete Polowski das Gespräch.

„Sir?", meldete sich O'Hanley zu Wort. Er sah aus, als sei ihm übel. „Ich hab's vermasselt, nicht wahr? Ich habe ihn einfach weitergehen lassen – direkt an mir vorbei. Ich kann es kaum fassen ..."

„Vergessen Sie's."

„Aber ..."

Polowski eilte zum Ausgang. „Sie sind noch ein Grünschnabel!", rief er ihm über die Schulter zu. „Haken Sie's ab unter ‚wieder was gelernt'."

„Soll ich Meldung machen?"

„Ich kümmere mich schon darum. Ich muss sowieso dahin."

„Wohin?"

Polowski öffnete die Bahnhofstür. „Nach Palo Alto."

8. KAPITEL

Eine ältere orientalisch aussehende Frau, die nur gebrochen Englisch sprach, öffnete ihnen die Haustür.

„Mrs Lum? Erinnern Sie sich noch an mich? Victor Holland. Ich war ein Freund Ihres Sohnes."

„Ja, ja!"

„Ist er hier?"

„Ja." Ihr Blick wanderte zu Cathy, als wollte sie die Besucherin nicht von der Unterhaltung ausschließen.

„Ich muss mit ihm reden", fuhr Victor fort. „Ist Milo hier?"

„Milo?" Das schien endlich ein Wort zu sein, das sie verstand. Sie wandte sich um und rief laut etwas auf Chinesisch.

Irgendwo im Haus wurde eine Tür quietschend geöffnet, und Schritte stampften eine Treppe hoch. Ein etwa vierzigjähriger Chinese in Bluejeans und Leinenhemd kam an die Haustür. Er war klein und gedrungen und verbreitete einen Geruch nach Chemikalien – scharf und stechend. Mit einem Lappen wischte er sich die Hände ab.

„Was kann ich für Sie tun?", wollte er wissen.

Victor grinste. „Milo Lum! Treibst du dich noch immer im Keller deiner Mutter herum?"

„Entschuldigen Sie", erwiderte Milo höflich. „Sollte ich Sie kennen?"

„Erinnerst du dich nicht mehr an den alten Saxofonisten von den *Verstimmten*?"

Ungläubig starrte Milo ihn an. „Gershwin? Bist du's wirklich?"

„Ja, ich weiß", lachte Victor. „Die Jahre waren nicht nett zu mir."

„Ich wollte ja nichts sagen, aber …"

„Ich nehm's nicht persönlich. Denn …", Victor zog sich den Bart ab, „es ist nicht mein wirkliches Gesicht."

Verdattert betrachtete Milo den falschen Bart, den Victor wie ein totes Tier in der Hand hielt. Dann wanderte sein Blick zu Victors Wangen, an denen noch Reste von Klebstoff hingen. „Du willst dir wohl einen Jux mit dem alten Milo machen, was?" Er steckte den Kopf zur Tür hinaus und schaute über die Straße. „Und die anderen Jungs verstecken sich irgendwo und springen gleich aus dem Gebüsch und schreien ‚Überraschung'! Stimmt doch, oder? So 'ne Art versteckte Kamera, ja?"

„Ich wünschte, es wäre ein Spaß", seufzte Victor.

Der ernste Unterton in Victors Antwort entging Milo nicht. Sein Blick wanderte zwischen ihm und Cathy hin und her. Mit einem Nicken trat er beiseite. „Kommt rein, Gersh. Hört sich an, als hättest du mir eine Menge zu erzählen."

Bei einem späten Abendessen mit Nudelsuppe und Jasmintee hörte Milo aufmerksam zu. Er sprach nur wenig; vielmehr schien er damit beschäftigt zu sein, seine Suppe zu schlürfen. Erst als die ewig lächelnde Mrs Lum sich verabschiedet hatte und über knarrende Dielen in ihrem Schlafzimmer verschwand, ließ Milo sich zu einem Kommentar hinreißen.

„Wenn du mal in Schwierigkeiten gerätst, dann aber auch ordentlich, Mann."

„Scharfsinnig wie immer, Milo", stellte Victor fest.

„Zu dumm, dass wir das nicht auch über die Bullen sagen können", schnaubte Milo verächtlich. „Wenn sie ein paar Erkundigungen eingezogen hätten, wäre ihnen schnell klar geworden, dass du harmlos bist. Soweit ich weiß, hast du dir wirklich nur ein einziges schweres Verbrechen zuschulden kommen lassen."

Erschrocken sah Cathy hoch. „Was für ein Verbrechen?"

„Er hat die Ohren hilfloser Opfer mit seinem Saxofon gequält."

„Und das von einem Piccoloflötisten, der mit Ohrstöpseln übt", konterte Victor.

„Das tue ich nur, um den störenden Lärm auszuschließen."

„Klar. Vor allem deinen eigenen."

Cathy grinste. „Allmählich verstehe ich, warum eure Band *Die Verstimmten* hieß."

„Das war nur ein bisschen gesunde Selbstironie", erwiderte Milo. „Die brauchten wir, nachdem wir es nicht in die Stanford-Bigband geschafft hatten." Milo erhob sich vom Küchentisch. „Okay, dann kommt mal mit. Schauen wir doch mal, was auf dieser geheimnisvollen Filmrolle ist."

Er führte sie durch den Korridor zu einer Treppe mit ausgetretenen Stufen zum Keller hinunter. Der scharfe Geruch von Chemikalien, die ordentlich auf einem Edelstahlregal angeordneten Schalen und das langsame Tröpfeln eines Wasserhahns verrieten Cathy, dass sie in einer riesigen Dunkelkammer stand. An den Wänden hingen Fotos neben- und übereinander – meistens Porträts, die offensichtlich in der ganzen Welt aufgenommen worden waren. Hier und da entdeckte sie Bilder, die es wert gewesen wären, in der Zeitung zu erscheinen: Soldaten, die einen Flughafen erstürmten; Demonstranten, die ein Banner entrollten.

„Machen Sie das beruflich, Milo?", wollte Cathy wissen.

„Schön wär's", erwiderte Milo, während er am Kanister mit der Entwicklerflüssigkeit hantierte. „Nein, ich mache beim guten alten Familiengeschäft mit."

„Und das wäre?"

„Schuhe. Italienische, brasilianische, Lederschuhe, Krokodil … wir importieren alles." Mit geneigtem Kopf betrachtete er die Fotos. „Auf diese Weise komme ich auch an meine exotischen Gesichter. Geschäftsreisen. Ich bin ein Spezialist für Fußgewölbe."

„Und dafür war er vier Jahre in Stanford", ätzte Victor.

„Warum nicht? Da kann man die Füße des schönen Geschlechts genauso gut studieren wie anderswo." Das Klingeln einer Schaltuhr ertönte. Milo goss die Entwicklerlösung ab, nahm die Filmrolle und hängte sie zum Trocknen auf. „Genau genommen war das der Wunsch meines Vaters", fuhr er fort, während er mit zusammengekniffenen Augen den Filmstreifen begutachtete. „Er wollte, dass sein Sohn einen Abschluss in Stanford macht. Ich wollte vier Jahre nur Party feiern. Wir haben beide unseren Wunsch erfüllt bekommen." Er hielt inne und betrachtete wehmütig seine Bilder. „Leider kann ich das für die späteren Jahre nicht behaupten."

„Wie meinen Sie das?", hakte Cathy nach.

„Ich meine, die Party ist lange vorbei. Jetzt muss ich mich um Verkäufe und Umsätze kümmern. Hätte niemals gedacht, dass das Leben so ein Hamsterrad sein könnte. Was ist aus unserem gigantischen Potenzial geworden? Was haben wir aus unseren Möglichkeiten gemacht, Gersh? Irgendwann sind wir alle vom Weg abgekommen. Alle – Bach und Ollie und Roger. Irgendwann sind die *Verstimmten* die *Angepassten* geworden. Und jetzt marschieren wir alle zum Takt desselben langweiligen Trommlers." Seufzend schaute er zu Victor. „Erkennst du irgendwas auf den Negativen?"

Victor schüttelte den Kopf. „Wir müssen Abzüge machen."

Milo schaltete das Licht aus, so dass nur noch die rote Dunkelkammerlampe brannte. „Wird erledigt."

Während Milo das Fotopapier ausbreitete, erkundigte Victor sich: „Was ist eigentlich aus den anderen Jungs geworden? Habt ihr noch Kontakt?"

Milo betätigte den Belichtungsschalter. „Roger ist Vizepräsident bei einer weltweit agierenden Bank in Tokio. Der hat seine Schäfchen längst im Trockenen, aber hallo! Bach hat eine Elektronikfirma in San José."

„Und Ollie?"

„Tja, was kann ich dir von Ollie erzählen?" Milo tauchte das erste Papier in die Lösung. „Er treibt sich noch immer im Medizinlabor in Stanford herum. Ich bezweifle, dass er jemals das Tageslicht sieht. Vermutlich hat er ein Geheimzimmer im Keller, wo er seinen Assistenten Igor an die Wand gekettet hat."

„Den Mann würde ich gerne kennenlernen", warf Cathy ein.

Victor lachte und drückte ihren Arm. „Er würde dich bestimmt lieben. Wahrscheinlich hat er längst vergessen, wie der weibliche Teil der Menschheit aussieht."

Milo legte das Papier in die nächste Wanne. „Ja, Ollie hat sich überhaupt nicht verändert. Immer noch die alte Nachteule. Und er spielt immer noch scheußlich Klarinette." Er schaute Victor an. „Was macht das Saxofon, Gersh? Übst du auch fleißig?"

„Schon seit Monaten nicht mehr."

„Glückliche Nachbarn!"

„Wie bist du eigentlich an den Namen gekommen?", wollte Cathy wissen. „Gersh?"

Mit einer Zange transportierte Milo weitere Fotos von einem Bad ins nächste. „Weil er davon überzeugt ist, dass man mit George Gershwin das Herz einer Dame gewinnen kann. *Someone to Watch Over Me* … War das nicht der Song, mit dem du Lily …" Milo unterbrach sich. Zerknirscht sah er seinen Freund an.

„Stimmt", erwiderte Victor ruhig. „Das war das Lied. Und Lily hat Ja gesagt."

Milo schüttelte den Kopf. „Tut mir leid. Ich werde mich wahrscheinlich nie daran gewöhnen, dass sie nicht mehr unter uns ist."

„Aber so ist es." Victors Stimme klang neutral. Doch Cathy spürte den schmerzlichen Unterton, den er zu überspielen versuchte. „Und jetzt", fuhr er fort, „müssen wir uns um andere Dinge kümmern."

„Klar." Milo richtete seine Aufmerksamkeit wieder auf die Bilder, die er gerade entwickelt hatte. Er fischte sie heraus und klammerte sie zum Trocknen an eine Leine. „Okay, Gersh. Erzähl uns, was auf dieser Rolle zu sehen ist, für das die Leute bereit sind zu morden."

Milo schaltete das Licht ein.

Stirnrunzelnd betrachtete Victor die ersten fünf noch tropfenden Fotos. Cathy sagten die Motive überhaupt nichts – nur ein paar Ziffern und Codes, die in einer fast unleserlichen Handschrift auf eine Seite gekritzelt worden waren.

„Hm", brummte Milo. „Wirklich sehr aufschlussreich."

Victors Blick schweifte von einer Seite zur nächsten. Am fünften Foto blieb er hängen. Es zeigte eine Serie von siebenundzwanzig Einträgen, jeweils mit einem Datum und den Buchstaben EX versehen.

„Was hat das zu bedeuten, Victor?", fragte Cathy.

Er wandte sich zu ihnen um. Der Ausdruck in seinen Augen verursachte ihr eine Gänsehaut. Schließlich sagte er: „Wir müssen Ollie anrufen."

„Du meinst, heute Abend noch?", fragte Milo. „Warum?"

„Hier geht es nicht nur um irgendein Experiment in Reagenzgläsern oder Petrischalen. Sie sind schon einen Schritt weitergegangen. Sie machen bereits klinische Versuche." Victor deutete auf die letzte Seite. „Das sind Affen. Jeder von ihnen ist mit einem neuen Virus infiziert worden. Einem künstlich erzeugten Virus. Und in jedem Fall war das Resultat das gleiche."

„Du meinst das hier?" Milo zeigte auf die letzte Kolumne. „EX?"

„Es ist die Abkürzung für Exitus", erklärte Victor. „Sie sind alle gestorben."

Sam Polowski saß auf einer Bank im Busbahnhof von Palo Alto und überlegte angestrengt: Wo würde ich hingehen, wenn ich untertauchen wollte? Er beobachtete etwa ein Dutzend Passagiere, die sich vor dem Bus Nummer zweihundertzehn nach San José drängelten. Die meisten von ihnen waren Birkenstockträger und Rucksackreisende. Vermutlich Stanford-Studenten auf dem Weg nach Hause in die Weihnachtsferien. Er fragte sich, warum Studenten, die eine so teure Universität besuchten, nicht in der Lage waren, sich ein paar anständige Jeans zu kaufen. Und offenbar nicht mal das Geld für einen ordentlichen Haarschnitt hatten.

Schließlich stand Polowski auf und klopfte sich automatisch den Staub von seinem Mantel, eine Angewohnheit, die aus jenen Jahren stammte, als er sich in den schäbigeren Gegenden der Stadt herumgetrieben hatte. Selbst wenn der Schmutz nicht mehr sichtbar war, hatte er das Gefühl, ihm immer noch ausgesetzt zu sein. Er blieb wie nasse Farbe an ihm haften.

Er wählte eine Telefonnummer – und erzählte Dafoes Anrufbeantworter, dass Victor Holland nach Palo Alto gefahren war. Schließlich gehörte es zu seinen Pflichten, seinen Vorgesetzten auf dem Laufenden zu halten. Er war froh, dass er nur mit der Maschine und nicht mit dem Mann selbst reden musste.

Er trat aus dem Busbahnhof und schlenderte ziellos über die Straße – auf der Suche nach einem Hinweis, einer Eingebung, irgendetwas. Die Gegend war angenehm – wie überhaupt die ganze Stadt. Palo Alto war voll von alten Häusern, in denen Professoren wohnten, Buchläden und Coffeeshops, wo Studenten und Universitätsangestellte mit Bärten und randlosen Brillengläsern gern saßen und über die Bedeutung von Proust, Brecht und Goethe diskutierten. Polowski erinnerte sich an einen Vorfall aus seiner eigenen Studentenzeit. Nachdem er einmal eine Stunde lang den Studenten am Nachbartisch zugehört hatte, war er aufgesprungen und hatte geschrien: „Vielleicht hat Brecht es so gemeint, vielleicht auch nicht. Aber könnt ihr das wirklich beantworten? *Und was für einen Unterschied macht es überhaupt, verdammt noch mal?*"

Was, wie wohl nicht ausdrücklich erwähnt werden muss, seinen Ruf als ernst zu nehmender Student nicht wirklich untermauerte.

Während er nun die Straße entlanglief, zweifellos auf den unsichtbaren Spuren tiefgründigerer Philosophen, schweiften seine Gedanken zurück zu Victor Holland im Allgemeinen und im Besonderen zu der Frage, wo sich ein Mann in seiner ausweglosen Lage wohl verstecken würde. Er kam an erleuchteten Fenstern vorbei, einige im bläulichen Schimmer laufender Fernsehgeräte, an Wagen, deren Heck aus den Garagen herausstand. Wo in diesem Vorstadtirrgarten mochte der Mann untergetaucht sein?

Holland war Wissenschaftler, Musiker; ein Mann mit wenigen, aber dauerhaften Freundschaften. Er hatte einen Doktortitel vom Massachusetts Institute of Technology und einen Bachelor in Naturwissenschaften von Stanford. Die Straße führte direkt zur Universität. Vielleicht hatte er noch Freunde in der Nachbarschaft; Bekannte, die ihn aufnehmen und seine Geheimnisse für sich behalten würden.

Polowski beschloss, noch einmal Hollands Akte durchzulesen. In den Unterlagen von Viratek gab es eventuell einen Hinweis auf frühere Tätigkeiten oder eine Empfehlung von jemandem, den er von Stanford her kannte. Ein Freund, an den Holland sich wenden konnte.

Früher oder später würde er sich an jemanden wenden müssen.

Es war bereits nach Mitternacht, als Dafoe und seine Frau nach Hause kamen. Er war in ausgezeichneter Stimmung, sein Kopf leicht vom Champagner, und in seinen Ohren klang noch die herzzerreißende Arie aus *Samson und Dalila* nach. Oper war seine Leidenschaft, ein hervorragendes Medium, um Mut, Konflikte und *Amore* darzustellen – die Vision eines Lebens, das so viel großartiger war als die enge, spießige Welt, in der er leben musste.

Die Vision beflügelte ihn so sehr, dass er sogar seine eigene Frau in einem neuen, aufregenden Licht sah. Er schaute ihr dabei zu, wie sie ihren Mantel ablegte und ihre Schuhe von den Füßen trat. Gut dreißig Pfund Übergewicht, silberne Strähnen im Haar – und doch hatte sie ihre Reize. *Es ist schon drei Wochen her. Bestimmt lässt sie mich heute Abend ...*

Aber seine Frau ignorierte seine verliebten Blicke und verschwand in der Küche. Einen Moment später ertönte das leise Rumpeln des Geschirrspülers und kündete von einem weiteren Anfall von übertriebener Hausarbeitswut.

Frustriert drückte Dafoe auf den blinkenden Knopf des Anrufbeantworters. Die Nachricht von Polowski vertrieb die letzten amourösen Gefühle, die ihm noch geblieben waren.

„... Grund zu der Annahme, dass Holland sich in der Gegend von Palo Alto aufhält – oder sie zumindest erst vor Kurzem verlassen hat. Ich bin gerade auf Spurensuche und halte Sie weiter auf dem Laufenden …"

Polowski, du Blödmann! Ist es wirklich so schwer, Befehle zu befolgen?

Es war drei Uhr morgens in Washington, D. C. Keine günstige Zeit, aber er rief trotzdem an.

Die Stimme am anderen Ende war heiser vor Schläfrigkeit. „Tyrone."

„Hallo, Cowboy, hier spricht Dafoe. Entschuldige, dass ich dich wecke …"

Der Angerufene wurde sofort hellwach. Alle Müdigkeit verschwand aus seinem Ton. „Was gibt's?"

„Eine neue Spur zu Holland. Die Einzelheiten kenne ich nicht, aber er ist Richtung Süden unterwegs, nach Palo Alto. Vielleicht hält er sich sogar noch dort auf."

„An der Universität?"

„Das ist die Gegend um Stanford."

„Das könnte eine große Hilfe sein."

„Für einen alten Kumpel mach ich das doch gerne. Ich halte dich auf dem Laufenden."

„Noch was, Dafoe."

„Ja."

„Ich möchte keine Einmischung. Zieh all deine Leute davon ab. Wir erledigen das von hier aus."

Dafoe schwieg. „Da könnte ich … ein Problem haben."

„Ein Problem?" Die Stimme, leise zwar, wurde messerscharf.

„Es ist … ähm … einer meiner Männer. Marke ‚Einsamer Wolf'. Sam Polowski. Er ist wie besessen von diesem Holland-Fall. Er will den Kerl unbedingt finden."

„Es gibt so etwas wie direkte Befehle."

„Momentan ist Polowski nicht zu erreichen. Er steckt irgendwo in Palo Alto und verfolgt eine Spur."

„Ein unsicherer Kantonist. Die kann ich überhaupt nicht leiden."

„Ich pfeif ihn zurück, sobald ich kann."

„Tu das. Und halt die Angelegenheit unter der Decke. Die Sache ist topsecret!"

Nachdem Dafoe aufgelegt hatte, schweifte sein Blick automatisch zu dem Foto auf dem Kaminsims. Es war ein Schnappschuss von ihm und dem Cowboy, aufgenommen 1968: zwei junge Marines mit Gewehren über der Schulter, die grinsend in die Kamera schauten, während sie knöcheltief in einem Reisfeld standen. Es war eine verrückte Zeit gewesen; eine Zeit, in der das eigene Leben mehr oder weniger von der Loyalität zwischen zwei Kameraden abhing. Als das *Semper fideles*, das Motto der US-Marines, nicht nur für die gesamte Einheit, sondern für jeden Einzelnen galt. Matt Tyrone war damals ein Held gewesen, und er war es noch immer.

Dafoe betrachtete das lächelnde Gesicht auf dem Foto und registrierte irritiert die unterschwelligen Neidgefühle, die sich in seine Bewunderung für diesen Mann schlichen. Obwohl es eine Menge gab, worauf Dafoe stolz sein konnte – gute achtzehn Jahre beim FBI, vielleicht sogar irgendwann mal die Aussicht auf eine Stelle als stellvertretender Leiter –, konnte er es mit dem steilen Aufstieg von Matt Tyrone in der NSA nicht aufnehmen. Dafoe wusste zwar nicht genau, welche Position der Cowboy tatsächlich innehatte, aber ihm war zu Ohren gekommen, dass Tyrone regelmäßig an Kabinetts-treffen teilnahm, das Vertrauen des Präsidenten genoss und in Geheimnisse und Geschäfte eingeweiht war, die niemals ans Licht der Öffentlichkeit dringen würden. Er gehörte zu der Sorte Männer, die das Land brauchte, ein Mann, für den Patriotismus mehr war als das Hissen der Flagge und vollmundige Lippenbekenntnisse. Er lebte die Vaterlandsliebe regelrecht. Matt Tyrone würde ohne Weiteres für seine Nation sterben. Es gab nichts und niemanden, wofür er mehr brannte.

Einen solchen Mann, einen solchen Freund konnte Dafoe unmöglich im Stich lassen.

Er rief Sam Polowski auf seiner Festnetznummer an und hinterließ eine Nachricht.

„Dies ist eine Dienstanweisung. Ab sofort haben Sie mit dem Holland-Fall nichts mehr zu tun. Sie sind bis auf Weiteres vom Dienst suspendiert."

Einen Moment lang war er versucht, hinzuzufügen: *auf besonderen Wunsch meiner Freunde aus Washington,* überlegte es sich aber anders. Das war kein Moment für Eitelkeiten. Der Cowboy hatte gesagt, die nationale Sicherheit stünde auf dem Spiel.

Daran zweifelte Dafoe keine Sekunde. Er hatte die Anweisung von Matt Tyrone erhalten. Und Matt Tyrones Autorität war unmittelbar vom Präsidenten legitimiert.

„Das sieht nicht gut aus. Das sieht überhaupt nicht gut aus."

Ollie Wozniak blinzelte durch seine Nickelbrille auf die vierundzwanzig Fotografien, die über Milos Esstisch ausgebreitet waren. Eine nahm er in die Hand, um sie genauer zu betrachten. Die flaschendicke Linse vergrößerte sein blaues Auge auf groteske Weise. Man sah nur Ollies Augen. Alles andere – die hohlen Wangen, die bleistiftdünnen Lippen und das hauchdünne Haar – schien im bleichen Hintergrund zu verschwimmen. Kopfschüttelnd griff er nach einem anderen Foto.

„Du hast recht", meinte er schließlich. „Einige von denen sagen mir natürlich nichts. Ich würde sie mir später gern noch mal genauer vornehmen. Aber das hier sind eindeutig Sterblichkeitsraten. Von Rhesusaffen, nehme ich mal an." Er machte eine Pause und fügte etwas leiser hinzu: „Hoffe ich jedenfalls."

„Sie werden doch bestimmt keine Menschen für solche Versuche nehmen", wandte Cathy ein.

„Offiziell nicht." Ollie legte das Foto hin und schaute sie an. „Aber es ist schon gemacht worden."

„In Nazi-Deutschland vielleicht."

„Hier auch", erwiderte Victor.

„Wie bitte?" Ungläubig sah Cathy ihn an.

„Das Militär hat mit bakteriologischen Waffen experimentiert. Sie haben Kolonien von Serratia marcescens über San Francisco ausgesetzt, um zu sehen, wie weit sich dieser Organismus verbreitet. In einigen Krankenhäusern in der Bay Area sind tatsächlich Infektionen aufgetreten. Einige davon waren tödlich."

„Das kann ich nicht glauben", murmelte Cathy.

„Der Schaden war natürlich nicht beabsichtigt. Aber die Leute sind trotzdem gestorben."

„Vergiss Tuskegee nicht", erinnerte Ollie ihn. „Dort sind bei Experimenten ebenfalls Menschen ums Leben gekommen. Und dann war da dieser Fall in New York. In einem staatlichen Krankenhaus haben sie geistig zurückgebliebene Kinder ganz bewusst mit Hepatitis infiziert. Da ist zwar niemand gestorben, aber ethisch war das genauso fragwürdig. Sie haben es trotzdem gemacht. Manchmal sogar im Namen der Menschlichkeit."

„Manchmal aber auch nicht", wandte Victor ein.

Ollie nickte. „Wie in diesem speziellen Fall."

„Worüber reden wir hier eigentlich?" Mit einer Kopfbewegung deutete Cathy auf die Fotos. „Geht es da um medizinische Forschung? Oder die Entwicklung von Waffen?"

„Sowohl als auch." Ollie zeigte auf eines der Bilder auf dem Tisch. „So wie es aussieht, beteiligt Viratek sich an der Entwicklung von biologischen Waffen. Sie haben dem Projekt den Namen Cerberus gegeben. Soweit ich weiß, handelt es sich bei dem Organismus, an dem sie arbeiten, um ein RNA-Virus – äußerst bösartig, extrem ansteckend, mit einer Sterblichkeitsrate von über achtzig Prozent bei Laborversuchen mit Wirtstieren. Das Foto hier …", er tippte mit dem Finger darauf, „zeigt, dass der Organismus vesikuläre Hautverletzungen bei den infizierten Subjekten verursacht."

„Vesikulär?"

„Blasenförmig. Das könnte einer der Infektionswege sein – die Flüssigkeit in den Blasen." Er durchsuchte den Bilderstapel und zog ein anderes hervor. „Das hier zeigt den zeitlichen Verlauf der Krankheit. Die Anzahl der Viren, die Phasen der Ansteckungsgefahr. In fast jedem Fall ist der Verlauf der gleiche. Hier wird das Versuchsobjekt den Viren ausgesetzt." Er deutete auf Tag eins auf dem Zeitdiagramm. „Kleinere Anzeichen der Krankheit an Tag sieben. Voll ausgebildete Pocken an Tag zwölf. Und hier …", er zeigte mit dem Finger auf Tag vierzehn, „beginnt das Sterben. Die Zeiten variieren, aber das Resultat ist stets das gleiche. Sie sterben alle."

„Sie haben gerade von Pocken gesprochen", sagte Cathy.

Ollie sah sie an. Seine Augen waren wie blaues Glas. „Weil es genau das ist."

„Sie meinen so eine Art Windpocken?"

„Wenn es nur die wären. Die wären nicht so tödlich. Die meisten Menschen bekommen in der Kindheit die Windpocken, deshalb sind die meisten von uns dagegen immun. Aber das hier ist eine andere Geschichte."

„Handelt es sich um ein neues Virus?", erkundigte Milo sich.

„Ja und nein." Er griff nach einem Elektronenmikroskop. „Als ich das gesehen habe, kam es mir auf unheimliche Weise bekannt vor. Die Erscheinungsform des Organismus, die Hautverletzungen, der Krankheitsverlauf. Das ganze verdammte Bild. Es erinnerte mich an etwas, über das ich seit Jahrzehnten nichts mehr gelesen habe und von dem ich niemals auch nur geträumt hätte, es jemals wiederzusehen."

„Soll das heißen, es ist ein altes Virus?"

„Uralt. Aber sie haben ein paar Veränderungen vorgenommen. Es noch ansteckender gemacht. Und tödlicher. Und damit in eine geradezu teuflische Waffe verwandelt, wenn man an die Millionen von Menschen denkt, die ihm schon zum Opfer gefallen sind."

„*Millionen?*" Entgeistert starrte Cathy ihn an. „Worüber reden wir hier?"

„Über einen Mörder, den wir seit Jahrhunderten kennen. Pocken."

„Unmöglich!" Entschieden schüttelte Cathy den Kopf. „Nach allem, was ich weiß, haben wir die Pocken besiegt. Sie sind doch längst ausgerottet."

„Waren sie auch", antwortete Victor. „In der Praxis. Weltweite Impfaktionen haben dafür gesorgt. Seit Jahrzehnten hat man nichts mehr von Pocken gehört. Ich bin nicht mal sicher, ob sie noch Impfstoffe dagegen herstellen. Oder, Ollie?"

„Ist nicht mehr erhältlich. Das war ja auch nicht mehr nötig, weil das Virus verschwunden war."

„Woher ist dann dieses Virus gekommen?", fragte Cathy.

Ollie zuckte mit den Schultern. „Vermutlich aus irgendeinem Giftschrank."

„Ich bitte Sie."

„Ich meine es ernst. Nachdem die Pocken ausgerottet waren, hat man ein paar Proben des Virus in irgendeinem staatlichen Labor für künftige Forschungszwecke aufbewahrt. Es ist sozusagen die wissenschaftliche Leiche im Keller. Ich nehme an, dass in diesen Labors die höchsten Sicherheitsauflagen herrschen. Denn wenn nur eines der Viren den Weg nach draußen findet, könnte es zu einer großen Epidemie kommen." Er betrachtete den Stapel Fotografien. „Sieht so aus, als seien die Sicherheitsvorkehrungen bereits durchbrochen. Irgendjemand hat das Virus an sich gebracht."

„Oder hat es sich übergeben lassen", korrigierte Victor. „Mit freundlichen Grüßen von der US-Regierung."

„Ich halte das für ziemlich unwahrscheinlich, Gersh", erwiderte Ollie. „Du sprichst von Versuchen auf einem Pulverfass. Keine Regierungskommission dieser Welt würde für ein solches Projekt grünes Licht geben."

„Genau. Deshalb glaube ich ja, dass es die Tat einiger weniger ist. Das Szenario kann man sich leicht ausmalen. Einige Hardliner vom Geheimdienst brüten das aus. Oder ein paar Stabschefs. Vielleicht kommt der Befehl sogar aus dem Oval Office. Irgendjemand sagt: ‚Die Weltpolitik hat sich gewandelt. Mit Atomwaffen können wir unsere Gegner nicht besiegen. Wir brauchen eine neue Waffe, die eine Armee aus der Dritten Welt in Schach hält. Lasst uns eine finden.' Und einer der Typen im Saal, einer von jenen, die geradezu krankhaft patriotisch sind, interpretiert das als eine Generalerlaubnis. Pfeif auf die internationalen Abmachungen."

„Und da es inoffiziell ist", folgerte Cathy, „kann es niemand beweisen."

„Genau. Die Regierung kann immer behaupten, von nichts etwas gewusst zu haben."

„Klingt ja wie eine zweite Iran-Contra-Affäre."

„Mit einem großen Unterschied", gab Ollie zu bedenken. „Nach der Iran-Contra-Affäre gab es nur ein paar ruinierte Politikerkarrieren. Sollte jedoch das Projekt Cerberus aus dem Ruder laufen, hast du am Ende ein paar Millionen Tote."

„Aber Ollie", wandte Milo ein, „als Kind bin ich gegen Pocken geimpft worden. Bedeutet das nicht, dass ich dagegen immun bin?"

„Möglich. Vorausgesetzt, das Virus ist nicht allzu sehr verändert worden. Tatsächlich ist es so, dass alle Menschen über fünfunddreißig Jahren außer Gefahr sind. Aber vergiss nicht, dass nach uns ganze Generationen gekommen sind, die nicht geimpft wurden. Junge Erwachsene und Kinder. Ehe genügend Impfstoff für alle produziert worden ist, wütet die Epidemie bereits in vollem Maße."

„Allmählich verstehe ich die Logik dieser Waffe", sinnierte Victor. „Wer stellt in einem Krieg die meisten Soldaten? Junge Erwachsene."

Ollie nickte. „Sie würde es am schlimmsten treffen. Und die Kinder."

„Eine ganze Generation", murmelte Cathy. „Und nur die Alten würden ausgespart." Sie schaute Victor an. Das Entsetzen in seinem Blick spiegelte ihr eigenes.

„Sie haben auch einen passenden Namen gewählt", ergänzte Milo.

Ollie runzelte die Stirn. „Welchen?"

„Cerberus. Den dreiköpfigen Höllenhund." Sichtlich erschüttert blickte Milo auf. „Der Wächter der Toten."

Erst als Cathy tief und fest schlief und Milo sich nach oben in sein Zimmer zurückgezogen hatte, gestand Victor seinem Freund Ollie, was ihm auf dem Herzen lag. Es hatte ihn den

ganzen Abend beschäftigt und jede Sekunde seit ihrer An-
kunft in Milos Haus überschattet. Er konnte Cathy nicht ansehen, den Klang ihrer Stimme hören oder den Duft ihres
Haares einatmen, ohne an die entsetzlichen Möglichkeiten zu
denken. Und nun, in den dunkelsten Stunden der Nacht, als
alle Welt zu schlafen schien, außer ihm und Ollie, gab er sich
einen Ruck.

„Ich muss dich um einen Gefallen bitten", begann er.

Ollie musterte ihn über den Esstisch hinweg. Der Dampf
seines vierten Kaffees waberte vor seinem Gesicht. „Was für
einen Gefallen?"

„Es hat mit Cathy zu tun."

Ollies Blick schweifte zu der Frau, die auf dem Wohnzim-
merboden schlief. Zusammengerollt unter der Decke wirkte
sie sehr klein und verletzlich. „Sie ist eine sehr nette Frau,
Gersh", sagte Ollie.

„Ich weiß."

„Eine wie sie hast du seit Lily nicht mehr kennengelernt.
Stimmt doch, oder?"

Victor schüttelte den Kopf. „Ich denke, ich war einfach
noch nicht bereit dazu. Es gab so viele andere Dinge zu bedenken …"

Ollie lächelte. „Es gibt immer Entschuldigungen. Ich kenne
das. Die Leute versichern mir ständig, dass es eine Menge
junger Singlefrauen gibt, alle aus der Generation der Baby-
boomer. Mir ist das seltsamerweise noch nie aufgefallen."

„Und ich habe mir nicht die Mühe gemacht, darauf zu achten." Victor schaute zu Cathy hinüber. „Bis jetzt."

„Was hast du mit ihr vor, Gersh?"

„Genau dafür brauche ich deine Unterstützung. Zurzeit
bin ich nicht gerade der Kerl, der ihr wirklich Sicherheit bieten kann. Einer Frau an meiner Seite könnte etwas zustoßen."

Ollie lachte. „Na ja, dem Kerl könnte auch etwas zustoßen."

„Ich fühle mich für sie verantwortlich. Wenn ihr etwas passieren würde – ich weiß nicht, ob ich dann jemals wieder ..." Er stieß einen tiefen Seufzer aus und rieb sich die blutunterlaufenen Augen. „Jedenfalls wäre es das Beste für sie, wenn sie aus dem Schussfeld wäre."

„Und wo soll sie untertauchen?"

„Da gibt es einen Exmann. Der arbeitet derzeit ein paar Monate in Mexiko. Dort wäre sie wohl ziemlich sicher."

„Du schickst sie zu ihrem Exmann?"

„Ich habe ihn kennengelernt. Er ist ein Idiot, aber wenigstens wäre sie da unten nicht allein."

„Ist Cathy denn damit einverstanden?"

„Ich habe sie nicht gefragt."

„Das solltest du vielleicht erst mal tun."

„Ich lasse ihr keine Wahl."

„Und wenn sie eine Wahl möchte?"

„Ich habe keine Lust auf diese Diskussion, klar? Ich tue das nur, weil es das Beste für sie ist."

Ollie setzte seine Brille ab und putzte die Gläser mit der Tischdecke. „Entschuldige, dass ich das sage, Gersh, aber wenn ich du wäre, würde ich sie in meiner Nähe haben wollen, wo ich ein Auge auf sie haben könnte."

„Du meinst, ich soll zusehen, wie sie möglicherweise umgebracht wird?" Victor schüttelte den Kopf. „Die Sache mit Lily war schlimm genug. Ich möchte das nicht noch einmal mit Cathy erleben."

Ollie dachte einen Moment nach, ehe er nickte. „Was soll ich denn für dich tun?"

„Ich möchte dich bitten, sie morgen zum Flughafen zu fahren. Kauf ihr ein Ticket nach Mexiko. Sie soll unter deinem

Namen fliegen. Mrs Wozniak. Sieh zu, dass sie sicher wegkommt. Ich gebe dir das Geld, sobald ich kann."

„Und wenn sie nicht ins Flugzeug will? Soll ich sie dann einfach hineinschieben?"

„Tu alles, was nötig ist, Ollie. Ich verlasse mich auf dich."

Ollie seufzte. „Ich denke, das schaffe ich schon. Ich werde mich morgen krankmelden. Dann habe ich den Tag über frei." Er schaute Victor in die Augen. „Ich hoffe nur, du weißt, was du tust."

Das hoffe ich auch, dachte Victor.

Ollie stand auf und klemmte sich den Umschlag mit den Fotos unter den Arm. „Ich komme morgen zurück, wenn ich Bach die beiden letzten Fotos gezeigt habe. Vielleicht kann er mit den Schautafeln etwas anfangen."

„Wenn es mit Elektronik zu tun hat, wird Bach es herausfinden."

Zusammen gingen sie zur Tür. Dort blieben sie stehen und musterten einander schweigend – zwei alte Freunde, die ein bisschen grauer geworden waren und, wie Victor hoffte, ein bisschen weiser.

„Irgendwie wird das schon alles gut gehen", tröstete Ollie ihn. „Vergiss nicht: Das System existiert, um besiegt zu werden."

„Das klingt ganz nach dem alten Stanford-Revoluzzer."

„Lange her." Grinsend versetzte Ollie Victor einen Schlag auf den Rücken. „Aber wir sind noch nicht zu alt für ein bisschen Aufstand, was, Gersh? Bis morgen früh dann!"

Victor winkte Ollie hinterher, als er in der Dunkelheit verschwand. Dann schloss er die Tür und schaltete alle Lichter aus.

Im Wohnzimmer setzte er sich neben Cathy und sah ihr beim Schlafen zu. Der Schein einer Straßenlaterne fiel durchs

Fenster auf ihr zerzaustes Haar. Als *gewöhnlich* hatte sie sich selbst beschrieben. Wenn sie ihm auf der Straße begegnet wäre, hätte er das vermutlich auch gedacht. Doch der Zufall, der dazu geführt hatte, dass er ihr auf einem verregneten Highway in Garberville über den Weg gelaufen war, hatte es ihm unmöglich gemacht, diese Frau jemals als *gewöhnlich* zu betrachten. Mit ihrer Freundlichkeit und Herzlichkeit erinnerte sie ihn an Lily.

In anderer Hinsicht unterschied sie sich sehr von ihr.

Obwohl er seine Frau sehr gemocht hatte und sie immer gute Freunde gewesen waren, hatte er Lily allerdings auch stets als seltsam leidenschaftslos empfunden, ein makelloses, durchgeistigtes Wesen in einer fleischlichen Hülle. Lily war mit ihrem Körper nie zufrieden gewesen. Sie hatte sich nie im Hellen ausgezogen, und wenn sie sich geliebt hatten – was selten genug geschah –, war es immer im Dunkeln geschehen. Zum Schluss hatte ihr die Krankheit auch noch genommen, was von ihren kleinen Begierden übrig geblieben war.

Während er Cathy betrachtete, fragte er sich, welche Leidenschaften in diesem Körper schlummern mochten, der reglos vor ihm lag.

Er vertrieb diese Überlegungen. Was spielte das jetzt für eine Rolle? Morgen würde er sie fortschicken. *Sie loswerden.* Ein brutaler Gedanke. Aber es war nötig. Solange sie bei ihm war, konnte er keinen klaren Gedanken fassen. Er musste sich auf das Wesentliche konzentrieren: Viratek entlarven. Jerry Martinique hatte sich auf ihn verlassen. Tausende potenzieller Opfer verließen sich auf ihn. Er war Wissenschaftler, ein Mann, der stolz war auf seine Fähigkeit, logisch zu denken. Dass er sich zu dieser Frau hingezogen fühlte, war angesichts dessen, was er zu bewältigen hatte, absolut unwichtig.

Es war der Wissenschaftler, der so in ihm sprach.

Nachdem er das Problem endlich gelöst hatte, beschloss er, ein wenig Ruhe zu finden, solange er es noch konnte. Er zog die Schuhe aus und legte sich neben sie. Die Decke war groß genug; sie konnten sie teilen. Er streckte sich neben ihr aus und blieb reglos liegen, ohne sie zu berühren. Fast hatte er Angst, ihre Wärme zu spüren.

Sie seufzte im Schlaf und drehte sich zu ihm. Ihr seidenweiches Haar fiel in sein Gesicht.

Jetzt konnte er doch nicht länger widerstehen. Seufzend legte er den Arm um sie. Sofort schmiegte sie sich an seine Brust. Es war ihre letzte gemeinsame Nacht. Warum sollten sie sich nicht gegenseitig wärmen?

Mit Cathy im Arm schlief er ein.

Nur einmal wurde er nachts wach. Er hatte von Lily geträumt. Sie gingen gemeinsam durch einen Garten mit schneeweißen Blumen. Sie sagte kein Wort. Sie schaute ihn nur mit unendlicher Traurigkeit an, als ob sie sagen wollte: *Hier bin ich, Victor. Ich bin zu dir zurückgekommen. Warum macht dich das nicht glücklich?* Er konnte ihr nicht antworten. Deshalb nahm er sie nur in die Arme und hielt sie fest.

Er öffnete die Augen und stellte fest, dass er stattdessen Cathy im Arm hielt.

Ein Gefühl der Freude flutete durch seinen Körper und wärmte die dunkelsten Winkel seiner Seele. Dieses plötzliche Glücksgefühl überraschte ihn. Es bereitete ihm jedoch auch ein schlechtes Gewissen. Aber es war nicht zu leugnen. Doch die Freude war kurzlebig, denn sofort fiel ihm wieder ein, dass sie sich an diesem Tag trennen würden.

Cathy, Cathy. Warum machst du es mir so schwer?

Er drehte sich auf seine Seite, fort von ihr, als wollte er eine unsichtbare Mauer zwischen ihnen errichten.

Er konzentrierte sich auf seinen Traum und versuchte, sich zu erinnern, was passiert war. Er und Lily waren nebeneinanderher gegangen. Er versuchte, sich Lilys Gesicht vorzustellen, ihre braunen Augen, ihr schwarzes, lockiges Haar. Es war das Gesicht der Frau, mit der er zehn Jahre verheiratet gewesen war; ein Gesicht, das er sehr gut kennen sollte.

Doch das einzige Gesicht, das er sah, als er die Augen wieder schloss, war das von Catherine Weaver.

Nicholas Savitch brauchte nur zwei Stunden, um seine Reisetasche zu packen und nach Palo Alto zu fahren. Von Matt Tyrone hatte er erfahren, dass Holland nach Süden in die Gegend um Stanford gefahren war. Vermutlich wollte er alte Freunde besuchen. Schließlich hatte Holland selbst in Stanford studiert. Nicht gerade der typische Anhänger der Cardinals, aber dennoch ein Stanford-Mann. Diese alten Universitätsverbindungen hielten sehr lange.

Savitch konnte es allerdings nur vermuten; er selbst war nie über die Highschool hinausgekommen. Seine weiterführende Bildung beschränkte sich auf das, was ein hungriger und ambitionierter Junge auf den Straßen von Chicagos South Side aufschnappen konnte. Das war vor allem ein verblüffendes Talent, sich in den Kopf eines anderen Menschen hineinversetzen zu können, zu spüren, was er in besonderen Situationen denken und tun würde. Man konnte es fortgeschrittene Straßenpsychologie nennen. Ohne einen einzigen Tag im College zu verbringen, hatte Savitch darin sein Examen gemacht.

Jetzt machte er Gebrauch davon.

Sie nannten ihn *den Finder*. Der Name gefiel ihm. Lächelnd saß er am Steuer, das er mit seinen lederbehandschuhten Händen geschickt bewegte. Nicholas Savitch, der in menschliche

Seelen blickte; der Jäger, der einen Mann im entlegensten Versteck aufzustöbern verstand.

In der Regel half ihm einfachste Logik. Selbst auf der Flucht hielten sich die meisten Menschen an vertraute Verhaltensmuster. Es war die Angst, die sie dazu trieb. Sie sorgte dafür, dass sie Trost in ihren althergebrachten Gewohnheiten suchten und sich daran orientierten. In einer fremden Stadt war das Vertraute kostbar – selbst wenn es nur der Anblick der wuchtigen goldschimmernden Bögen der Stanford-Gebäude war.

Wie jeder andere Mensch auf der Flucht würde Victor Holland das Vertraute suchen.

Savitch bog in den Palm Drive ein und parkte vor dem gewaltigen Stanford Arch. Auf dem Campus war es um zwei Uhr morgens menschenleer. Ein paar Sekunden lang blieb Savitch sitzen und betrachtete die stummen Gebäude, Hollands Alma Mater. Hier, in seinem früheren Revier, würde Holland sich an seine alten Freunde wenden und die Geister von damals heraufbeschwören. Savitch hatte bereits seine Hausaufgaben gemacht. In seiner Tasche steckte eine Liste mit Namen, die er in Hollands Akte gefunden hatte. Morgen früh würde er diese Liste abarbeiten, an Türen klopfen, seinen Dienstausweis vorzeigen und sich nach neuen Gesichtern in der Nachbarschaft erkundigen.

Die einzige mögliche Komplikation war Sam Polowski. Laut den jüngsten Meldungen befand sich der FBI-Agent auch in der Stadt – ebenfalls auf Hollands Spur. Polowski war ein hartnäckiger Typ. Einen Mann vom FBI auszuschalten war eine unangenehme Arbeit. Aber letztlich war Polowski nur ein winziges Rädchen – ebenso wie diese Catherine Weaver nur ein winziges Rad in einem viel größeren Getriebe war.

Niemand würde die beiden vermissen.

191

9. KAPITEL

In den kalten klaren Stunden vor der Morgendämmerung wachte Cathy zitternd auf, noch gefangen im Netz eines Albtraums. Sie war durch eine Welt aus Zement und Schatten gewandert, in der die Türen weit geöffnet waren und seltsame Gestalten sich an Straßenecken herumdrückten. Selbst eine von den Gesichtslosen, die sich in den Schutz der Dunkelheit flüchteten und instinktiv die Helligkeit mieden, lief sie zwischen ihnen umher. Doch niemand verfolgte sie, kein Angreifer lauerte in den Gassen. Der wirkliche Terror war das unendliche Labyrinth aus Beton, die lauten Geräusche von der Straße, die hektische Suche nach einem sicheren Ort.

Und die Gewissheit, dass sie ihn niemals finden würde.

Eine Weile blieb sie regungslos in der Dunkelheit liegen, eingehüllt in eine Decke auf dem Boden von Milos Wohnzimmer. Sie wusste kaum noch, wie sie unter die Decke gekommen war. Es musste schon nach drei gewesen sein, als sie endlich eingeschlafen war. Das Einzige, an das sie sich noch erinnern konnte, war das Bild von Victor und Ollie, die sich über den Tisch im Esszimmer beugten und über die Fotos diskutierten. Jetzt war es ganz still. Das Esszimmer lag ebenso im Dämmerlicht wie der Rest des Hauses.

Sie drehte sich auf den Rücken. Ihre Schulter stieß an etwas Warmes, Festes. Victor. Er bewegte sich und murmelte unverständliche Worte.

„Bist du wach?", flüsterte sie.

Schläfrig wandte er sich zu ihr und nahm sie in die Arme. Sie wusste, dass er sich nur instinktiv zu ihr hingezogen fühlte – ein warmer Körper, der einen anderen warmen Körper spüren wollte. Oder vielleicht erinnerte er sich daran, wie seine Frau neben ihm geschlafen hatte, die noch immer durch seine Gedanken spukte und von ihm festgehalten werden wollte. Fürs Erste ließ sie ihn seinen Traum weiterträumen. Im Halbschlaf soll er ruhig glauben, dass ich Lily bin, dachte sie. *Was kann es schon schaden? Er braucht diese Erinnerung. Und ich brauche die Geborgenheit.*

Sie kuschelte sich in seine Arme, an diesen sicheren Ort, der einst einer anderen gehörte. Sie tat es, ohne über die Konsequenzen nachzudenken, und gab sich ganz der Fantasie hin, die einzige Frau auf der Welt zu sein, die er liebte. Wie gut es sich anfühlte, wie beschützt und behaglich. Sie spürte den rauen Stoff seines Hemdes, sog den seifig-schweißigen Geruch seines Oberkörpers ein und war glücklich über diesen Zufluchtsort. Jetzt fächelte sein warmer Atem durch ihr Haar, flüsterte er Worte, die für eine andere bestimmt waren, drückte seine Lippen gegen ihre Stirn. Unvermittelt nahm er ihr Gesicht in seine Hände und küsste sie mit einer wilden Leidenschaft, die ihre eigenen Begierden weckte. Sie erwiderte diesen Kuss mit all der Sehnsucht, die eine Frau empfand, die zu lange keine Liebe mehr gespürt hatte.

Ihr Kuss war leidenschaftlich, gierig, sehnsüchtig.

Sofort hatte sie das Gefühl, in einen herrlich schwindelerregenden Strudel hinabgezogen zu werden. Er streichelte ihr Gesicht, ihren Hals. Seine Hand wanderte zu den Knöpfen ihrer Bluse. Sie bog sich ihm entgegen, wünschte sich nichts mehr, als dass er ihre Brüste berührte. Es war schon so lange her …

Sie hatte gar nicht mitbekommen, dass er ihre Bluse aufgeknöpft hatte. Sie wusste nur, dass er gerade noch mit den Fingern über den Stoff gefahren war und im nächsten Moment ihre Haut berührte. Es war dieser unerwartete Kontakt von Haut auf verbotene Haut, die köstliche Qual, die er ihr bereitete, indem er ihre Nippel liebkoste – eine Berührung, die ihre letzten Hemmungen beseitigte. Wie viele Gelegenheiten hätten sie noch? Wie viele gemeinsame Nächte? Sie wollte so viel mehr Zeit, am liebsten eine Ewigkeit, aber das hier war vielleicht alles, was ihnen gewährt wurde. Sie konnte es kaum erwarten, konnte ihn kaum erwarten. Sie empfand die Leidenschaft einer Frau, die noch einmal den Geschmack der Liebe kosten durfte.

Mit einer geschickten Bewegung schob sie die Hand unter sein Hemd, öffnete die Knöpfe, streichelte sein dichtes Brusthaar, fuhr hinunter bis zu seinem Hosenbund. Dort hielt sie inne, und als er tief einatmete, wusste sie, dass auch er nicht mehr zurückkonnte.

Gemeinsam hantierten sie an Knöpfen und Reißverschlüssen, um so schnell wie möglich von allen lästigen Dingen befreit zu sein. Baumwolle und Seide landeten auf einem kleinen Haufen. Und als das letzte Kleidungsstück abgestreift war, als nichts mehr zwischen ihnen war bis auf die Dunkelheit, griff sie nach ihm und zog ihn näher, zog ihn auf sich.

Er füllte sie auf beglückende Weise aus – so als würde er mit seinem Eindringen auch ihre Seele durchdringen und einen Teil von ihr berühren, der viel zu lange unbeachtet geblieben war.

„Bitte", murmelte sie, und ihre Stimme wurde zu einem flüsternden Seufzen.

Sofort hielt er inne. „Cathy?" Besorgt umfasste er ihr Gesicht. „Was …"

„Bitte hör nicht auf."

Sein leises Lachen war genau die Bestätigung, die sie in diesem Moment brauchte. „Ich habe nicht die Absicht aufzuhören", flüsterte er. „Ganz und gar nicht …"

Und er hörte auch nicht auf. Jedenfalls nicht, solange er sie mit sich nahm, immer höher und höher, als es jemals ein Mann bei ihr vermocht hatte, bis zu einem Ort, wo der Verstand aussetzte und nur noch Gefühle waren. Erst als der Höhepunkt kam und Welle auf Welle sie überflutete, wurde ihr klar, in welche Regionen sie vorgedrungen waren.

Anschließend gaben sie sich der süßen Erschöpfung hin.

Draußen begann ein Vogel im Grau des herannahenden Morgens zu zwitschern. Im Zimmer wurde die Stille allein von ihrem Atmen unterbrochen.

Sie seufzte. Ihre Lippen spürten die Wärme seiner Schulter. „Danke."

Er berührte ihr Gesicht. „Wofür?"

„Dass du mir das Gefühl gegeben hast … begehrt zu werden."

„Ach Cathy."

„Es ist schon so lange her. Jack und ich, wir … wir haben uns schon lange vor der Scheidung nicht mehr geliebt. Es lag übrigens an mir. Ich konnte es nicht ertragen, dass er …" Sie schluckte. „Wenn man jemanden nicht mehr liebt, wenn du nicht geliebt wirst, dann fällt es schwer, sich … berühren zu lassen."

Er streichelte ihre Wange. „Ist es immer noch schwer für dich? Berührt zu werden?"

„Nicht von dir. Von dir berührt zu werden ist, wie … wie zum ersten Mal berührt zu werden."

Im fahlen Licht des Morgens, das durchs Fenster fiel, sah sie ihn lächeln. „Ich hoffe, dein erstes Mal war nicht zu schrecklich."

Jetzt lächelte sie auch. „Ich erinnere mich gar nicht mehr daran. Jedenfalls kaum. Es war eine so verrückte, dumme Geschichte. Auf dem Teppichboden in einem Studentenzimmer."

Er streckte die Hand aus und klopfte auf den Teppich. „Da hast du's ja inzwischen nicht besonders weit gebracht."

„Ja, nicht wahr?" Sie lachte. „Aber Fußböden können sehr romantische Orte sein."

„Himmel! Eine Teppichkennerin. Was ist denn der Unterschied zwischen dem Fußboden einer Studentenbude und eines Wohnzimmers?"

„Kann ich dir nicht sagen. Ich bin schon lange keine achtzehn mehr." Sie verstummte und rutschte ein wenig unbehaglich hin und her. Und dann platzte sie mit der Wahrheit heraus. „Ehrlich gesagt war ich schon lange nicht mehr mit jemandem zusammen."

Leise erwiderte er: „Wir waren beide schon lange nicht mehr mit jemandem zusammen."

Sie ließ diese Bemerkung einige Sekunden lang unkommentiert in der Dämmerung stehen. „Nicht … nicht seit Lily?", fragte sie schließlich.

„Nein." Ein kurzes Wort, das eine Menge verriet. Drei Jahre Loyalität einer toten Frau gegenüber. Der Kummer, die Einsamkeit. Wie gern würde sie diese frauenlose Leere für ihn füllen. Sie wäre gerne seine Retterin und er ihr Retter. Konnte sie ihn dazu bringen zu vergessen? Nein, nicht vergessen. Sie konnte nicht erwarten, dass er Lily jemals vergaß. Aber sie hätte gerne einen eigenen Platz in seinem Herzen – einen sehr großen Platz, und zwar ein Leben lang. Einen Platz, zu dem keine andere Frau, tot oder lebendig, jemals Zugang haben würde.

„Sie muss eine ganz besondere Frau gewesen sein", sagte sie nun.

Er spielte mit einer ihrer Haarsträhnen. „Sie war sehr klug, sehr sensibel. Und sie war liebenswürdig. Das finde ich nicht oft bei einem Menschen."

Sie ist noch immer ein Teil von dir, nicht wahr? Du liebst sie noch immer.

„Es ist die gleiche Liebenswürdigkeit, die ich auch bei dir finde", fuhr er fort.

Seine Finger streichelten nun ihre Wange. Mit geschlossenen Augen genoss sie seine Berührung und seine Wärme. „Du kennst mich doch kaum", murmelte sie.

„Oh doch. Damals, in der Nacht des Unfalls, habe ich nur wegen des Klangs deiner Stimme überlebt. Und wegen der Berührung deiner Hand. Ich würde sie beide jederzeit und überall wiedererkennen."

Sie öffnete die Augen und schaute ihn an. „Wirklich?"

Er drückte die Lippen gegen ihre Stirn. „Selbst im Schlaf."

„Aber ich bin nicht Lily. Ich könnte niemals Lily sein."

„Das stimmt. Das kannst du nicht. Das kann niemand."

„Ich kann dir deinen Verlust nicht ersetzen."

„Wie kommst du darauf, dass ich das möchte? Eine Art Ersatz? Sie war meine Frau. Und ja, ich habe sie geliebt." Am Klang seiner Stimme erkannte sie, dass er keine weiteren Fragen dazu beantworten wollte.

Deshalb stellte sie auch keine.

Irgendwo im Haus klingelte ein Telefon. Es läutete zweimal, dann hörten sie ganz leise Milos Stimme von oben.

Sofort setzte Cathy sich auf und griff nach ihren Sachen. Mit dem Rücken zu Victor zog sie sich schweigend an. Auf einmal herrschte eine gewisse Befangenheit zwischen ihnen – als seien sie einander vollkommen fremd.

„Cathy", hörte sie seine Stimme. „Menschen setzen ihren Weg fort."

„Ich weiß."

„Du bist über Jack hinweg."

Sie lachte. Es klang müde. „Keine Frau kommt jemals über Jack Zuckerman hinweg. Ja, über das Schlimmste bin ich hinweg. Aber jedes Mal, wenn eine Frau sich verliebt – und ich meine: wirklich verliebt –, dann reißt das ein Stück aus ihrer Seele. Und es entsteht dort eine Leere, die nicht mehr ausgefüllt werden kann."

„Es gibt ihr aber auch etwas."

„Das kommt immer darauf an, in wen man sich verliebt, meinst du nicht auch?"

Laute Schritte eilten die Treppe herunter und brachten die Dielen des Esszimmerbodens zum Knarren. Ein hellwacher Milo tauchte an der Tür auf, sein ungekämmtes Haar stand ihm wie eine Bürste vom Kopf. „He, ihr zwei!", zischte er. „Steht auf."

Besorgt sprang Cathy auf die Füße. „Was gibt's?"

„Gerade hat Ollie angerufen. Er wollte euch mitteilen, dass irgendein Typ hier in der Gegend Erkundigungen über euch einzieht. Er war bereits bei Bachs Nachbarn."

„Was?" Jetzt war auch Victor hochgefahren und zog hastig seine Hose an.

„Ollie nimmt an, dass der Kerl demnächst auch hier auftaucht. Vermutlich wissen sie, wer deine Freunde sind."

„Wer hat denn Fragen gestellt?"

„Er behauptet, er sei vom FBI."

„Polowski", murmelte Victor, während er nach seinem Hemd griff. „Das kann nur er sein."

„Du kennst ihn?"

„Derselbe Typ, der mir die Falle gestellt hat. Und der uns seitdem auf den Fersen ist."

„Woher weiß er, dass wir hier sind?", fragte Cathy. „Es ist uns doch niemand gefolgt ..."

„Das brauchen die auch gar nicht. Sie haben mein Profil. Sie wissen, dass ich hier Freunde habe." Victor warf Milo einen Blick zu. „Tut mir leid, Kumpel. Ich hoffe, dass du deswegen keine Probleme kriegst."

Milos Lachen klang ziemlich gezwungen. „He, ich habe doch gar nichts Böses getan. Nur einen Verbrecher beherbergt." Doch dann fragte er, kleinlaut geworden: „Was für Probleme könnten das denn sein?"

„Fragen." Rasch knöpfte Victor sein Hemd zu. „Eine ganze Menge. Möglicherweise schauen sie sich sogar bei dir um. Bleib einfach ganz locker, und sag ihnen, dass du nichts von mir gehört hast. Glaubst du, du schaffst das?"

„Klar. Aber ich bin mir nicht sicher, ob Ma ..."

„Deine Ma ist kein Problem. Sag ihr, sie soll einfach nur Chinesisch sprechen." Victor schnappte sich den Umschlag mit den Fotos und schaute Cathy auffordernd an. „Bereit?"

„Natürlich. Bloß weg von hier. So schnell wie möglich."

„Am besten durch die Hintertür", schlug Milo vor.

Sie folgten ihm durch die Küche. Mit einem Blick aus dem Fenster vergewisserten sie sich, dass die Luft rein war. Als er die Tür öffnete, sagte Milo: „Das hätte ich fast vergessen. Ollie möchte dich heute Nachmittag sehen. Es geht um diese Fotos."

„Wo?"

„Am See. Hinter dem Bootshaus. Du kennst die Stelle."

Sie traten hinaus in die kühle Feuchtigkeit des Morgens. Eine nebelgeschwängerte Stille lag in der Luft. Werden wir irgendwann mal nicht mehr wegrennen? dachte Cathy. *Werden wir für den Rest unseres Lebens auf Schritte hinter uns achten müssen?*

Victor schlug seinem Freund auf die Schulter. „Danke, Milo. Ich bin dir was schuldig."

„Und irgendwann werde ich das auch einfordern."

Zum Abschied hob Victor die Hand. „Bis bald."

„Ja", murmelte Milo in den Nebel. „Hoffentlich nicht im Knast."

Der Chinese log. Obwohl der Mann sich nicht durch seine Stimme verriet – kein verdächtiges Zögern, keine fahrigen Gesten –, spürte Savitch instinktiv, dass dieser Mr Milo Lum irgendetwas vor ihm verbarg. Seine Augen verrieten ihn.

Er saß auf der Wohnzimmercouch gegenüber von Savitch. An der Seite hatte Mrs Lum in einem Sessel Platz genommen und lächelte verständnislos. Vielleicht würde er sich die Alte später vorknöpfen. Fürs Erste konzentrierte er sich auf den Sohn.

„Ich verstehe nicht, warum Sie hinter ihm her sein sollten", sagte Milo gerade. „Victor hat doch nichts verbrochen. Jedenfalls nie, solange ich ihn kannte. Das ist allerdings schon eine Weile her."

„Wie lange?", erkundigte Savitch sich höflich.

„Ein paar Jahre? Ja. Ich habe ihn schon seit Jahren nicht mehr gesehen. Nein, Sir."

Savitch zog eine Augenbraue hoch. Unbehaglich rutschte Milo auf der Couch hin und her und scharrte mit den Füßen. Sein Blick irrte ziellos durch den Raum.

„Sie leben hier allein mit Ihrer Mutter?", bohrte Savitch weiter.

„Seit dem Tod meines Vaters."

„Keine Mieter? Außer Ihnen wohnt niemand hier?"

„Nein. Warum?"

„Es gab Hinweise aus der Nachbarschaft. Die Beschreibung passte auf Holland."

„Glauben Sie mir, wenn Victor von der Polizei gesucht würde, dann würde er sich bestimmt nicht hier in der Gegend aufhalten. Denken Sie im Ernst, ich würde einen Mordverdächtigen in mein Haus lassen? Wo außer meiner Mutter und mir niemand ist?"

Savitch schaute zu Mrs Lum, die immer noch lächelte. Die alte Frau hatte wache, klare Augen. Die Augen einer Überlebenskünstlerin.

Es wurde Zeit für Savitch, seine Ahnung bestätigt zu bekommen. „Entschuldigen Sie", sagte er, während er sich erhob. „Ich hatte einen langen Weg aus der Stadt. Dürfte ich Ihre Toilette benutzen?"

„Selbstverständlich. Am Ende des Korridors."

Savitch eilte ins Badezimmer und schloss die Tür. Innerhalb von Sekunden hatte er den Beweis gefunden, nach dem er suchte. Er lag auf dem gefliesten Boden. Eine lange braune Haarsträhne. Dünn und seidenweich.

Der Farbton von Catherine Weavers Haaren.

Der Beweis genügte ihm. Höchste Zeit, Nägel mit Köpfen zu machen. Er griff nach dem Schulterholster unter seinem Jackett und holte die halb automatische Pistole hervor. Dann klopfte er bedauernd auf sein makellos weißes Hemd. Befragungen waren ein schmutziges Geschäft. Er musste darauf achtgeben, keine Blutspritzer abzubekommen.

Er trat hinaus in den Korridor und drückte die Waffe an seine Seite. Zunächst würde er sich die alte Frau vornehmen. Den Lauf gegen ihre Schläfe halten und damit drohen abzudrücken. Zwischen Mutter und Sohn existierte ein ungewöhnlich starkes Band. Sie würden alles tun, um einander zu beschützen.

Savitch hatte die Hälfte des Korridors hinter sich, als es klingelte. Abrupt blieb er stehen. Die Haustür wurde geöffnet, und eine neue Stimme sagte: „Mr Milo Lum?"

„Und wer sind Sie?", lautete Milos misstrauische Antwort.

„Mein Name ist Sam Polowski. FBI."

Alle Muskeln in Savitchs Körper verspannten sich. Jetzt blieb ihm keine Wahl mehr. Er musste den Mann ausschalten.

Er hob die Pistole. Lautlos schlich er über den Korridor bis zum Wohnzimmer.

„*Noch einer?*" Milo klang gereizt. „Hören Sie, einer von euch Typen ist bereits hier ..."

„Was?"

„Ja, er ist hinten im ..."

Savitch trat einen Schritt vor und zielte mit der Pistole auf die Haustür, als Mrs Lum aufschrie.

Milo erstarrte. Im Gegensatz zu Polowski. Er warf sich beiseite. Keine Sekunde zu früh. Mit einem dumpfen Geräusch bohrte sich die Kugel in den Türrahmen. Holz splitterte.

Als Savitch zum zweiten Mal schoss, hatte Polowski bereits Deckung hinter der Couch gesucht, und die Kugel blieb nutzlos im Polster stecken. Der Überraschungsangriff war danebengegangen. Inzwischen hatte auch Polowski seine Waffe gezogen.

Savitch entschied, dass es Zeit war zu verschwinden.

Er machte auf dem Absatz kehrt und rannte in ein Schlafzimmer am Ende des Korridors. Es war das Zimmer der Mutter und roch nach Räucherstäbchen und dem Parfüm alter Frauen. Das Fenster glitt problemlos beiseite. Savitch trat das Fliegengitter heraus, kletterte über die Fensterbank, sprang und versank bis zu den Knöcheln in einem weichen Blumenbeet. Fluchend schleppte er sich davon und hinterließ Lehmklumpen auf dem Rasen.

Von Weitem drang ein schwaches „Stehen bleiben! FBI!" an seine Ohren, aber er rannte weiter.

Auf dem Weg zu seinem Wagen wuchs seine Wut immer weiter an.

Verdattert betrachtete Milo die zertrampelten Stiefmütterchen. „Was sollte das denn?", schrie er. „Ein Streich vom FBI?"

Sam Polowski antwortete nicht. Er war zu sehr damit beschäftigt, die Fußspuren auf dem Rasen zu verfolgen. Sie führten zum Gehweg, wo sie sich auf dem rauen Asphalt verloren.

„He!", brüllte Milo. „Was geht hier eigentlich vor?"

Polowski drehte sich zu ihm um. „Ich habe ihn nicht richtig sehen können. Wie sah er aus?"

Milo zuckte mit den Schultern. „Keine Ahnung. Ein bisschen wie Efrem Zimbalist."

„Und das heißt?"

„Groß, sauber, muskulös. Typisch FBI eben."

Ein Schweigen entstand, während Milo Polowskis Wampe betrachtete.

„Nun ja", versuchte Milo die Situation zu retten, „vielleicht nicht *typisch* …"

„Was war mit seinem Gesicht?"

„Lassen Sie mich überlegen. Braunes Haar? Braune Augen vielleicht?"

„Sie sind sich nicht sicher."

„Sie wissen doch, wie das ist. Ihr Weißen seht für mich alle gleich aus."

Als ein Schwall chinesischer Worte über sie prasselte, drehten sie sich um. Mrs Lum war ihnen nach draußen über den Rasen gefolgt und schnatterte wild gestikulierend.

„Was sagt sie?", wollte Polowski wissen.

„Sie sagt, der Mann war etwa einen Meter fünfundachtzig groß, hatte glattes braunes Haar, links gescheitelt, braune, fast schwarze Augen, eine hohe Stirn, eine schmale Nase und dünne Lippen und eine kleine Tätowierung innen auf seinem linken Handgelenk."

„Ähm … ist das alles?"

„Das Tattoo lautete PJX."

Erstaunt schüttelte Polowski den Kopf. „Ist sie immer so aufmerksam?"

„Sie kann sich nicht gut auf Englisch verständigen. Deshalb beobachtet sie lieber. Und das sehr intensiv."

„Offensichtlich." Polowski zog einen Kugelschreiber hervor und kritzelte die Informationen in ein Notizbuch.

„Also … wer war dieser Typ?", hakte Milo nach.

„Auf jeden Fall keiner vom FBI."

„Woher soll ich wissen, dass Sie vom FBI sind?"

„Sehe ich etwa so aus?"

„Nein."

„Das ist doch der beste Beweis."

„Wofür?"

„Wenn ich so tun würde, als wäre ich ein Agent, würde ich doch wenigstens versuchen, wie einer auszusehen. Wenn ich aber einer bin, dann würde ich mich doch nicht auch noch anstrengen, so auszusehen."

„Oh."

„Also." Polowski schob das Notizbuch in seine Tasche. „Und Sie behaupten immer noch, von Victor Holland weder etwas gesehen noch gehört zu haben?"

Milo straffte die Schultern. „So ist es."

„Und Sie wissen auch nicht, wie Sie mit ihm in Kontakt treten könnten?"

„Keine Ahnung."

„Zu schade. Weil ich eventuell sein Leben retten könnte. Ihres habe ich ja schon gerettet."

Milo schwieg.

„Warum, zum Teufel, glauben Sie, dass dieser Typ bei Ihnen war? Um einen Anstandsbesuch zu machen? Verdammt noch mal, nein! Der wollte Informationen." Polowski machte eine Pause, um mit unheilvollem Ton hinzuzufügen: „Und er hätte sie bekommen, das können Sie mir glauben."

Milo schüttelte den Kopf. „Ich bin vollkommen verwirrt."

„Ich auch. Genau deshalb muss ich unbedingt mit Holland reden. Er hat die Antworten. Aber ich brauche ihn lebendig. Das bedeutet, ich muss ihn finden, ehe es der andere Kerl tut. Verraten Sie mir bitte, wo er steckt."

Polowski und Milo musterten einander lange und durchdringend.

„Ich weiß es nicht", antwortete Milo schließlich. „Ich weiß nicht, was ich tun soll."

Mrs Lum hatte wieder zu plappern begonnen. Sie zeigte auf Polowski und nickte.

„Was sagt sie?", wollte Polowski wissen.

„Sie sagt, Sie haben große Ohren."

„Wenn ich das wissen will, schaue ich in den Spiegel."

„Sie will damit andeuten, dass die Größe Ihrer Ohren auf Klugheit schließen lässt."

„Wie bitte?"

„Sie sind ein cleverer Typ. Sie meint, ich sollte auf Sie hören."

Grinsend wandte Polowski sich an Mrs Lum. „Ihre Mutter ist eine fantastische Menschenkennerin." Er schaute zurück zu Milo. „Ich möchte nicht, dass ihr etwas passiert. Oder Ihnen. Sie beide müssen aus der Stadt verschwinden."

Milo nickte. „Was das angeht, stimme ich Ihnen zu." Er machte Anstalten, ins Haus zu gehen.

„Und was ist mit Holland?", rief Polowski ihm nach. „Helfen Sie mir, ihn zu finden?"

Milo nahm seine Mutter am Arm und führte sie über die Wiese. Ohne zurückzuschauen, antwortete er: „Ich denke darüber nach."

„Es waren diese beiden Fotos. Ich wusste einfach nicht, was sie bedeuten sollten", sagte Ollie.

Sie standen auf dem Bootssteg, von dem aus man den Lake Lagunita überblicken konnte. Wie immer im Winter war der See ausgetrocknet, bis zum Frühling reduziert auf ein schilfbestandenes Sumpfgebiet. Die drei waren allein. Nur hier und da watschelte eine Ente umher. Im Frühjahr war dies ein idyllischer Ort. Die Wellen schlugen leise ans Ufer, Liebespaare ruderten über den See, und gelegentlich machte es sich ein Dichter unter einem Baum bequem. Heute jedoch war der Ort gottverlassen. Schwarze Wolken hingen am Himmel, und kalter Nebel stieg aus dem Schilfdickicht empor.

„Ich wusste, dass diese Zahlen nichts mit Biologie zu tun haben", erklärte Ollie. „Für mich sieht es eher nach einer Art Stromkreislauf aus. Deshalb bin ich damit heute Morgen von Milo sofort zu Bach nach San José gefahren. Ich habe ihn beim Frühstück erwischt."

„Bach?" Cathy schaute verwirrt.

„Ein weiteres Mitglied der *Verstimmten*. Ein toller Fagottspieler. Vor ein paar Jahren hat er eine Elektronikfirma gegründet, und jetzt mischt er bei den ganz Großen mit. Jedenfalls war das Erste, das er mich fragte, als ich zur Tür hereinkam: ‚War das FBI schon bei dir?' – Ich fragte: ‚Wie bitte?', und er sagte: ‚Sie haben gerade angerufen. Aus irgendeinem Grund sind sie auf der Suche nach Gershwin. Zu dir kommen sie vermutlich als Nächstes.' In dem Moment wurde mir klar, dass ich euch irgendwie aus Milos Haus holen musste, und zwar so schnell wie möglich."

„Und was hat er über diese Fotos gesagt?"

„Ach ja." Ollie griff in seine Aktentasche und holte die Fotos hervor. „Okay, das hier ist das Diagramm eines Schaltkreises. Ein elektronisches Alarmsystem. Sehr verzwickt, sehr sicher. Man kann es mit einem Zahlencode knacken, den man in ein Tastenfeld eingeben muss – vermutlich an einer Tür. Gibt es so etwas bei Viratek?"

Victor nickte. „Am Gebäude C-2. Wo Jerry gearbeitet hat. Das Zahlenschloss befindet sich in der Eingangshalle direkt neben der Tür zum Labor für Spezialprojekte."

„Bist du jemals durch diese Tür gegangen?"

„Nein. Da dürfen nur die durch, die eine Sondererlaubnis haben. Wie Jerry."

„Dann müssen wir unsere Fantasie spielen lassen, was das Weitere angeht. Nach dem Diagramm zu urteilen, gibt es hier eine zweite Sicherheitssperre – vermutlich noch eine Tastatur. Direkt hinter der ersten Tür ist eine Überwachungskamera installiert."

„Sie meinen, wie in einer Bank?", fragte Cathy.

„So ähnlich. Aber die hier dürfte rund um die Uhr im Einsatz sein."

„Die gehen wirklich kein Risiko ein", überlegte Victor. „Zwei Sicherheitstüren plus Kontrolle durch einen Wachmann. Ganz zu schweigen von dem Sicherheitsbeamten am Eingang."

„Vergiss die Lasersperre nicht."

„Was?"

„Dieser Innenraum." Ollie deutete auf das Herzstück des Diagramms. „Laserstrahlen, die aus unterschiedlichen Winkeln einfallen. Sie schlagen bei jeder Bewegung Alarm. Alles, was größer ist als eine Ratte, löst sofort ein Signal aus."

„Wie kann man den Laser ausschalten?"

„Das muss der Wachmann tun. Alle Kontrollfunktionen laufen auf seinem Schaltpult zusammen."

„Das können Sie alles an dem Diagramm erkennen?", fragte Cathy. „Ich bin beeindruckt."

„Das ist nicht so schwer", grinste Ollie. „Die Firma Bach entwickelt auch solche Sicherheitssysteme."

Victor schüttelte den Kopf. „Das sieht unüberwindbar aus. Da kommen wir nie durch."

Cathy runzelte die Stirn. „Moment mal – wovon redest du? Du hast doch nicht etwa vor, in das Gebäude einzubrechen?"

„Darüber haben wir schon letzte Nacht diskutiert", antwortete Victor. „Es ist vermutlich die einzige Möglichkeit …"

„Bist du verrückt? Viratek hat uns auf die Todesliste gesetzt, und du willst da einbrechen?"

„Da liegen die Beweise, die wir brauchen", wandte Ollie ein. „Wenn man sich an die Zeitungen oder das Justizministerium wendet, werden sie Beweise verlangen. Sie können davon ausgehen, dass Viratek alles abstreiten wird. Selbst wenn jemand eine Untersuchung in Gang setzt, braucht Viratek das Virus nur zu vernichten und … puff! … ist das ganze Belastungsmaterial verloren. Niemand kann auch nur das Geringste beweisen."

„Du hast die Fotos …"

„Schon. Ein paar Seiten mit Zahlen von Tierversuchen. Das Virus kann aber nicht identifiziert werden. Und diese Beweise könnten von einem … sagen wir mal … gefeuerten Mitarbeiter stammen, der mit der Firma noch ein Hühnchen zu rupfen hat."

„Was ist denn dann ein Beweis? Was brauchen sie noch? Eine weitere Leiche? Die von Victor beispielsweise?"

„Was wir brauchen, ist das Virus – ein Virus, das angeblich ausgerottet ist. Ein einziges Reagenzgläschen reicht aus, und die Anklage ist in trockenen Tüchern."

„Ein einziges Reagenzgläschen. Okay." Cathy schüttelte den Kopf. „Ich weiß nicht, warum ich mir überhaupt Sorgen mache. Niemand kommt durch diese Türen. Jedenfalls nicht ohne den Zugangscode."

„Aber den haben wir doch!" Ollie wedelte mit dem zweiten Foto. „Die geheimnisvollen Zahlen. Sehen Sie, sie ergeben doch einen Sinn. Zwei Reihen von sieben Ziffern. Das sind keine Telefonnummern. Jerry zeigt uns hier den Weg durch das Sicherheitssystem von Viratek, das keiner knacken kann."

„Und was ist mit den Laserstrahlen?" Cathy wurde zunehmend nervöser. Das konnten die beiden doch nicht ernst meinen! Ihnen musste doch klar sein, dass diese Mission zum Scheitern verurteilt war. Es war ihr egal, ob man ihr ihre Angst ansehen konnte. Wenigstens eine von ihnen musste an den gesunden Menschenverstand appellieren. „Nicht zu vergessen die Wachleute", fuhr sie fort. „Davon gibt's zwei. Habt ihr irgendeine Idee, wie ihr an denen vorbeikommen könnt? Oder hat Jerry auch Tipps hinterlassen, wie man unsichtbar wird?"

Ollie warf Victor einen unbehaglichen Blick zu. „Ähm, vielleicht solltet ihr beiden das erst mal allein ausdiskutieren. Ehe wir weitere Pläne machen."

„Ich dachte, ich wäre ein Teil von alldem", sagte Cathy. „An jeder Entscheidung beteiligt. Wahrscheinlich habe ich mich geirrt."

Die beiden Männer blieben stumm. Ihr Schweigen machte Cathy nur noch wütender. Du hast mich also ausgeschlossen, dachte sie. *Du respektierst meine Meinung nicht genug, um mich zu fragen, was ich darüber denke oder was ich möchte.*

Ohne ein weiteres Wort drehte sie sich um und ging davon.

Sekunden später hatte Victor sie eingeholt. Mit verschränkten Armen, um sich gegen die Kälte zu schützen, stand sie auf dem Trampelpfad. Sie hörte seine Schritte, spürte seine Unsicherheit, seine Suche nach den richtigen Worten. Einen Moment blieb er einfach stumm neben ihr stehen.

„Ich denke, wir sollten fliehen", ergriff sie schließlich das Wort. Zitternd betrachtete sie den ausgetrockneten See. Der Wind, der über die Schilfrohre wehte, war kalt und beißend; er drang direkt durch ihren Pullover. „Ich möchte weg von hier", fuhr sie fort. „Ich möchte dahin, wo es warm ist. Ein Ort, an dem die Sonne scheint, wo ich am Strand liegen kann und mir keine Sorgen machen muss, von irgendjemandem beobachtet zu werden ..." Als ihr diese schreckliche Möglichkeit wieder bewusst wurde, drehte sie sich um und starrte auf die Eichen, die hinter ihnen aufragten. Alles, was sie wahrnahm, war das Rascheln toter Blätter.

„Ich bin ganz deiner Meinung", stimmte Victor ihr leise zu.

„Wirklich?" Erleichtert wandte sie sich ihm zu. „Dann lass uns gehen, Victor! Auf der Stelle! Vergiss diese verrückte Idee. Wir können den nächsten Bus nach Süden nehmen ..."

„Heute Nachmittag. Dann bist du unterwegs."

„Ich bin unterwegs?" Sie starrte ihn verständnislos an. Erst allmählich drang die Bedeutung seiner Worte bis in ihr Bewusstsein vor. „Du kommst nicht mit."

Langsam schüttelte er den Kopf. „Ich kann nicht."

„Du meinst, du willst nicht."

„Verstehst du denn nicht?" Er packte sie bei den Schultern, als wollte er sie schütteln, um sie zur Vernunft zu bringen. „Wir stehen mit dem Rücken zur Wand. Wenn wir nicht endlich etwas tun – wenn ich nicht etwas tue –, werden wir immer auf der Flucht sein."

„Dann hauen wir doch ab!" Ihre Finger umklammerten seinen Anorak. Am liebsten hätte sie ihn angeschrien, ihm die kühle Maske der Vernunft heruntergerissen und die nackten Gefühle darunter bloßgelegt. Irgendwo mussten sie doch sein – ganz weit hinten in seinem durch und durch logisch denkenden Gehirn. „Wir könnten nach Mexiko gehen", schlug sie vor. „Ich kenne da einen Ort an der Küste – Baja. Ein kleines Hotel am Strand. Wir könnten dort ein paar Monate bleiben und warten, bis Gras über die Sache gewachsen ist …"

„Über diese Sache wird niemals Gras wachsen."

„Doch. Irgendwann werden sie uns vergessen …"

„Du denkst nicht logisch."

„Und ob. Ich denke darüber nach, dass ich gerne am Leben bleiben würde."

„Und genau deshalb muss ich das tun." Er legte ihr seine Hände an die Wangen, so dass sie ihm in die Augen schauen musste. Er war nicht länger der Liebhaber, der Freund. Seine Stimme klang kühl und bestimmend – genau jener Tonfall von Autorität, den sie verabscheute. „Ich versuche, dich am Leben zu halten", erklärte er. „Damit du eine Zukunft hast. Und die einzige Möglichkeit, wie ich das schaffen kann, besteht darin, die Sache zum Platzen zu bringen, damit die ganze Welt davon erfährt. Das bin ich dir schuldig. Und ich bin es Jerry schuldig."

Sie hätte gern mit ihm diskutiert, hätte ihn am liebsten angefleht, mit ihr zu kommen, aber sie wusste, dass es zwecklos war. Er sagte die Wahrheit. Flucht war nur eine kurzfristige Lösung. Ein paar Monate wären sie vielleicht in Sicherheit, aber es wäre eben nur eine Zeit lang.

„Tut mir leid, Cathy", fuhr er leise fort. „Mir fällt nichts anderes ein …"

„… als mich loszuwerden", beendete sie den Satz für ihn.

Er ließ sie los. Sie trat einen Schritt zurück, und der Abstand zwischen ihnen wurde ihr beinahe schmerzlich bewusst. Sie brachte es nicht fertig, ihn anzusehen, denn sie wusste, dass der Kummer, den sie fühlte, sich in seinen Augen spiegeln würde. „Wie geht es denn weiter?", fragte sie lahm. „Fahre ich heute Abend? Nehme ich ein Flugzeug, den Zug oder das Auto?"

„Ollie fährt dich zum Flughafen. Ich habe ihn gebeten, ein Ticket unter seinem Namen zu kaufen – Mrs Wozniak. Er wird dich verabschieden müssen. Wir dachten, es sei sicherer, wenn ich nicht mit zum Flughafen komme."

„Natürlich."

„Dann bist du erst mal in Mexiko. Ollie wird dir genug Geld mitgeben, damit du eine Weile über die Runden kommst. Genug, um überall hinzukommen, wo du von dort aus hinfahren willst. Baja. Acapulco. Oder du bleibst einfach bei Jack, wenn du das für besser hältst."

„Jack." Sie wandte sich ab, damit er ihre Tränen nicht sah. „Okay."

„Cathy." Sie spürte seine Hand auf ihrer Schulter, als ob er sie zu sich drehen und ein letztes Mal in den Arm nehmen wollte. Sie rührte sich nicht vom Fleck.

Schritte kamen näher. Beide drehten sich um. Ollie stand ein paar Meter entfernt. „Bereit zur Abfahrt?", fragte er.

Ein langes Schweigen entstand. Schließlich nickte Victor. „Sie ist bereit."

„Ähm … gut." Ollie spürte, dass er einen schlechten Moment für sein Auftauchen gewählt hatte. „Mein Wagen steht da drüben am Bootshaus. Wenn Sie wollen, kann ich … ähm … dort auf Sie warten …"

Wütend wischte Cathy sich eine Träne ab. „Nein", sagte sie mit plötzlicher Entschlossenheit. „Ich komme."

Victor stand stocksteif und sah sie an. Sein Blick war seltsam kühl und distanziert.

„Leb wohl, Victor", sagte sie.

Er antwortete nicht. Er sah sie nur weiterhin mit diesem seltsamen Ausdruck an – wie durch einen Nebel, einen schrecklichen Nebel.

„Falls ich … falls ich dich nicht wiedersehe …" Sie hielt inne und rang um Fassung. Sie wollte genauso mutig und unverletzbar sein. „Pass auf dich auf", beendete sie ihren Satz. Dann drehte sie sich um und folgte Ollie den Pfad hinunter.

Durch das Autofenster erhaschte sie einen letzten Blick auf Victor. Er stand immer noch auf dem Weg, der am See entlanglief, die Hände in die Taschen gesteckt, die Schultern gegen den Wind gestemmt. Er winkte ihr nicht zum Abschied zu. Er sah ihnen einfach nur nach, wie sie davonfuhren.

Dieses Bild würde sie für immer in ihrem Herzen bewahren – der Mann, der sie liebte und den sie kaum noch erkennen konnte. Der Mann, der sie fortgeschickt hatte.

Als Ollie auf die Straße einbog, saß sie starr und still neben ihm, die Fäuste in den Schoß gelegt, der Kloß in ihrem Hals so groß, dass sie kaum atmen konnte. Jetzt war er hinter ihnen. Sie konnte ihn nicht sehen, aber sie wusste, dass er immer noch an derselben Stelle stand, ebenso unbeweglich wie die Eichen, die ihn umgaben. Ich liebe dich, dachte sie. *Und ich werde dich nie wiedersehen.*

Sie wandte den Kopf, um noch einmal zurückzuschauen. Er war bereits ganz weit entfernt, fast verloren inmitten der Bäume. Zum Abschied legte sie die Hand auf die Scheibe.

Das Glas war kalt.

„Ich muss noch mal ins Labor", sagte Ollie, während er auf den Parkplatz des Krankenhauses bog. „Ich habe nämlich mein Scheckheft im Schreibtisch vergessen. Ohne kann ich Ihnen kein Flugticket kaufen."

Cathy nickte müde. Sie war noch immer in einer Art von Schock und versuchte, sich darüber klar zu werden, dass sie nun allein auf sich gestellt war. Dass Victor sie fortgeschickt hatte.

Ollie blieb auf einem Platz stehen, der mit einem Schild versehen war: „Reserviert für Wozniak". „Ich brauche nur eine Sekunde."

„Soll ich mit Ihnen kommen?"

„Sie warten besser im Wagen. Meine Kollegen sind ziemlich neugierig. Wenn sie mich in Begleitung einer Frau sehen, löchern sie mich sofort mit Fragen. Obwohl ich gar nichts zu beantworten habe." Er stieg aus und schloss die Tür. „Bin gleich wieder da."

Cathy sah ihn davongehen und in einem Seiteneingang verschwinden. Sie musste lächeln, als sie sich Ollie Wozniak in Begleitung einer Frau vorstellte – irgendeiner Frau. Es sei denn, sie war selbst promovierte Wissenschaftlerin und ertrug seine wissenschaftlichen Monologe mit Engelsgeduld.

Eine Minute verstrich.

Irgendwo krächzte ein Vogel. Cathy betrachtete die Bäume, die den Weg zum Krankenhaus säumten, und entdeckte den Häher, der auf einem unteren Ast hockte. Ansonsten bewegte sich nichts – nicht einmal die Blätter.

Sie lehnte sich zurück und schloss die Augen.

Zu wenig Schlaf, zu viel Aufregung – der Stress forderte seinen Tribut. Auf einmal überfiel sie eine so große Erschöpfung, dass sie befürchtete, nie mehr ein Glied bewegen zu können. Ein Strand, dachte sie. *Warmer Sand. Wellen, die meine Füße umspülen …*

Abrupt endete der Schrei des Hähers. Wie aus weiter Ferne registrierte Cathy die plötzliche Stille. Kurz darauf nahm sie in ihrem Halbschlaf den Schatten wahr – wie eine Wolke, die sich vor die Sonne schob.

Sie öffnete die Augen. Ein Gesicht starrte sie durch das Glas an.

Panisch wollte sie die Tür verriegeln. Doch ehe sie den Knopf hinunterdrücken konnte, wurde die Tür aufgerissen. Jemand hielt ihr eine Dienstmarke vors Gesicht.

„FBI", bellte der Mann. „Steigen Sie bitte aus."

Langsam folgte Cathy der Aufforderung. Mit weichen Knien lehnte sie an der Tür. Ollie, dachte sie, während ihr Blick zum Krankenhauseingang schweifte. *Wo bleibst du?* Wenn er auftauchte, musste sie bereit sein, wegzurennen, quer über den Parkplatz zu fliehen und hinein in den Wald. Sie bezweifelte, dass der Mann mit der Dienstmarke ihr auf den Fersen bleiben konnte. Seine kurzen Beine und ausladende Taille sprachen gegen athletische Fähigkeiten.

Aber er muss eine Waffe haben. Würde er mir in den Rücken schießen, wenn ich davonlaufe?

„Denken Sie nicht einmal daran, Ms Weaver", sagte der Mann. Er packte sie am Arm und drängte sie zum Krankenhauseingang. „Gehen Sie hinein."

„Aber …"

„Dr. Wozniak wartet im Labor auf uns."

Mit Warten war Ollies missliche Lage nur unzureichend beschrieben. Gefesselt und unbeweglich traf es viel besser. Er lag gekrümmt über dem Schreibtisch, an dessen einem Bein er mit Handschellen gefesselt war. Drei seiner Kollegen standen dabei und starrten ihn entgeistert an.

„Zurück an die Arbeit, Jungs." Der Agent scheuchte die Zuschauer aus dem Büro. „Das ist nur eine Routineangelegenheit." Er schlug die Tür zu und drehte den Schlüssel herum. Dann wandte er sich an Cathy und Ollie. „Ich muss Victor Holland finden", begann er. „Und zwar so schnell wie möglich."

„Himmel", murmelte Ollie in seinen Bart. „Der Typ klingt wie eine gesprungene Schallplatte."

„Wer sind Sie?", wollte Cathy wissen.

„Ich heiße Sam Polowski. Ich arbeite im FBI-Büro in San Francisco." Er zog seine Dienstmarke hervor und knallte sie auf den Schreibtisch. „Schauen Sie genauer hin, wenn Sie wollen. Die ist echt."

„Entschuldigen Sie", rief Ollie, „könnte ich vielleicht eine bequemere Position einnehmen?"

Polowski beachtete ihn nicht. Er konzentrierte sich ausschließlich auf Cathy. „Ich glaube, ich muss es nicht noch extra betonen, Ms Weaver. Holland ist in Schwierigkeiten."

„Und Sie sind eines seiner größten Probleme", entgegnete sie.

„Genau da irren Sie." Polowski trat näher. Unverwandt schaute er sie an. Mit fester Stimme fuhr er fort: „Ich bin seine Hoffnung. Möglicherweise seine einzige Hoffnung."

„Sie wollen ihn töten."

„Ich nicht. Jemand anders, jemand, der es auch schaffen wird. Wenn ich es nicht verhindere."

Sie schüttelte den Kopf. „Ich bin nicht blöd. Ich kenne Ihre Absicht. Sie haben versucht …"

„Nicht ich. Der andere Kerl." Er griff nach dem Telefon auf dem Schreibtisch. „Hier." Er hielt ihr den Hörer hin. „Rufen Sie Milo Lum an. Fragen Sie ihn, was heute Morgen in seinem Haus passiert ist. Vielleicht kann er Sie davon überzeugen, dass ich auf Ihrer Seite stehe."

Cathy starrte den Mann an, während sie überlegte, welches Spiel er spielte. Und warum sie begann, ihm zu glauben. *Weil ich ihm glauben will.*

„Er ist ganz allein da draußen", fuhr Polowski fort. „Ein Mann, der die amerikanische Regierung in die Knie zwingen will. Er kennt das Spiel nicht besonders gut. Genau genommen kennt er es überhaupt nicht. Früher oder später wird er einen Fehler machen, eine Dummheit begehen. Und das war's dann." Er wählte die Nummer für sie und reichte ihr den Hörer erneut. „Machen Sie schon. Reden Sie mit Lum."

Das Telefon klingelte dreimal, ehe Milo sich meldete. „Hallo? Hallo?"

Langsam nahm sie den Hörer. „Milo?"

„Sind Sie das, Cathy? Gott sei Dank, ich habe gehofft, dass Sie sich melden …"

„Hören Sie, Milo, ich muss Sie etwas fragen. Es geht um einen Mann namens Polowski."

„Ich habe ihn kennengelernt."

„Wirklich?" Sie schaute auf. Polowski nickte eifrig.

„Das war mein Glück", fuhr Milo fort. „Der Kerl ist zwar charmant wie ein ausgelatschter Turnschuh, aber er hat mir das Leben gerettet. Ich weiß nicht, was Gersh sich dabei gedacht hat. Ist er bei Ihnen? Ich muss …"

„Danke, Milo", murmelte sie. „Vielen Dank." Sie legte den Hörer auf.

Polowski sah sie immer noch an.

„Gut", sagte sie schließlich. „Erzählen Sie mir Ihre Version. Von Anfang an."

„Und dann werden Sie mir helfen?"

„Ich habe mich noch nicht entschieden." Sie verschränkte die Arme. „Überzeugen Sie mich."

Polowski nickte. „Genau das habe ich vor."

10. KAPITEL

Victor durchlitt einen langen und furchtbaren Nachmittag. Nachdem er den See hinter sich gelassen hatte, wanderte er eine Weile ziellos auf dem Universitätsgelände umher und landete schließlich auf dem zentralen Campus. Umgeben von Gebäuden aus Sandstein und Klinkerfassaden, versuchte Victor, sich auf das Wesentliche zu konzentrieren: wie er Viratek entlarven konnte. Aber seine Gedanken wanderten immer wieder zu Cathy. Er konnte ihren letzten Blick nicht vergessen: verletzt, einsam, enttäuscht.

Als ob ich sie verraten hätte.

Wenn sie doch nur einsehen würde, dass er nur das Beste für sie wollte. Er war Wissenschaftler, ein Mann, dessen Leben und Arbeit von Logik gesteuert wurde. Sie wegzuschicken war in diesem Fall das Logischste, das er tun konnte. Seine Verfolger kamen immer näher; die Schlinge um seinen Hals wurde immer enger. Er selbst konnte mit der Gefahr umgehen. Schließlich hatte er sich dazu entschlossen, den Kampf für Jerry weiterzuführen und ihn bis zum bitteren Ende durchzustehen.

Er hatte sich allerdings nicht dazu entschlossen, Cathy in Gefahr zu bringen. *Jetzt ist sie aus dem Schlamassel heraus und auf dem Weg zu einem sicheren Ort. Eine Sorge weniger. Zeit, sie mir aus dem Kopf zu schlagen.*

Als ob das so einfach wäre!

Er starrte hinauf zu den romanischen Bögen der Gebäude rund um den Kolleghof und versuchte sich einzureden, dass er genau das Richtige getan hatte, was Cathy anging. Dennoch blieb ein Gefühl von Unbehagen zurück. Wo mochte sie in diesem Augenblick sein? Hoffentlich in Sicherheit! Sie war erst eine Stunde fort, und doch vermisste er sie bereits.

Er zuckte mit dem Schultern, als ob er mit dieser Geste seine Befürchtungen abschütteln könnte. Doch sie blieben und nagten unentwegt weiter an ihm. Er fand eine Stelle unter einem Dachvorsprung, setzte sich auf die Stufen und wartete auf Ollies Rückkehr.

Und er wartete noch immer, als es bereits zu dämmern begann. Im verschwindenden Licht des Tages wanderte er unruhig auf dem steinernen Atrium auf und ab. Immer wieder rechnete er die Stunden nach, die Ollie für die Fahrt zum Flughafen von San José und zurück benötigte. Er berücksichtigte Staus, rote Ampeln, Wartezeit am Flugschalter. Drei Stunden mussten eigentlich reichen. Bestimmt saß Cathy schon im Flugzeug, auf dem Weg in wärmere Gefilde.

Wo blieb Ollie nur?

Als er Schritte hörte, fuhr er herum. Einen Moment lang konnte er nicht glauben, was er sah, verstand nicht, wie es sein konnte, dass sie hier stand, eine schmale Gestalt unter dem steinernen Bogengang. „Cathy?"

Sie trat hinaus auf den Platz. „Victor", antwortete sie leise, während sie näher kam – langsam zunächst, dann schneller, bis sie fast triumphierend in seine ausgebreiteten Arme flog. Er umarmte sie, schwenkte sie im Kreis, küsste ihr Haar, ihr Gesicht. Er verstand nicht, warum sie hier war, aber er freute sich darüber, dass sie es war.

„Ich weiß nicht, ob ich das Richtige getan habe", murmelte sie. „Ich hoffe bei Gott, dass es richtig war."

„Warum bist du zurückgekommen?"

„Ich war mir nicht sicher ... bin mir immer noch nicht sicher ..."

„Cathy, was redest du da?"

„Du kannst das nicht allein durchstehen. Und er kann dir helfen ..."

„Wer?"

Aus dem Zwielicht erklang eine andere Stimme, barsch und nicht gerade beruhigend. „*Ich.*"

Sofort erstarrte Victor. Über Cathys Schulter hinweg schaute er zum Bogengang hinüber. Ein Mann wurde sichtbar und kam langsam auf ihn zu. Er war nicht sehr groß, und mit seinem Körper hätte er gut das „Vorher" in einer Werbung für Gewichtsabnahme repräsentieren können. Breitbeinig stellte er sich vor Victor auf den gepflasterten Innenhof.

„'Tag, Holland", begrüßte er ihn. „Ich bin froh, dass wir uns endlich treffen. Mein Name ist Polowski."

Victor drehte sie um und sah Cathy ungläubig an. „Warum?", fragte er mit kaum verhohlenem Zorn. „Sag's mir. Warum?"

Sie reagierte, als hätte er ihr eine Ohrfeige versetzt. Vorsichtig griff sie nach seinem Arm, aber er zog ihn sofort zurück.

„Er möchte helfen." Vor Enttäuschung klang sie ganz deprimiert. „Hör ihn bitte an."

„Ich weiß nicht, ob es etwas bringt, ihn anzuhören. Jedenfalls nicht jetzt." Ihm kam es vor, als hätte er soeben eine große Niederlage erlitten, und er fühlte sich auf einmal ganz matt. Er verstand es nicht, und er würde es niemals verstehen. Es war vorbei – die Flucht, das Schwanken zwischen Hoffen und Bangen. All das nur, weil Cathy ihn verraten hatte. Gelassen wandte er sich an Polowski. „Ich nehme an, ich bin festgenommen", sagte er.

„Falsch", konterte Polowski mit einer Kopfbewegung zum Bogengang. „Er hat schließlich meine Waffe."

„Was?"

„He, Gersh. Hier herüber", schrie Ollie. „Siehst du, ich habe ihn unter Kontrolle."

Polowski zuckte zusammen. „Teufel, müssen Sie so mit dem verdammten Ding herumfuchteln?"

„Entschuldigung", sagte Ollie zerknirscht.

„Sind Sie jetzt überzeugt, Holland?", fragte Polowski. „Glauben Sie wirklich, ich würde meine Knarre einem solchen Idioten überlassen, wenn ich nicht mit Ihnen reden wollte?"

„Er sagt die Wahrheit", beharrte Cathy. „Er hat Ollie die Pistole gegeben. Er ist das Risiko eingegangen – nur um dich treffen zu können."

„Keine gute Idee, Polowski." Victor klang verbittert. „Haben Sie schon vergessen, dass ich wegen Mordes gesucht werde? Und wegen Industriespionage? Woher wollen Sie wissen, dass ich Sie nicht abknalle?"

„Weil ich weiß, dass Sie unschuldig sind."

„Macht das einen Unterschied?"

„Für mich schon."

„Warum?"

„Sie haben da was ganz Großes aufgewühlt. Etwas, das Sie Kopf und Kragen kosten kann. Mein Boss versucht alles, um mich von dem Fall fernzuhalten. Ich mag es aber nicht, wenn man mich von einem Fall abzieht. Das verletzt mein empfindliches Ego."

In der zunehmenden Dämmerung musterten sich die beiden Männer.

Schließlich nickte Victor. Er warf Cathy einen Blick zu, der um Verzeihung bat, weil er ihr nicht geglaubt hatte. Im selben Moment lag sie in seinen Armen, und er hatte das Gefühl, dass seine Welt wieder in Ordnung war.

Als er ein vernehmliches Räuspern hörte, drehte er sich um. Polowski hielt ihm die Hand entgegen. Victor schüttelte sie – eine Geste, die sowohl seinen Untergang als auch seine Rettung bedeuten konnte.

„Ich bin lange genug hinter Ihnen hergejagt", sagte Polowski. „Es wird höchste Zeit, dass wir zusammenarbeiten."

„Womit wir es hier zu tun haben", erklärte Ollie, „ist im Grunde eine ganz normale Folge von ‚Mission Impossible'."

Sie hatten sich in Polowskis Hotelzimmer versammelt. Milo hatte das Quintett soeben *Die älteren Verstimmten* getauft. Auf dem Tisch mitten im Zimmer standen Kartoffelchips und Bier; daneben lagen die Fotos, auf denen das Sicherheitssystem von Viratek in allen Einzelheiten zu sehen war. Außerdem gab es einen Lageplan des Areals – insgesamt sechzehn Hektar mit Gebäuden und Grünflächen, gesichert durch einen elektrischen Zaun. Seit einer Stunde studierten sie nun schon die Fotos. Es schien unmöglich, die Aufgabe, die vor ihnen lag, zu lösen.

„Nicht leicht, da reinzukommen", meinte Ollie kopfschüttelnd. „Selbst wenn die Zugangscodes noch gültig sind, darfst du das Sicherheitspersonal nicht vergessen: zwei Wachen an zwei Positionen. Die werden dich niemals durchlassen."

„Es muss einen Weg geben", beharrte Polowski. „Kommen Sie, Holland. Sie sind der Intellektuelle. Benutzen Sie Ihr kreatives Hirn."

Cathy schaute zu Victor. Während die anderen mit Vorschlägen um sich geworfen hatten, war er recht still geblieben. Dabei ist er derjenige, bei dem am meisten auf dem Spiel steht – sein Leben, dachte sie. Es brauchte beträchtlichen Mut – oder Tollkühnheit –, einen solchen Schritt auch nur in Betracht zu ziehen. Trotzdem betrachtete er den Lageplan so gelassen, als ob er nichts Riskanteres als einen Sonntagsausflug plante.

Er musste ihren Blick gespürt haben, denn er legte den Arm um sie und zog sie an sich. Jetzt, da sie wieder beisammen waren, genoss sie jede gemeinsame Sekunde, prägte sich jeden Blick und jede liebevolle Geste ein. Schon bald wurde er vielleicht wieder von ihr getrennt. Wenn er seinen Plan in die Tat umsetzte, lief er möglicherweise direkt in eine Todesfalle.

Er drückte ihr einen Kuss auf die Stirn. Dann wandte er sich zögernd wieder dem Lageplan zu.

„Die elektronischen Sicherheitsvorkehrungen machen mir keine Sorgen", erklärte er. „Nur die Menschen. Die Wachen."

Milo deutete mit dem Kopf zu Polowski. „Ich schlage vor, Edgar J. Hoover hier beschafft sich einen Durchsuchungsbefehl und stellt die Firma auf den Kopf."

„Tolle Idee", schnaubte Polowski. „Ehe der Richter den Wisch unterschreibt und Dafoe und der Cousin Ihrer Tante Minnie davon erfahren, hat Viratek aus dem Laden eine Firma für Säuglingsnahrung gemacht. Nein, wir müssen da auf eigene Faust rein. Keiner darf etwas davon erfahren." Er schaute Ollie an. „Sind Sie sicher, dass es der einzige Beweis ist, den wir brauchen?"

Ollie nickte. „Ein Reagenzglas dürfte ausreichen. Das bringen wir dann zu einem neutralen Labor, lassen uns bestätigen, dass es sich um Pocken handelt, und Ihr Fall ist wasserdicht."

„Und die können sich nicht rausreden?"

„Nein. Das Virus existiert offiziell nicht mehr. Jedes Unternehmen, das mit virulenten Exemplaren experimentiert, ist allein schon dadurch erledigt."

„Das gefällt mir." Polowski grinste. „*Allein schon dadurch erledigt.* Kein noch so gewiefter Viratek-Anwalt kann das wegdiskutieren."

„Aber erst mal müssen wir an das Reagenzglas kommen", erinnerte Ollie ihn. „Und so, wie ich die Sache sehe, ist das ein Ding der Unmöglichkeit. Es sei denn, wir entschließen uns zu einem bewaffneten Raubüberfall."

Einen beängstigenden Moment lang schien Polowski tatsächlich ernsthaft über diese Möglichkeit nachzudenken. „Nein", meinte er schließlich. „Das käme vor Gericht nicht gut an."

„Außerdem würde ich niemals einen anderen Menschen erschießen", sagte Ollie. „Das verstößt gegen meine Prinzipien."

„Auch gegen meine", pflichtete Milo ihm bei.

„Aber Diebstahl ist akzeptabel", fügte Ollie hinzu.

Polowski sah Victor an. „Eine Truppe mit hohen moralischen Standards."

Victor grinste. „Überbleibsel aus den Sechzigern."

„Das klingt ja so, als seien wir wieder bei unserer ersten Möglichkeit gelandet", fasste Cathy zusammen. „Wir müssen das Virus stehlen." Sie betrachtete den Lageplan und den elektrischen Zaun, der das gesamte Gelände umgab. Die Straße führte direkt zum Haupteingang. Abgesehen von einem Weg, der gleichzeitig als Zufahrt für die Feuerwehr diente und mit dem Hinweis *Keine Instandhaltung* versehen war, gab es offenbar keine weiteren Zugänge.

„Na gut", fuhr sie fort. „Nehmen wir mal an, ihr kommt durch den Haupteingang ins Gebäude. Dann sind da immer noch zwei verschlossene Türen, zwei Wachleute und eine Lasersicherung. Ich bitte euch …"

„Die Türen sind nicht das Problem", entgegnete Victor. „Sondern die beiden Wachleute."

„Wie wäre es mit einem Ablenkungsmanöver?", schlug Milo vor. „Vielleicht können wir einen Brand legen."

„Und holen uns auch noch die Feuerwehr dazu? Keine gute Idee." Victor schüttelte den Kopf. „Außerdem habe ich schon mal mit dem Wachmann, der nachts am Haupttor sitzt, gesprochen. Ich kenne ihn also. Und der hält sich strikt an seine Anweisungen. Verlässt nie das Wachhaus. Und beim ersten Anzeichen von irgendetwas Verdächtigem drückt er auf den Alarmknopf."

„Vielleicht könnte Milo einen Zugangspass fälschen", warf Ollie ein. „Wie damals … als er uns mit falschen Führerscheinen versorgt hat."

Polowski zog die Augenbrauen hoch. „Er hat Dokumente gefälscht?"

„He, ich habe nur das Alter auf einundzwanzig geändert", protestierte Milo.

„Er hat auch tolle Pässe gemacht", ergänzte Ollie. „Ich hatte einen aus dem Königreich Abstrasien. Damit bin ich in Athen problemlos durch den Zoll gekommen."

„Echt?" Polowski sah beeindruckt aus. „Was meinen Sie, Holland, könnte das klappen?"

„Vergessen Sie's! Der Wachmann hat eine Liste mit sämtlichen Angestellten, die Zugang zur Sicherheitszone haben. Wenn er ein Gesicht nicht kennt, wird er zwei Mal nachschauen."

„Aber manchmal lässt er Leute auch einfach so passieren?"

„Klar. Die Bosse. Die, die er sofort …", Victor hielt inne und schaute Cathy an, „erkennt. Himmel. Das könnte funktionieren."

Cathy erwiderte den Blick und erriet sofort seine Gedanken. „Nein", erwiderte sie. „So einfach ist das nicht. Ich muss den Betreffenden sehen. Ich brauche Abgüsse von seinem Gesicht. Fotos aus jeder Perspektive, alle Details …"

„Aber du *könntest* es tun. Du tust es doch andauernd."

„Im Film funktioniert es. Aber hier würdet ihr euch gegenüberstehen. Von Gesicht zu Gesicht."

„Es ist Nacht, er sieht dich nur durchs Autofenster. Oder eine Aufnahme von der Videokamera. Wenn du mich so schminken könntest, dass ich wie einer der Bosse aussehe …"

„Wovon reden Sie?", unterbrach Polowski ihn.

„Cathy ist Maskenbildnerin. Horrorfilme und so. Spezialeffekte."

„Das ist aber ein Unterschied." Cathy blieb hartnäckig. Der Unterschied bestand darin, dass Victor mit seinem Leben spielte. Er konnte nicht von ihr verlangen, dass sie so etwas tat. Wenn irgendetwas schiefginge, wäre sie verantwortlich. Seinen Tod auf dem Gewissen zu haben wäre mehr, als sie ertragen könnte.

Sie schüttelte den Kopf und hoffte, dass sie entschlossen genug wirkte, um ihn zu überzeugen. „Es steht zu viel auf dem Spiel", beharrte sie. „Es ist nicht so einfach wie ... wie *Die Schleimmonster*."

„Sie haben *Die Schleimmonster* gemacht?", fragte Milo. „Klasse Film."

„Außerdem ist es gar nicht so leicht, ein Gesicht nachzubilden", fuhr Cathy fort. „Ich muss einen Abdruck gießen, um die Physiognomie richtig hinzukriegen. Und dafür brauche ich ein Modell."

„Sie meinen das Original?", fragte Polowski.

„Genau. Das Original. Und ich bezweifle, dass Sie einen Viratek-Boss dazu bringen, sich vor mich hinzusetzen und von mir Gips ins Gesicht schmieren zu lassen."

Ein langes Schweigen entstand.

„Damit hätten wir ein Problem", sagte Milo schließlich.

„Nicht unbedingt."

Alle Blicke richteten sich auf Ollie.

„Wie meinst du das?", fragte Victor.

„Da gibt es einen Kollegen, der manchmal mit mir zusammenarbeitet. Im Labor ..."

Mit selbstzufriedenem Grinsen schaute Ollie in die Runde. „Er ist Tierarzt."

Die Ereignisse der vergangenen Wochen lasteten schwer auf Archibald Blacks Schultern – so schwer, dass er Mühe hatte, seinen alltäglichen Arbeiten nachzukommen. Allein die Fahrt zu Viratek und zurück war für ihn eine Qual. Und sich dann an seinen Schreibtisch zu setzen, seiner Sekretärin ins Gesicht zu sehen und so zu tun, als sei nichts, aber auch überhaupt nichts passiert, war mehr, als er bewältigen konnte. Er war Wissenschaftler, kein Schauspieler.

Und kein Krimineller.

Aber so würden sie ihn bezeichnen, wenn die Experimente in Gebäude C jemals ans Licht der Öffentlichkeit kämen. Sein Instinkt riet ihm, das Labor zu schließen und den Inhalt der Brutkästen zu vernichten. Doch Matthew Tyrone bestand darauf, dass die Forschung fortgesetzt wurde. Sie waren so dicht vorm Ziel. Immerhin wurde das Projekt vom Verteidigungsministerium gefördert, also erwartete man dort auch Ergebnisse. Die Sache mit Victor Holland war nur eine kleine Panne, die bald behoben sein würde. Ihm blieb nichts anderes übrig, als weiterzumachen.

Tyrone hat leicht reden, dachte Black. *Tyrone hat kein Gewissen, das ihn plagt.*

Diese Überlegungen hatten ihn den ganzen Tag beschäftigt. Während er seine Aktentasche packte, verspürte er auf einmal den unbändigen Drang, sein teakholzgetäfeltes Büro für immer zu verlassen und sich in einen harmlosen, unauffälligen Job zu flüchten. Mit einem Seufzer der Erleichterung ging er zur Tür hinaus.

Es war bereits dunkel, als er in den Kiesweg einbog, der zu seinem Haus führte. Aus Zedernholz und Glas gebaut, sah es aus wie eine Zigarrenkiste, die sich unter den Bäumen duckte. Es wirkte kalt und leer, und man sah ihm förmlich an, dass hier keine Frau lebte. Vielleicht sollte er Muriel, seine Nachbarin, anrufen. Sie wusste eine spontane Einladung zum Abendessen stets zu schätzen. Ihre Schlagfertigkeit und ihr grüner Salat machten die Tatsache, dass sie fünfundsiebzig Jahre alt war, allemal wett. Schade, dass es in seiner Generation kaum noch solche Muriels gab.

Er stieg aus dem Auto und ging zur Haustür. Auf halbem Weg hörte er ein leises Zischen, und im selben Moment spürte er einen heftigen Schmerz im Nacken. Automatisch schlug er danach und bekam etwas zu fassen. Verdattert betrachtete er den Pfeil. Woher war er gekommen, und warum war er in seinem Hals gelandet? Plötzlich merkte er, dass ihm die Gedanken im Kopf verschwammen. Außerdem hatte er Schwierigkeiten, deutlich zu sehen. Die Nacht war unversehens ein tintenschwarzes Loch geworden, und seine Beine schienen in einem Morast zu versinken. Die Aktentasche entglitt seinen Händen und landete mit einem dumpfen Geräusch auf der Erde.

Ich sterbe, dachte er. *Ob mich wohl jemand hier finden wird?*

Es war sein letzter klarer Gedanke, ehe er auf dem mit Blättern bedeckten Weg zusammensackte.

„Ist er tot?"

Ollie beugte sich nach vorn und lauschte auf Archibald Blacks Atemzüge. „Er lebt eindeutig. Aber er ist bewusstlos." Er schaute hoch zu Victor und Polowski. „Okay, beeilen wir uns. In etwa einer Stunde kommt er wieder zu sich."

Victor packte die Beine, Ollie und Polowski nahmen die Arme. Zusammen schleppten sie den bewusstlosen Mann ein paar Meter durch den Wald zu der Lichtung, wo der Van geparkt war.

„Sind Sie sicher, dass wir eine ganze Stunde haben?", keuchte Polowski.

„Mehr oder weniger", antwortete Ollie. „Das Beruhigungsmittel wird für große Tiere benutzt; die Dosis ist also nur grob geschätzt. Und der Typ wiegt mehr, als ich gedacht habe." Ollie war auch ganz außer Atem. „He, Polowski, er rutscht mir aus der Hand. Strengen Sie sich ein bisschen an."

„Tu ich doch. Ich glaube, der rechte Arm ist schwerer als der linke."

Die Seitentür des Vans war bereits geöffnet. Sie schoben Black hinein und schlossen die Schiebetür. Plötzlich wurde es hell, doch der bewusstlose Mann zuckte nicht einmal mit der Wimper.

Cathy kniete sich neben ihn und musterte kritisch sein Gesicht.

„Schaffst du es?", wollte Victor wissen.

„Klar schaffe ich das", entgegnete sie. „Die Frage ist nur, ob sie dich für ihn halten werden." Sie maß den Mann von Kopf bis Fuß und verglich ihn mit Victor. „Hat ungefähr deine Größe und Statur. Wir müssen dein Haar etwas dunkler färben und den Haaransatz spitzer machen. Dann könnte es klappen." Sie wandte sich an Milo, der seine Kamera bereithielt. „Machen Sie Ihre Fotos. Ein paar aus jeder Perspektive. Ich brauche auch Detailaufnahmen von seiner Frisur."

Während Milos Blitzlicht unentwegt aufflammte, streifte Cathy Handschuhe über und zog eine Schürze an. Sie deutete auf ein Laken. „Legen Sie ihm das um. Lassen Sie nur sein Gesicht frei. Ich möchte nicht, dass er aufwacht und Gips auf seiner Kleidung entdeckt."

„Wenn er überhaupt aufwacht", entgegnete Milo und betrachtete den reglosen Körper.

„Klar wacht er wieder auf", beruhigte Ollie ihn. „Und zwar genau dort, wo wir ihn getroffen haben. Wenn wir unsere

Arbeit richtig machen, wird Mr Archibald Black niemals erfahren, was mit ihm passiert ist."

Vom Regen wurde er wach. Kalte Tropfen fielen auf sein Gesicht und rannen ihm in den offenen Mund. Stöhnend drehte Black sich auf die Seite und spürte die Kieselsteine, die in seine Schulter stachen. Selbst in seinem Dämmerzustand war er sich der Tatsache bewusst, dass das alles keinen Sinn ergab. Langsam registrierte er, was nicht so war wie sonst: der Regen, der von der Decke tropfte, die Kieselsteine in seinem Bett, die Tatsache, dass er noch immer seine Schuhe trug ...

Endlich war er hellwach. Erstaunt stellte er fest, dass er in seiner Einfahrt lag, seine Aktentasche direkt neben ihm. Der Regen hatte sich inzwischen zu einem Wolkenbruch ausgewachsen – er musste sofort raus aus dem Unwetter. Halb kriechend und halb laufend schaffte Black es, die Stufen zur Veranda hinauf und ins Haus zu wanken.

Eine Stunde später saß er zusammengekauert in der Küche, eine Tasse Kaffee in der Hand, und versuchte eine Erklärung dafür zu finden, was geschehen war. Er erinnerte sich daran, sein Auto geparkt zu haben. Er hatte seine Aktentasche genommen und den Weg zum Haus offensichtlich halb geschafft. Und dann ... was war dann passiert?

Ein leichter Schmerz drang in sein Bewusstsein. Er rieb sich den Nacken. In dem Moment erinnerte er sich, dass etwas Merkwürdiges passiert war, kurz bevor er das Bewusstsein verloren hatte. Etwas, das mit dem Schmerz in seinem Nacken zu tun hatte.

Er stellte sich vor einen Spiegel und entdeckte einen winzigen roten Punkt auf der Haut. Ein absurder Gedanke schoss ihm durch den Kopf: Vampire. *Natürlich! Rede keinen Blöd-*

sinn, Archibald. Du bist Wissenschaftler. Denk dir etwas Logischeres aus.

Er ging zum Wäschekorb und fischte sein feuchtes Hemd heraus. Zu seinem Entsetzen entdeckte er einen Tropfen Blut am Kragen. Dann sah er, was die Ursache war: eine ganz gewöhnliche Stecknadel. Wahrscheinlich war sie von der Reinigung vergessen worden. Da war ja die logische Erklärung, nach der er gesucht hatte. Er war von einer Nadel gepikst worden und durch den plötzlichen Schmerz in Ohnmacht gefallen.

Angewidert warf er das Hemd beiseite. Morgen früh würde er als Erstes in die Wäscherei gehen und darauf bestehen, dass sein Anzug kostenlos gereinigt wurde.

Vampire! Von wegen!

„Selbst wenn die Beleuchtung schlecht ist, kannst du froh sein, wenn du damit durchkommst", sagte Cathy.

Sie trat zurück und musterte Victor lange und kritisch. Langsam ging sie um ihn herum, begutachtete das nachgedunkelte Haar, das falsche Gesicht, die neue Augenfarbe. Sie war dem Original so nahe wie möglich gekommen, aber es war nicht gut genug. Es wäre niemals gut genug – nicht wenn es um Victors Leben ging.

„Ich denke, er ist ihm wie aus dem Gesicht geschnitten", meinte Polowski. „Wo ist das Problem?"

„Das Problem ist: Mir wird plötzlich bewusst, was das für eine verrückte Idee ist. Ich schlage vor, wir lassen es bleiben."

„Sie haben den ganzen Nachmittag an ihm gearbeitet. Sogar die verdammten Sommersprossen auf seiner Nase haben Sie berücksichtigt. Was hätten Sie denn noch besser machen können?"

„Ich weiß es nicht. Ich habe eben kein gutes Gefühl bei der Sache."

Die vier Männer schwiegen, nachdem Cathy ihre Bedenken geäußert hatte.

Ollie schüttelte den Kopf. „Weibliche Intuition. Es wäre riskant, sie zu ignorieren."

„Jetzt erzähle ich Ihnen mal was von meiner Intuition", sagte Polowski. „Ich denke, es wird klappen. Und es ist unsere beste Option. Die beste Möglichkeit, den Fall wasserdicht zu machen."

Cathy wandte sich an Victor. „Du bist derjenige, der das Risiko eingeht. Es ist deine Entscheidung." Eigentlich wollte sie sagen: *Bitte tu's nicht. Bleib bei mir. Bleib am Leben und bei mir.* Aber beim Blick in seine Augen erkannte sie, dass er seine Entscheidung bereits getroffen hatte, und sosehr sie es sich auch wünschte, er würde niemals zu ihr gehören.

„Cathy, das wird schon klappen", beruhigte er sie. „Du musst nur daran glauben."

„Das Einzige, was ich glaube", erwiderte sie, „ist, dass sie dich töten werden. Und ich möchte nicht dabei sein, wenn es passiert."

Ohne ein weiteres Wort drehte sie sich um und ging zur Tür hinaus.

Draußen, auf dem nachtdunklen Parkplatz vor dem Rockabye Motel, schlang sie die Arme um den Körper. Eine Tür fiel ins Schloss, und Schritte näherten sich über den Asphalt.

„Du musst auch nicht bleiben", sagte er. „Es gibt immer noch diesen Strand in Mexiko. Heute Abend könntest du dahin fliegen und wärst raus aus dem Schlamassel."

„Möchtest du, dass ich gehe?"

Nach einer Pause erwiderte er: „Ja."

Sie zuckte mit den Schultern – ein missglückter Versuch, lässig zu erscheinen. „Na gut. Das wäre vermutlich am sinnvollsten. Ich habe meinen Teil ja dazu beigetragen."

„Du hast mir das Leben gerettet. Da schulde ich dir wenigstens ein Minimum an Sicherheit."

Sie drehte sich zu ihm. „Ist es das, was dir am meisten zu schaffen macht, Victor? Dass du mir etwas *schuldest*?"

„Was mir am meisten zu schaffen macht, ist der Umstand, dass du in die Schusslinie geraten könntest. Ich bin bereit, durch die Türen von Viratek zu gehen. Ich bin bereit, eine Menge dummer Sachen zu machen. Aber ich bin nicht bereit, zuzusehen, wie dir etwas geschehen könnte. Macht das irgendeinen Sinn für dich?" Er zog sie an sich. Wärme strömte durch ihren Körper, und sofort fühlte sie sich wieder sicher. „Cathy, Cathy. Ich bin nicht verrückt. Natürlich möchte ich nicht sterben. Aber ich sehe keine andere Möglichkeit, um diese Angelegenheit ..."

Sie drückte ihr Gesicht an seine Brust, spürte seinen Herzschlag, so fest und regelmäßig. Der Gedanke, dass dieses Herz nicht mehr schlagen könnte, dass diese Arme sie nicht mehr halten könnten, jagte ihr Angst ein. Er war mutig genug, um diesen verrückten Plan in die Tat umzusetzen. Warum war sie so hasenfüßig? Warum hatte sie kein Vertrauen? Jetzt bin ich so weit mit dir gegangen, dachte sie. *Wie könnte ich dich jetzt einfach verlassen? Jetzt, wo ich weiß, dass ich dich liebe?*

Die Tür zum Motel wurde geöffnet, und ein Lichtstreifen fiel über den Parkplatz. „Gersh?", rief Ollie. „Es wird spät. Wenn wir weitermachen wollen, müssten wir jetzt los."

Victor sah sie immer noch an. „Wie entscheidest du dich? Soll Ollie dich zum Flughafen bringen?", fragte er.

„Nein." Sie straffte die Schultern. „Ich komme mit dir."

„Bist du dir sicher, dass du das tun willst?"

„Seit einigen Tagen bin ich mir keiner Sache mehr sicher. Aber dazu habe ich mich jetzt entschlossen. Und dabei bleibe ich." Sie zwang sich zu einem Lächeln. „Abgesehen davon brauchst du mich vielleicht am Tatort. Falls dir dein Gesicht abfällt."

„Ich brauche dich noch für sehr viel mehr."

„Gersh?"

Victor nahm Cathys Hand. Sie entzog sie ihm nicht. „Schon unterwegs", verkündete Victor. „Wir sind schon unterwegs."

„Ich nähere mich dem Haupteingang. Ein Wärter ist im Häuschen. Niemand sonst zu sehen. Verstanden?"

„Laut und deutlich", antwortete Polowski.

„Okay. Ich mache mich dann auf den Weg. Wünschen Sie mir Glück."

„Wir bleiben am Ball. Hals- und Beinbruch." Polowski schaltete das Mikrofon aus und blickte in die Runde. „Also, Leute, er ist unterwegs."

Wohin? fragte Cathy sich. Sie schaute in die anderen Gesichter. Zu viert hockten sie in dem Van. Eine halbe Meile vor dem Haupteingang von Viratek hatten sie geparkt. Nahe genug, um Victors Mitteilungen zu hören, aber zu weit entfernt, um ihm wirklich helfen zu können. Dank der Funkverbindung konnten sie wenigstens seine Aktivitäten verfolgen.

Vielleicht wurden sie auch Zeugen seines Todes.

Schweigend warteten sie auf die erste Hürde.

„N'Abend", sagte Victor, während er am Tor vorfuhr.

Der Wachmann blinzelte durch das Fenster seines Häuschens. Er war Mitte zwanzig, hatte die Mütze pfeilgerade auf dem Kopf sitzen und den obersten Hemdknopf geschlossen. Das war Pete Zahn, der die Vorschriften ausgesprochen penibel beachtete. Wenn jemand ihre Pläne durchkreuzen konnte, dann war es dieser Mann. Victor bemühte sich um ein Lächeln und hoffte, dass seine Maske nicht platzte. Der Austausch der Blicke schien eine Ewigkeit zu dauern. Zu Victors Erleichterung erwiderte der Mann das Lächeln.

„Überstunden, Dr. Black?"

„Ich habe etwas im Labor vergessen."

„Muss ja ziemlich wichtig sein, wenn Sie um Mitternacht eigens deswegen vorbeikommen."

„Die Regierung sitzt uns im Nacken. Die hätten am liebsten schon gestern alles erledigt."

„Tja." Der Wachmann winkte ihn durch. „Ich wünsche Ihnen eine angenehme Nacht."

Mit klopfendem Herzen passierte Victor das Tor. Erst als er um die Ecke auf den leeren Parkplatz einbog, erlaubte er sich einen Seufzer der Erleichterung. „Erster Schritt gelungen", sagte er in das Mikrofon. „Kommt, Leute, redet mit mir."

„Wir sind auf Posten", kam die Antwort von Polowski.

„Ich gehe jetzt in das Gebäude ... bin mir nicht sicher, ob das Funksignal durch die Wände geht. Wenn ihr also nichts mehr von mir hört ..."

„Wir hören."

„Ich muss mit Cathy reden. Gebt sie mir mal."

Eine Pause entstand. Dann hörte er: „Ich bin hier, Victor."

„Ich wollte dir noch etwas sagen. Ich komme zurück. Versprochen. Ende."

Er war nicht sicher, ob es an der kurzfristig gestörten Verbindung lag, aber er glaubte, Tränen in ihrer Stimme zu hören.

„Verstanden."

„Ich betrete jetzt das Gebäude. Haut nicht ohne mich ab."

Pete Zahn brauchte nur eine Minute, um Archibald Blacks Autokennzeichen zu kontrollieren. Er hatte eine Rollkartei in seinem Wärterhaus, die er allerdings nur selten zurate zog, denn er verfügte über ein ausgezeichnetes Zahlengedächtnis. Die Autonummern der Führungskräfte kannte er auswendig. Es war eine Art Memoryspiel, mit dem er sein Gehirn trainierte. Und mit dem Kennzeichen auf Dr. Blacks Auto schien irgendetwas nicht zu stimmen.

Er fand die Karte. Das Auto stimmte – ein grauer Lincoln, Baujahr 1991. Und er war ziemlich sicher, dass Dr. Black am Steuer gesessen hatte. Aber das Nummernschild war nicht richtig.

Nachdenklich rutschte er auf seinem Stuhl zurück und grübelte eine Weile über eine Erklärung nach. Black fuhr einfach ein anderes Auto. Oder er wollte sich einen Spaß erlauben und ihn auf die Probe stellen.

Oder es war gar nicht Archibald Black.

Pete griff zum Telefon. Er konnte es herausfinden, wenn er bei Black zu Hause anrief. Es war zwar nach Mitternacht, aber ihm blieb keine Wahl. Wenn Black nicht ans Telefon ging, dann musste er es in dem Lincoln gewesen sein. Falls er jedoch den Hörer abnahm, war irgendetwas schrecklich schiefgelaufen, und Black würde bestimmt darüber informiert werden wollen.

Zwei Klingeltöne. Länger dauerte es nicht, bevor sich eine schläfrige Stimme meldete. „Hallo?"

„Hier ist Pete Zahn, der Nachtportier von Viratek. Spreche ich ... spreche ich mit Dr. Black?"

„Ja."

„Dr. Archibald Black?"

„Hören Sie, es ist spät. Worum geht's denn?"

„Ich weiß nicht, wie ich es Ihnen sagen soll, Dr. Black, aber ..." Pete räusperte sich. „Ihr Doppelgänger ist gerade durchs Tor gefahren ..."

„Ich habe die Eingangstür passiert. Laufe über den Korridor in Richtung Sicherheitstrakt. Falls mir jemand zuhört." Victor rechnete nicht mit einer Antwort, und er hörte auch keine. Das Gebäude war ein gigantischer Betonklotz, gebaut für die Ewigkeit. Er bezweifelte, dass ein Funksignal die Wände durchdringen konnte. Zwar war er ab dem Moment, als er durch das Eingangstor fuhr, ganz auf sich selbst gestellt, aber er hatte wenigstens die tröstende Gewissheit, dass seine Freunde über seine Fortschritte auf dem Laufenden waren. Ab jetzt war er allerdings wirklich allein.

Mit betont lässigen Schritten eilte er zu der verschlossenen Tür, auf der ein Schild mit der Aufschrift „Zutritt nur für befugtes Personal" stand. An der Decke hing eine Kamera, die genau auf ihn gerichtet war. Er ignorierte sie bewusst und konzentrierte seine Aufmerksamkeit auf das Zahlenfeld an der Wand. Die Nummern, die Jerry ihm genannt hatte, hatten ihm Zutritt durch den Haupteingang verschafft. Würde die zweite Kombination ihm hier den Weg freigeben? Seine Hände waren feucht, während er die sieben Ziffern drückte. Panik flammte in ihm auf, als ein Signal ertönte und eine Nachricht auf dem Display erschien: *Falscher Zugangscode. Zutritt verweigert.*

Er fühlte den Schweiß unter seiner Maske. Waren die Zahlen falsch? Hatte er zwei Ziffern verwechselt? Ihm war bewusst, dass ihn jemand durch die Kamera beobachtete und sich bestimmt wunderte, dass er so lange brauchte. Victor holte tief Luft und versuchte es erneut. Dieses Mal drückte er die Tasten ganz langsam und vorsichtig. Er wappnete sich für das Alarmsignal, doch zu seiner Erleichterung blieb es still.

Stattdessen leuchtete eine neue Nachricht auf: *Zugangscode akzeptiert. Bitte treten Sie ein.*

Er ging durch die Tür in den nächsten Raum.

Die dritte Hürde, dachte er erleichtert, als die Tür sich hinter ihm schloss. *Und jetzt zur letzten Etappe.*

In einer Ecke hing eine weitere Kamera, die ihn ins Visier nahm. Während er das Gefühl hatte, die Linse praktisch spüren zu können, durchquerte er den Raum zur Tür, die ins Labor führte. Als er auf die Klinke drückte, ertönte ein Warnsignal.

Was nun? dachte er. Erst dann entdeckte er das rote Licht über der Tür und den Warnhinweis *Laserfeld aktiviert*. Er brauchte einen Schlüssel, um es abzuschalten. Es gab keine andere Möglichkeit, um in den nächsten Raum zu gelangen.

Es wurde allmählich Zeit für eine Verzweiflungstat. Jetzt musste er Unverfrorenheit beweisen. Er klopfte seine Taschen ab, ehe er sich umdrehte und in die Kamera schaute. „Hallo?", winkte er.

Eine Stimme antwortete über die Wechselsprechanlage: „Gibt's ein Problem, Dr. Black?"

„Ja. Ich finde meine Schlüssel nicht. Wahrscheinlich habe ich sie zu Hause vergessen."

„Ich kann den Laser von hier aus abschalten."

„Danke. Himmel, ich weiß auch nicht, wie mir das passieren konnte."

„Kein Problem."

Sofort erlosch der rote Warnhinweis. Vorsichtig berührte Victor die Tür, die mühelos aufschwang. Er winkte zum Abschied in die Kamera und betrat den letzten Raum.

Zu seiner großen Erleichterung gab es hier keine Kameras – keine jedenfalls, die er hätte sehen können. Eine kleine Atempause, dachte er. Im Labor schaute er sich rasch um. Er erblickte eine verwirrende Ansammlung von modernsten Geräten – nicht bloß die erwarteten Zentrifugen und Mikroskope, sondern Apparaturen, die er noch nie gesehen hatte –, alle brandneu und auf Hochglanz poliert. Er eilte durch die Dekontaminierungsschleuse, passierte den Reinraum und steuerte sofort auf die Brutschränke zu. Er öffnete die Tür.

Glasampullen blitzten in ihren Gestellen. Er nahm eine heraus. Eine rosafarbene Flüssigkeit schwappte darin. Auf dem Etikett stand *Probe Nr. 341. Aktiv.*

Das muss es sein, dachte er. Ollie hatte ihm gesagt, dass er danach suchen müsse. Das war der Stoff, aus dem Albträume sind, der unbarmherzige Gevatter Tod in Gestalt von mikroskopisch winzigen Elementen.

Er nahm zwei Ampullen, verstaute sie in einem gepolsterten Zigarrenetui und steckte es in seine Tasche. Auftrag erfüllt, dachte er triumphierend, während er das Labor durchquerte. Jetzt musste er nur noch betont lässig zu seinem Wagen zurückgehen. Und dann konnten die Champagnerkorken …

Auf halbem Weg durch den Raum begannen die Alarmsirenen zu schrillen.

Wie erstarrt blieb er stehen. Das Läuten dröhnte ihm in den Ohren.

„Dr. Black?", hörte er die Stimme des Wachmanns durch eine unsichtbare Wechselsprechanlage. „Bitte verlassen Sie den Raum nicht. Bleiben Sie stehen."

Victor fuhr herum und versuchte, den Lautsprecher zu lokalisieren. „Was ist los?"

„Ich bin gerade gebeten worden, Sie aufzuhalten. Wenn Sie bitte warten wollen, werde ich herausfinden, was …"

Victor wartete das Ende des Satzes nicht ab – mit einem Sprung war er bei der Tür. Als er sie erreichte, hörte er das Summen der Laserstrahlanlage, die soeben wieder eingeschaltet worden war, und spürte etwas in seinen Arm schneiden.

Er stürzte durch die erste Tür, durchquerte den Vorraum und hastete durch die Sicherheitstür hinaus in den Korridor.

Von überallher schrillten nun die Alarmsirenen. Das ganze verdammte Gebäude war zu einer Echokammer von kreischendem Gebimmel geworden. Sein Blick fiel auf den Haupteingang – nein, nicht dorthin, da war der Posten des Wachmanns. Er musste in die andere Richtung.

Er lief nach links zu einer Tür, von der er hoffte, dass sie ein Notausgang war. Hinter ihm schrie eine Stimme: „Stehen bleiben!" Er ignorierte den Befehl und rannte weiter. Am Ende des Korridors entriegelte er die Tür und fand sich in einem Treppenhaus wieder. Stufen führten nach oben und unten. Unten wäre er gefangen wie eine Ratte im Keller. Deshalb rannte er die Treppe hinauf.

Als er einen Absatz hinter sich gelassen hatte, hörte er, wie die Tür im Parterre aufgerissen wurde. Erneut befahl eine Stimme: „Stehen bleiben, oder ich schieße."

Ein Bluff, dachte er.

Ein Schuss ertönte. Das Echo hallte die Betonstufen empor.

Kein Bluff. Mit einem Anflug von Verzweiflung öffnete er die Tür und stand im Korridor der ersten Etage. Eine Reihe geschlossener Türen erstreckte sich vor ihm. Welche, welche? Es blieb keine Zeit zum Nachdenken. Er verschwand im dritten Zimmer und schloss leise die Tür hinter sich.

Im Halbdunkel erkannte er glänzendes Edelstahl und Messbecher. Noch ein Labor. Dieses hatte allerdings ein großes Fenster, durch das das Mondlicht fiel und einen Labortisch am Ende des Raumes schwach erhellte.

Im Korridor wurde eine Tür zugeschlagen. Er hörte den Befehl des Wachmanns: „Keine Bewegung."

Er hatte nur noch ein kurzes Stück zu bewältigen, dann wäre er in Sicherheit. Victor nahm einen Stuhl, hob ihn über den Kopf und schleuderte ihn gegen die Scheibe. Das Glas zersplitterte, und durch die Dunkelheit ergoss sich ein Regen von Tausenden Scherben, die im Mondlicht funkelten. Er schaute nicht hinunter, ehe er sprang. Er wappnete sich für eine harte Landung, machte einen Satz vom Fensterbrett und landete in dichtem Gebüsch.

„Stehen bleiben!", kam die Stimme von oben.

Der Befehl ließ Victor auf die Füße springen. Er sprintete über den Rasen in den Schutz der Bäume. Als er zurücksah, entdeckte er seinen Verfolger nicht. Der Wachmann hatte nicht vor, bei einem Sprung aus dem Fenster Kopf und Kragen zu riskieren.

Ich muss zum Haupteingang hinaus …

Victor umrundete das Gebäude, bahnte sich einen Weg durchs Gebüsch und unter Bäumen hindurch zu einer Gruppe von Eichen. Von dort aus sah er den Haupteingang. Er schien unendlich weit entfernt zu sein. Als er genauer hinschaute, sank ihm das Herz in die Magengrube.

Gleißendes Flutlicht erhellte die Einfahrt, vor der vier Fahrzeuge des Sicherheitsdienstes postiert waren. In dem Moment fuhr ein kleiner Kastenwagen vor. Der Fahrer stieg aus, lief um das Gefährt herum und öffnete die Türen. Auf seinen Befehl hin sprangen zwei Schäferhunde heraus und ließen sich bellend zu seinen Füßen nieder.

Victor zog sich tiefer in den Eichenwald zurück. In der Falle, schoss es ihm durch den Kopf, während er sich umdrehte und den Zaun betrachtete, der mit Stacheldraht gesichert war. Das Hundegebell kam bereits näher. *Wenn mir jetzt keine Flügel wachsen, bin ich ein toter Mann …*

11. KAPITEL

„Irgendwas stimmt nicht!", rief Cathy, als das erste Securityfahrzeug vorbeisauste.

Polowski berührte sie am Arm. „Immer mit der Ruhe. Das kann eine Routinekontrolle sein."

„Nein! Sehen Sie doch." Durch die Bäume hindurch bemerkten sie drei weitere Wagen, die mit Höchstgeschwindigkeit Richtung Viratek rasten.

Ollie stieß einen überraschend unflätigen Fluch aus und nahm das Mikrofon.

„Warten Sie." Polowski griff nach seiner Hand. „Wir können jetzt keinen Funkkontakt riskieren. Er soll sich bei uns melden."

„Wenn er ein Problem hat …"

„Dann weiß er es bereits. Geben Sie ihm die Chance, es alleine rauszuschaffen."

„Und wenn er in der Falle steckt?", bohrte Cathy weiter. „Wollen wir dann einfach tatenlos hier sitzen?"

„Uns bleibt keine andere Wahl. Wenn sie das Eingangstor blockiert haben …"

„Wir haben wohl eine Wahl", beharrte Cathy, während sie nach vorn auf den Fahrersitz kletterte.

„Was, zum Teufel, haben Sie vor?", wollte Polowski wissen.

„Wir geben ihm eine Chance zu kämpfen. Wenn wir nicht …"

Alle verstummten, als es plötzlich in der Leitung zischte und knackte. „Sieht ganz so aus, als stecke ich fest. Sehe im Moment keinen Ausweg. Verstanden?"

Ollie griff zum Mikrofon. „Verstanden, Gersh. Wie ist die Lage?"

„Schlecht."

„Geht's etwas genauer?"

„Der Haupteingang ist blockiert und beleuchtet wie ein Footballfeld. Alle Sirenen schrillen. Gerade sind sie mit Spürhunden angerückt ..."

„Kannst du über den Zaun klettern?"

„Nein. Er steht unter Strom. Zwar nur Schwachstrom, aber trotzdem zu viel für mich. Ihr verschwindet besser ohne mich."

Polowski riss Ollie das Mikrofon aus den Händen und bellte: „Haben Sie das Zeug?"

Cathy drehte sich um. „Vergessen Sie's", blaffte sie ihn an. „Fragen Sie ihn, wo er steckt. *Fragen Sie ihn!*"

„Holland? Wo stecken Sie?", fragte Polowski gehorsam.

„Im nordöstlichen Bereich. Der Zaun führt um das ganze Gelände. Schaut, dass ihr wegkommt. Ich schaffe das schon ..."

„Sagen Sie ihm, er soll in den östlichen Bereich gehen. Bis in die Mitte."

„Was?"

„Sagen Sie's ihm einfach!"

„Gehen Sie in den östlichen Bereich", sagte Polowski ins Mikrofon. „Bis in die Mitte."

„Verstanden."

Verwirrt sah Polowski zu Cathy. „Was, zum Teufel, haben Sie vor?"

„Das ist doch ein Fluchtwagen, oder?", murmelte sie, während sie den Motor startete. „Dann sollten wir ihn auch so einsetzen." Sie legte den Gang ein, wendete und bog auf die Straße ein.

„He, das ist die falsche Richtung!", rief Milo.

„Nein. Es gibt einen Zufahrtsweg für die Feuerwehr irgendwo links. Hier ist er." Sie riss das Steuer herum und fuhr auf einen Weg, der kaum mehr als ein Trampelpfad war. Zweige und Gestrüpp schlugen gegen den Wagen, und sie mussten sich festhalten, während Cathy über die holprige Strecke sauste.

„Wie haben Sie denn diese tolle Straße gefunden?", stieß Polowski hervor.

„Sie ist auf der Karte eingezeichnet. Ich habe sie entdeckt, als wir uns die Lagepläne von Viratek angeschaut haben."

„Ist das eine Aussichtsstraße? Oder führt sie irgendwohin?"

„Auf die Ostseite des Geländes. Dort war die Einfahrt für die Baufahrzeuge. Ich hoffe, dass es dort eine Möglichkeit gibt …"

„Und was passiert dann?"

Ollie seufzte. „Fragen Sie nicht."

Cathy wich einem Busch aus, der mitten auf dem Pfad wuchs, und rammte dabei einen kleinen Baum. Ihre Beifahrer stürzten zu Boden. „Entschuldigung", murmelte sie. Sie legte den Rückwärtsgang ein und rollte auf den Pfad zurück. „Hier vorne muss es sein …"

Unvermittelt tauchte ein Maschendrahtzaun vor ihnen auf. Sofort schaltete sie die Scheinwerfer aus. In der Dunkelheit hörten sie Hundegebell, das näher kam. Wo steckte er bloß?

Dann sahen sie Victor über eine vom Mondlicht erhellte Schneise hasten. Er rannte wie der Teufel. Von irgendwoher ertönte der Ruf eines Mannes, gefolgt von einem Pistolenschuss.

„Haltet euch fest!", schrie Cathy. Sie legte den Sitzgurt an und umklammerte das Steuer. Entschlossen trat sie das Gaspedal durch.

Der Van schoss nach vorn wie ein wildes Pferd, raste durch das Unterholz und prallte gegen den Zaun, der nach vorn gedrückt wurde. Elektrische Funken sprühten durch die Nacht. Cathy setzte zurück, richtete sich im Sitz auf und trat erneut aufs Gas.

Der Zaun fiel um, und Stacheldraht zerkratzte das Blech und die Windschutzscheibe.

„Wir sind durch", stellte Ollie fest. Er stieß die Tür auf und brüllte: „Los, Gersh, mach schnell!"

Die Gestalt rannte im Zickzack übers Gras. Rechts und links von ihm knallten Pistolenschüsse. Er machte einen Satz über den eingedrückten Stacheldraht und stolperte.

„Hierher!"

Kugeln durchlöcherten den Wagen.

Victor rappelte sich wieder auf. Sie hörten das Reißen von Stoff, dann war er bei ihnen. Sie zogen ihn ins Wageninnere, in Sicherheit.

Die Tür knallte zu. Cathy setzte zurück, wendete den Van und trat das Gaspedal durch.

Zurück ging die Holperfahrt durch Gebüsch und über tiefe Wagenspuren. Weitere Kugeln schlugen in den Van ein. Cathy beachtete sie nicht. Sie konzentrierte sich darauf, so schnell wie möglich die Hauptstraße zu erreichen. Die Schüsse wurden leiser. Endlich tauchte hinter den Bäumen der schwarze Asphalt der Hauptstraße auf. Sie bog nach links und gab Vollgas, um Viratek so schnell wie möglich hinter sich zu lassen.

Aus der Ferne hörte man das Jaulen einer Sirene.

„Wir bekommen Gesellschaft", sagte Polowski.

„Wohin jetzt?", schrie Cathy. Viratek lag hinter ihnen; die Sirenen näherten sich von vorn.

„Keine Ahnung. Bloß weg von hier, und möglichst rasch."

Noch blockierten Bäume die Sicht auf die Streifenwagen. Aber sie hörte die Sirenen schnell näher kommen. *Werden sie uns vorbeilassen? Oder werden sie uns anhalten?*

Im letzten Moment entdeckte sie die Lichtung. Spontan rollte sie von der Straße, und der Van landete auf einem Stoppelfeld.

Polowski stöhnte. „Nicht schon wieder eine Feuerwehrzufahrt!"

„Ruhe!", blaffte sie ihn an und hielt auf eine Gruppe von Büschen zu. Geschickt umrundete sie das Gesträuch und schaltete die Autoscheinwerfer aus.

Gerade noch rechtzeitig. Sekunden später sausten zwei Streifenwagen mit aufgeblendeten Scheinwerfern an ihrem Versteck vorbei. Stocksteif saß sie am Steuer und lauschte den leiser werdenden Sirenen. Dann hörte sie Milos Stimme durch die Dunkelheit. „Ihr Name ist Bond. Jane Bond."

Halb weinend und halb lachend drehte Cathy den Kopf, als Victor neben sie auf den Beifahrersitz kletterte. Sofort lag sie in seinen Armen. Ihre Tränen tropften auf sein Hemd, und ihr Schluchzen klang gedämpft, als sie sich an seine Brust schmiegte. Er küsste sie auf die feuchten Wangen und den Mund. Erst als sie seine Lippen spürte, ließ ihre Angst allmählich nach.

Von hinten kam ein vernehmliches Räuspern. „Sollten wir nicht besser weiterfahren, Gersh?", fragte Ollie höflich.

Victor küsste Cathy noch immer. Nur zögernd trennte er sich von ihr, sah ihr jedoch weiterhin tief in die Augen. „Natürlich", murmelte er, ehe er sie für einen weiteren Kuss erneut an sich zog. „Aber könnte nicht jemand anders fahren?"

„Jetzt fängt die Sache an, riskant zu werden", sagte Polowski. Er hatte das Steuer übernommen und fuhr Richtung Süden nach San Francisco. Cathy und Victor saßen neben ihm; auf der Rückbank schliefen Milo und Ollie. Sie hatten sich zusammengerollt wie zwei erschöpfte junge Hunde. Aus dem

Radio klang leise Countrymusik. Die Anzeigen auf dem Armaturenbrett schimmerten hellgrün in der Dunkelheit.

„Wir haben endlich den Beweis", fuhr Polowski fort. „Alles, was wir brauchen, um sie zu überführen. Sie dürften jetzt ziemlich nervös sein. Und werden nichts unversucht lassen. Ab jetzt, Leute, wird es ein gefährliches Katz-und-Maus-Spiel."

Als ob es das nicht schon längst wäre, dachte Cathy, als sie sich näher an Victor kuschelte. Wie gerne wäre sie jetzt allein mit ihm gewesen. Sie hatten keine Zeit für eine tränenreiche Begrüßung gehabt oder gar dafür, sich ihre Liebe zu gestehen. Seit zwei Stunden waren sie nun unterwegs, eine grauenvolle Fahrt ausschließlich über Nebenstrecken und verlassene Straßen, um der Polizei aus dem Weg zu gehen. Inzwischen waren die Polizeibehörden bestimmt längst über den Einbruch bei Viratek informiert, und die Staatspolizei suchte bereits nach einem Van, dessen Motorhaube erheblich beschädigt war.

Polowski hatte recht. Die Angelegenheit wurde immer gefährlicher.

„Sobald wir in der Stadt sind, werden wir die Reagenzgläser zu verschiedenen Labors bringen", fuhr er fort. „Unabhängige Untersuchungsergebnisse sollten jeden Zweifel beseitigen. Kennen Sie Institute, denen wir vertrauen können, Holland?"

„Ein ehemaliger Kommilitone in New Haven ist Leiter des Krankenhauslabors. Ihm kann ich vertrauen."

„Yale? Fantastisch. Das wird Eindruck schinden."

„Ollie hat einen Freund an der Universität von San Francisco. Er kann das zweite Reagenzglas untersuchen."

„Und wenn wir erst mal die Ergebnisse haben, kenne ich einen Journalisten, der ganz wild auf solche Storys ist." Zufrieden schlug Polowski mit der flachen Hand auf das Lenkrad. „Viratek, du bist erledigt."

„Das macht Ihnen Spaß, was?", fragte Cathy.

„Auf der richtigen Seite des Gesetzes zu stehen ist gut für die Seele. Es hält den Geist scharf und den Körper in Bewegung. Und es hilft dir, jung zu bleiben."

„Oder jung zu sterben", konterte Cathy.

Polowski lachte. „Frauen. Die können so etwas nie verstehen."

„Tue ich auch nicht", gab sie zu.

„Ich wette, Holland versteht es. Er hatte gerade den Adrenalinstoß seines Lebens. Stimmt's?"

Victor antwortete nicht. Stumm starrte er auf das schwarze Band der Straße, das von den Autoscheinwerfern erhellt wurde.

„Na, war das etwa kein Kick?", hakte Polowski nach. „Einmal Hölle und zurück. Zu wissen, dass man es allein mit seinem Verstand geschafft hat. Das muss doch ein Triumphgefühl für Sie sein."

„Nein", entgegnete Victor ruhig. „Es ist schließlich noch nicht vorbei."

Polowskis Grinsen erstarb. Er konzentrierte sich wieder auf die Straße. „Aber fast", erwiderte er. „Es ist fast vorbei."

Vor ihnen tauchte ein Hinweisschild auf: San Francisco – 12 Meilen.

Vier Uhr morgens. Die Sterne waren winzige Punkte am Himmel, die sich mit den Straßenlaternen einen aussichtslosen Wettstreit lieferten. In einem Doughnut-Laden in North Beach hatten sich fünf müde Gestalten um einen Tisch mit dampfenden Kaffeebechern und knusprigen Käsecroissants versammelt. Nur ein weiterer Tisch war besetzt – von einem

Mann mit blutunterlaufenen Augen und zitternden Händen. Die Kellnerin hinter der Theke war in ein Taschenbuch vertieft. In ihrem Rücken zischte die Kaffeemaschine, als das Wasser durchgelaufen war.

„Auf die *Älteren Verstimmten*!" Milo hob seine Tasse. „Immer noch die beste Band in der Gegend."

Alle hoben die Tassen. „Auf die *Älteren Verstimmten*."

„Und auf unser jüngstes und schönstes Mitglied", fuhr Milo fort. „Die wunderschöne ... die furchtlose ..."

„Oh, bitte", wehrte Cathy ab.

Victor legte den Arm um ihre Schulter. „Entspann dich, und genieße die Ehre. Nicht jeder erhält Zutritt zu diesem exklusiven Zirkel."

„Die einzige Voraussetzung: Du musst ein Instrument schlecht spielen können."

„Aber ich spiele überhaupt kein Instrument."

„Kein Problem." Ollie zupfte eines der Wachspapiere unter einem Käsecroissant hervor und faltete es um seinen Taschenkamm. „Spiel Kazoo."

„Das passt", meinte Milo. „War auch Lilys Instrument."

„Oh." Sie nahm den Kamm. Lilys Instrument. Sie tauchte immer wieder auf – wie ein Geist, der stets gegenwärtig sein würde. Plötzlich war die ausgelassene Stimmung wie fortgeblasen – wie von einem kalten Wind in der Morgendämmerung. Sie schaute zu Victor. Er starrte aus dem Fenster auf die grell erleuchteten Straßen. *Woran denkst du? Wünschst du dir, dass sie hier wäre? Dass sie es wäre, der man diesen blöden Taschenkamm in die Hand gedrückt hätte, und nicht ich?*

Sie hielt den Kamm an die Lippen und versuchte sich an einer schauerlich schrägen Version von „Yankee Doodle". Alle lachten und applaudierten, sogar Victor. Aber als der

Applaus verebbte, sah sie den traurigen und müden Blick in seinen Augen. Unauffällig legte sie den Kamm auf den Tisch.

Draußen dröhnte ein Lastwagen vorbei. Es war fünf Uhr morgens. Die Stadt erwachte allmählich zum Leben.

„Also, Leute", sagte Polowski, während er ein paar Dollarscheine auf den Tisch legte. „Wir müssen einen Top-Reporter aus dem Bett schmeißen. Und dann haben wir beide …", er sah zu Victor, „ein paar Botengänge zu machen. Wann fliegt United Airlines nach New Haven?"

„Um zehn Uhr fünfzehn", antwortete Victor.

„Gut. Ich bezahle Ihnen das Flugticket. Inzwischen sollten Sie sich wieder einen Bart wachsen lassen – oder irgendwas Ähnliches." Polowski schaute Cathy an. „Sie begleiten ihn, nicht wahr?"

„Nein", antwortete sie und sah zu Victor.

Sie hoffte auf eine Reaktion – irgendeine Reaktion. Aber sie bemerkte nur einen Ausdruck der Erleichterung. Und seltsamerweise Resignation.

Er versuchte nicht, sie umzustimmen. Er fragte nur: „Wohin gehst du denn?"

Sie zuckte mit den Schultern. „Vielleicht sollte ich zu unserem ursprünglichen Plan zurückkehren. Du weißt schon – nach Süden fahren. Eine Weile bei Jack bleiben. Was meinst du?"

Das war die Gelegenheit für ihn, sie davon abzuhalten. Seine Chance, zu sagen: *Nein, ich möchte, dass du bei mir bleibst. Ich werde dich nicht fahren lassen, nicht jetzt und auch in Zukunft nicht.* Wenn er sie wirklich liebte, würde er genau das sagen.

Doch er nickte nur, und das Herz wurde ihr schwer, als er erwiderte: „Ich halte das für eine sehr gute Idee."

Sie schluckte die Tränen hinunter, ehe jemand bemerken konnte, wie es um sie stand. Stattdessen schaute sie zu Ollie und lächelte flüchtig. „Dann brauche ich wohl eine Mitfahrgelegenheit. Wann fahrt ihr denn nach Hause?"

„Bald." Ollie sah verwirrt aus. „Unsere Arbeit ist ja so gut wie erledigt."

„Kann ich mit euch kommen? In Palo Alto nehme ich dann den Bus."

„Kein Problem. Du darfst sogar auf dem Ehrenplatz sitzen – dem Beifahrersitz."

„Solange du sie nicht ans Steuer lässt", brummte Milo. „Ich möchte eine gemütliche und keine nervenzerfetzende Rückfahrt."

Polowski erhob sich. „Dann wäre ja alles geklärt. Jeder hat ein Ziel. Machen wir uns also auf die Socken."

Draußen auf der Straße verabschiedeten sich Cathy und Victor voneinander. Ihre Freunde standen nur ein paar Meter weit entfernt, und der Morgenverkehr dröhnte an ihnen vorbei. Es war nicht der geeignete Ort für sentimentale Trennungen. Vielleicht war es auch ganz gut so. Auf diese Weise würde sie sich einen Rest von Würde bewahren. Und müsste sich nicht die brutale Wahrheit aus seinem Mund anhören. Sie würde einfach fortgehen und sich einreden, dass er sie liebte. Dass sie es geschafft hatte, einen Platz in seinem Herzen gefunden zu haben – wenn auch nur in einer hinteren Ecke.

„Wirst du klarkommen?", fragte er.

„Natürlich. Und du?"

„Ich schaffe es schon." Er schob die Hände in seine Hosentaschen und betrachtete einen Bus, der an der Ecke wartete. „Ich werde dich vermissen", sagte er. „Aber ich weiß auch, dass es nicht sinnvoll ist, wenn wir zusammenbleiben. Nicht unter diesen Umständen."

Ich würde bei dir bleiben, dachte sie. *Unter allen Umständen. Wenn ich nur sicher sein könnte, dass du mich willst.*

Er seufzte. „Ich werde dich auf jeden Fall wissen lassen, wenn die Lage sich beruhigt hat und du wieder nach Hause kommen kannst."

„Und dann?"

„Dann werden wir weitersehen", erwiderte er leise.

Sie küssten sich – ein schüchterner, unbeholfener Kuss, fast nur eine flüchtige Berührung, weil sie wussten, dass sie beobachtet wurden. Es war ein Kuss ohne Leidenschaft. Sie spürte nur die kühlen, trockenen Lippen eines Mannes, der sich verabschiedete. Als sie sich voneinander lösten, sah sie sein Gesicht verschwommen durch ihre Tränen.

„Pass auf dich auf, Victor", sagte sie. Dann straffte sie die Schultern, drehte sich um und ging zu Ollie und Milo.

„Ist das alles?", fragte Ollie.

„Das ist alles." Mit einer energischen Bewegung wischte sie sich über die Augen. „Wir können fahren."

„Erzähl mir von Lily", bat sie.

Das erste Licht des Tages streifte den Himmel, als sie die kastenförmigen Reihenhäuser von Pacifica hinter sich ließen. An den Klippen brachen sich die Wellen. Möwen wiegten sich in der Brise und tauchten kreischend ins Wasser hinein.

Ollie hielt den Blick auf die Straße geheftet. „Was willst du denn wissen?"

„Was war sie für eine Frau?"

„Sie war ein netter Mensch", antwortete Ollie. „Intellektuell. Obwohl sie es niemals darauf angelegt hat, Leute zu beeindrucken, war sie vermutlich die Klügste von uns. Auf jeden Fall klüger als Milo."

„Und sie sah viel besser aus als Ollie", ertönte es prompt von hinten.

„Eine wirklich nette, anständige Frau. Ich erinnere mich noch daran, dass ich gedacht habe: *Jetzt hat er eine Heilige,* als sie geheiratet haben." Er warf Cathy einen Blick zu, weil sie schweigsam geworden war. „Natürlich will nicht jeder Mann eine Heilige", fügte er rasch hinzu. „Ich zum Beispiel wäre glücklicher mit einer Frau, die ein bisschen verrückt wäre." Er warf Cathy ein Grinsen zu. „Eine, die zum Beispiel mit einem Van in einen Maschendrahtzaun fährt – einfach weil's Spaß macht."

Es war ein netter Versuch von ihm, sie aufzuheitern. Aber seine Worte konnten ihre Trauer nicht vertreiben.

Sie lehnte sich zurück und betrachtete den Himmel, der immer heller wurde. Sie musste unbedingt fort von hier. Sie dachte an Mexiko, an das warme Wasser und den heißen Sand, den Geruch von frischem Fisch und Limonen. Sie würde sich voll und ganz auf den neuen Film konzentrieren. Natürlich wäre Jack immer in der Nähe, mit seiner neuesten Eroberung, aber damit wurde sie inzwischen fertig. Jack würde sie niemals wieder verletzen. Darüber war sie ein für alle Mal hinweg. Kein Mann konnte ihr jemals wieder wehtun.

Die Fahrt zu Milos Haus erschien endlos.

Als sie endlich in die Einfahrt einbogen, war die Morgendämmerung einem strahlend kalten Morgen gewichen. Milo stieg aus und blinzelte in die Sonne.

„So, Leute", sagte er durch das Wagenfenster. „Ich denke, ab hier trennen sich unsere Wege." Er schaute zu Cathy. „Mexiko, nicht wahr?"

Sie nickte. „Puerto Vallarta. Und was ist mit dir?"

„Ich werde nach Florida zu Ma fliegen. Wahrscheinlich

fahren wir jeden Tag nach Disney World. Willst du nicht mitkommen, Ollie?"

„Ein anderes Mal. Erst mal werde ich schlafen."

„Du weißt nicht, was dir entgeht. Das war vielleicht ein Abenteuer. Tut mir fast leid, dass es vorbei ist." Milo drehte sich um und stieg die Treppen zu seinem Haus hinauf. Auf der Veranda winkte er ihnen noch einmal zu und rief: „Bis bald." Dann verschwand er durch die Haustür.

Ollie lachte. „Milo und seine Ma – zusammen? Disney World wird hinterher nicht mehr dasselbe sein." Er griff zum Zündschlüssel. „Nächster Halt Busbahnhof. Das Benzin reicht gerade noch bis dahin, und dann …"

Er hatte keine Gelegenheit, den Schlüssel zu drehen.

„Steigen Sie aus, Dr. Wozniak", befahl eine Stimme.

Ollies Antwort war ein heiseres Krächzen. „Was … was wollen Sie?"

„Steigen Sie aus!" Das Klicken beim Entsichern der Waffe machte Ollie Beine.

„Schon gut, schon gut. Ich steige aus." Ollie kletterte aus dem Wagen. Mit erhobenen Händen stolperte er ein paar Schritte rückwärts.

Cathy wollte ebenfalls aussteigen, aber der Pistolenschütze bellte: „Sie nicht. Sie bleiben im Wagen."

„Hören Sie", sagte Ollie, „Sie können den verdammten Wagen haben. Sie brauchen sie nicht …"

„Und ob ich sie brauche. Teilen Sie Mr Holland mit, dass ich mich bei ihm melde. Um mit ihm über Ms Weavers Zukunft zu sprechen." Er ging um das Auto und öffnete die Beifahrertür. „Rutschen Sie rüber", befahl er.

„Nein. Bitte …"

Die Pistolenmündung bohrte sich in ihren Nacken. „Muss ich Sie zweimal bitten?"

Zitternd rutschte sie hinters Steuer. Ihre Knie berührten die Wagenschlüssel, die in der Zündung steckten. Der Mann setzte sich neben sie. Obwohl er die Mündung noch immer an ihren Hals hielt, waren es die Augen, auf die sie sich konzentrierte. Sie waren schwarz und unergründlich. Falls darin irgendwo ein Anzeichen von Menschlichkeit verborgen sein sollte, konnte sie es nicht entdecken.

„Starten Sie den Motor", wies er sie an.

„Wo … wo fahren wir hin?"

„Eine kleine Spritztour. Zu einem schönen Aussichtspunkt."

Ihre Gedanken überstürzten sich. Fieberhaft dachte sie darüber nach, wie sie entkommen konnte, aber ihr fiel nichts ein. Gegen diese Pistole kam sie nicht an.

Sie drehte den Zündschlüssel.

„He!", rief Ollie und hielt die Tür fest. „Das können Sie nicht machen."

„Nein!", schrie Cathy. „Ollie, nein!"

Der Pistolenschütze zielte aus dem Fenster.

„Lassen Sie sie gehen", schrie Ollie. „Lassen Sie …"

Ein Schuss erklang.

Ollie stolperte rückwärts, im Gesicht einen Ausdruck der Verblüffung.

Cathy griff den Schützen an. Mit purer animalischer Wut, gepaart mit unbändigem Überlebenswillen, zielte sie mit den Fingern auf seine Augen. Erst im allerletzten Moment zuckte er beiseite, so dass ihre Nägel auf seiner Wange landeten und eine Blutspur hinterließen. Ehe er auf sie zielen konnte, hatte sie sein Handgelenk gepackt im verzweifelten Versuch, ihm die Waffe zu entreißen. Doch er hielt sie unerbittlich fest. Obwohl sie alle Kräfte mobilisierte, konnte sie nicht verhindern, dass er die Mündung erneut auf sie richtete.

Es war das Letzte, das sie sah: das schwarze Loch, das sich langsam in ihre Richtung drehte, bis es genau in ihre Augen sah.

Etwas traf sie von der Seite. Ein Schmerz explodierte in ihrem Kopf. Die Welt zerbrach in Tausenden von Lichtflecken.

Einer nach dem anderen verlosch, bis es vollkommen dunkel wurde.

12. KAPITEL

„Victor ist hier", sagte Milo.

Es schien eine Ewigkeit zu dauern, bis Ollie ihre Anwesenheit registrierte. Victor unterdrückte den Wunsch, ihn wachzurütteln und seinen Bericht zu hören. Doch ihm blieb nichts anderes übrig, als zu warten. Die Stille wurde nur durch das Zischen des Beatmungsgeräts und das Gurgeln des Absaugrohrs unterbrochen. Endlich bewegte Ollie sich und blinzelte die drei Männer neben seinem Bett an. Sein Blick war schmerzverzerrt. „Gersh. Ich habe ... ich konnte nicht ..." Er verstummte. Das Sprechen erschöpfte ihn zu sehr.

„Ganz ruhig, Ollie", beschwichtigte Milo ihn. „Mach langsam."

„Ich wollte ihn aufhalten. Er hatte eine Pistole ..." Wieder musste Ollie Kraft zum Weiterreden schöpfen.

Angespannt wartete Victor auf die nächsten schrecklichen Worte, die er gleich hören würde. Noch immer konnte er nicht glauben, was geschehen war. Noch immer hoffte er, dass das, was Milo ihm erzählt hatte, ein gigantischer Irrtum war, dass Cathy in diesem Moment in einem Bus saß, der sie in Sicherheit bringen würde. Erst vor zwei Stunden hatte er ein Flugzeug nach New Haven besteigen wollen. Dann hatte man ihm am Gate von United eine Nachricht in die Hand gedrückt. Sie war adressiert an Passagier Sam Polowski. So lautete der Name auf seinem Ticket. Sie hatte nur aus vier Worten bestanden: *Ruf sofort Milo an.*

Passagier „Sam Polowski" hatte die Maschine nie betreten.

Zwei Stunden, dachte er gequält. *Was haben sie ihr in diesen beiden langen Stunden angetan?*

„Dieser Mann – wie hat er ausgesehen?", wollte Polowski von Ollie wissen.

„Ich habe ihn nicht besonders gut gesehen. Dunkles Haar. Das Gesicht irgendwie … schmal."

„Groß? Klein?"

„Groß."

„Und er ist mit Ihrem Wagen weggefahren?"

Ollie nickte.

„Und was war mit Cathy?" Victors Nerven waren zum Zerreißen gespannt. „Er … hat sie doch nicht etwa verletzt? Geht es ihr gut?"

Eine Pause entstand, die Victor unendlich lang vorkam. Ollie blickte ihn düster an. „Ich weiß es nicht."

Unter den gegebenen Umständen war es die hoffnungsvollste Antwort. Immerhin konnte es bedeuten, dass sie noch am Leben war.

Aufgeregt begann er, im Zimmer auf und ab zu laufen. „Ich weiß, was er will", sagte er. „Ich weiß, was ich ihm geben muss."

„Das ist nicht Ihr Ernst", erwiderte Polowski. „Das sind unsere Beweise. Die können Sie ihm nicht einfach aushändigen."

„Genau das aber werde ich tun."

„Sie wissen doch nicht mal, wie Sie mit ihm in Kontakt treten können."

„Er wird mich kontaktieren." Er drehte sich um und schaute Milo an. „Er muss dein Haus die ganze Zeit beobachtet und darauf gewartet haben, dass einer von uns auftaucht. Dort wird er anrufen."

„Falls er anruft", konterte Polowski.

„Das wird er." Victor berührte die Tasche seines Jacketts, in dem die beiden Reagenzgläser von Viratek noch immer steckten. „Ich habe, was er will. Er hat, was ich will. Ich denke, wir beide werden uns handelseinig."

Unbarmherzig schien ihr eine gleißende Sonne in die Augen. Sie versuchte, ihr zu entgehen, kniff die Lider fester zusammen, die Strahlen daran zu hindern, in ihr Gehirn zu stechen. Aber das Licht folgte ihr.

„Wachen Sie auf! Aufwachen!"

Eiskaltes Wasser spritzte ihr ins Gesicht. Hustend und keuchend schreckte Cathy auf; kleine Rinnsale liefen ihr aus dem Haar. Sie bemühte sich, das Gesicht zu erkennen, das über ihr schwebte. Zunächst nahm sie nur ein dunkles Oval gegen das grelle Licht wahr. Dann verschwand der Mann, und Augen wie von schwarzem Achat und der Schlitz eines Mundes blieben auf ihrer Netzhaut kleben. Sie wollte schreien, aber der Schrei blieb ihr in der Kehle stecken, als sie das kalte Metall einer Pistole an ihrer Wange spürte.

„Kein Geräusch", zischte er. „Ist das klar?"

Voller Panik nickte sie.

„Gut." Die Pistole wurde weggenommen und in die Jacke gesteckt. „Setzen Sie sich."

Sie gehorchte. Sofort begann sich der Raum zu drehen. Sie hielt sich den dröhnenden Kopf. Schmerz und Übelkeit wurden stärker als die Angst. Das Gefühl dauerte jedoch nur ein paar Sekunden lang an. Als die Übelkeit nachließ, bemerkte sie den zweiten Mann im Raum, ein großer, breitschultriger Typ, den sie noch nie gesehen hatte. Stumm saß er in einer Ecke und betrachtete sie unverwandt. Der Raum selbst war klein und fensterlos. Sie wusste nicht, ob es Tag oder Nacht war. Die einzigen Möbelstücke waren ein Stuhl, ein Kartentisch und die Pritsche, auf der sie saß. Der Fußboden bestand aus rauem Zement. Wir sind in einem Keller, dachte sie. Sie hörte keine Geräusche, weder im Haus noch von draußen. Waren sie noch in Palo Alto? Oder hundert Meilen weiter weg?

Der Mann auf dem Stuhl verschränkte die Arme und lächelte. Unter anderen Umständen hätte sie das Lächeln als liebenswürdig bezeichnet. Doch jetzt erschien es ihr erschreckend unmenschlich. „Sie sieht wach genug aus", stellte er fest. „Warum machen Sie nicht weiter, Mr Savitch?"

Der Mann namens Savitch kam langsam zu ihr hinüber. „Wo ist er?"

„Wer?", fragte sie.

Statt einer Antwort versetzte er ihr eine heftige Ohrfeige, so dass sie rücklings auf die Pritsche fiel.

„Versuchen wir's noch mal", sagte er und zog sie hoch, so dass sie wieder aufrecht saß. „Wo ist Victor Holland?"

„Ich weiß es nicht."

„Sie waren mit ihm zusammen."

„Wir … wir haben uns getrennt."

„Warum?"

Sie berührte ihren Mund. Das Blut an ihren Fingern schockierte sie so sehr, dass sie keine Worte fand.

„Warum?"

„Er …" Sie ließ den Kopf sinken. Leise fuhr sie fort: „Er wollte mich nicht bei sich haben."

Savitch schnaubte verächtlich. „Dann hat er ja ziemlich schnell die Nase von Ihnen voll gehabt, nicht wahr?"

„Ja", flüsterte sie. „Das glaube ich auch."

„Ich kann mir gar nicht vorstellen, warum."

Sie erschauerte, als er mit dem Finger über ihre Wange und ihre Kehle fuhr. Am obersten Knopf ihrer Bluse hielt er inne. Nein, dachte sie. *Bloß das nicht.*

Zu ihrer Erleichterung ergriff der Mann auf dem Stuhl das Wort. „Das bringt uns nicht weiter."

Savitch wandte sich an den anderen Mann. „Haben Sie einen anderen Vorschlag, Mr Tyrone?"

„Ja. Bringen wir sie auf eine andere Art zum Reden." Angstvoll sah Cathy Tyrone zu, wie er zum Kartentisch schritt und eine Tasche öffnete. „Da wir nicht zu ihm können", sagte er, „sorgen wir dafür, dass er zu uns kommt." Er drehte sich um und lächelte ihr zu. „Mit Ihrer Hilfe natürlich."

Sie starrte auf das Handy in seiner Hand. „Ich habe Ihnen doch gesagt, dass ich nicht weiß, wo er ist."

„Ich bin sicher, einer seiner Freunde wird ihn ausfindig machen können."

„Er ist nicht dumm. Er würde nicht meinetwegen kommen …"

„Sie haben recht. Er ist nicht dumm." Tyrone begann, eine Nummer zu wählen. „Aber er hat ein Gewissen. Und das ist eine Schwachstelle, die genauso tödlich ist." Er machte eine Pause, ehe er ins Telefon sprach. „Hallo? Mr Milo Lum? Ich möchte, dass Sie Victor Holland eine Nachricht von mir weiterleiten. Sagen Sie ihm bitte, dass ich etwas habe, an dem er großes Interesse hat. Es wird allerdings nicht mehr lange hier sein …"

„Er ist es", zischte Milo. „Er schlägt dir einen Deal vor."

Victor sprang auf. „Lass mich mit ihm reden …"

„Warten Sie!" Polowski packte ihn am Arm. „Wir sollten nichts überstürzen. Vergessen Sie nicht, was wir …"

Victor riss sich los und nahm Milo den Hörer aus der Hand. „Hier spricht Holland. Wo ist sie?"

Die Stimme am anderen Ende der Leitung schwieg – ein Schweigen, das verdeutlichen sollte, wer hier am längeren Hebel saß. „Sie ist bei mir. Sie lebt."

„Woher soll ich das wissen?"

„Sie müssen sich auf mein Wort verlassen."

„Zum Teufel mit Ihrem Wort! Ich will Beweise!"

Ein weiteres Schweigen entstand. Schließlich erklang durch das Knistern in der Leitung eine andere Stimme, so zitternd und angsterfüllt, dass es ihm fast das Herz brach. „Victor, ich bin's."

„Cathy?" Vor Erleichterung hätte er fast geschrien. „Cathy, geht es dir gut?"

„Ja ... ja, es geht mir gut."

„Wo bist du?"

„Ich weiß es nicht ... ich glaube ..." Sie unterbrach sich. „Ich bin mir nicht sicher."

„Hat er dir etwas angetan?"

Eine Pause. „Nein."

Sie erzählt mir nicht die Wahrheit, dachte er.

„Cathy, ich verspreche dir, dass alles gut wird. Ich schwöre dir, dass ich ..."

„Reden wir vom Geschäftlichen." Der Mann war wieder in der Leitung.

Wütend umklammerte Victor den Hörer. „Wenn Sie ihr etwas antun, wenn Sie sie nur berühren, dann, das schwöre ich Ihnen, werde ich ..."

„Sie sind wohl kaum in der Position, Bedingungen zu stellen."

Victor spürte eine Hand an seinem Arm. Er drehte sich um und sah Polowski an. Bewahren Sie einen kühlen Kopf, las er in seiner Miene. *Tun Sie, was er sagt. Gehen Sie auf seinen Deal ein. Es ist die einzige Möglichkeit, Zeit zu gewinnen.*

Victor nickte und riss sich zusammen. Als er fortfuhr, klang seine Stimme ruhig. „Na gut. Sie wollen die Reagenzgläser. Sie können sie haben."

„Das reicht nicht."

„Dann komme ich zu Ihnen. Wir machen einen Tausch. Ist das akzeptabel?"

„Ja. Sie und die Reagenzgläser im Austausch für ihr Leben."
Er hörte einen verängstigten Schrei durchs Telefon. „Nein!"
Er kam von Cathy, die irgendwo im Hintergrund rief: „Tu das nicht, Victor, Sie werden dich ..."

Durch den Hörer vernahm Victor einen dumpfen Schlag, gefolgt von einem leisen Stöhnen. In dem Moment war es mit seiner Selbstkontrolle vorbei. Er schrie, fluchte und bettelte darum, der Mann möge aufhören, sie zu schlagen. Er wusste nicht mehr, was er sagte. Er konnte keinen klaren Gedanken fassen.

Wieder nahm Polowski seinen Arm und schüttelte ihn. Victor nahm ihn nur durch einen Schleier von Tränen wahr. Polowskis Blick befahl: *Lassen Sie sich auf den Deal ein. Machen Sie weiter.*

Victor schluckte hart und schloss die Augen. Mühsam presste er die nächsten Worte hervor. „Wann soll der Austausch stattfinden?"

„Heute Nacht. Zwei Uhr."

„Wo?"

„In East Palo Alto. Am alten Saracen Theater."

„Das ist doch geschlossen. Seit Jahren schon ..."

„Es wird offen sein. Nur Sie, Holland. Sollte ich jemand anderen sehen, ist die erste Kugel für eine gewisse Dame. Verstanden?"

„Ich will Garantien. Ich muss wissen, dass sie ..."

Die Antwort war ein langes Schweigen. Und dann hörte er nur noch das Freizeichen in der Leitung.

Langsam legte er den Hörer auf.

„Und? Wie lautet der Deal?", wollte Polowski wissen.

„Um zwei Uhr am Saracen Theater."

„In einer halben Stunde. Da bleibt uns kaum Zeit, um ..."

„Ich gehe allein."

Milo und Polowski starrten ihn an. „Von wegen", protestierte Polowski.

Victor nahm sein Jackett aus dem Schrank. Er klopfte auf die Tasche; das Zigarrenetui war an seinem Platz. Er drehte sich um und ging zur Tür.

„Er wird dich töten, Gersh", warnte Milo.

Victor blieb im Türrahmen stehen. „Möglich", antwortete er leise. „Aber es ist Cathys einzige Chance. Und diese Chance muss ich ihr geben."

„Er wird nicht kommen", sagte Cathy.

„Halten Sie den Mund", bellte Tyrone und schob sie vorwärts.

Während sie die mit Glassplittern übersäte Gasse hinter dem Saracen Theater entlangliefen, suchte Cathy fieberhaft nach einer Möglichkeit, um dieses tödliche Zusammentreffen zu sabotieren. Denn es würde tödlich enden, nicht nur für Victor, sondern auch für sie. Die beiden Männer, die sie in der Dunkelheit begleiteten, hatten nicht die Absicht, sie am Leben zu lassen. Sie konnte nur hoffen, dass Victor überlebte. Sie musste alles tun, um seine Chancen zu verbessern.

„Er hat seine Beweise bereits", sagte sie. „Glauben Sie wirklich, er wird meinetwegen darauf verzichten?"

Tyrone warf Savitch einen Blick zu. „Und wenn sie recht hat?"

„Holland kommt", versicherte Savitch ihm. „Ich weiß, wie er tickt. Er wird die Frau nicht im Stich lassen." Sanft strich er Cathy über die Wange. „Nicht wenn er ganz genau weiß, was wir mit ihr machen."

Cathy zuckte zusammen. Seine Berührung widerte sie an. Und wenn er wirklich nicht kommt? dachte sie. *Was, wenn er das einzig Vernünftige tut und meinen Tod in Kauf nimmt?*

Sie würde ihm keine Vorwürfe machen.

Tyrone stieß sie die Treppe hinauf, die in das Gebäude führte. „Gehen Sie rein. Machen Sie schon!"

„Ich kann nichts sehen", protestierte sie, während sie sich in einen pechschwarzen Gang hineintastete, über Kisten stolperte und an etwas vorbeistreifte, das sich wie ein schwerer Vorhang anfühlte. „Es ist zu dunkel …"

„Es werde Licht", sagte eine neue Stimme.

Plötzlich wurde es so hell, dass sie sekundenlang geblendet war. Sie hob den Kopf und hielt die Hand vor die Augen. Durch das gleißende Licht erkannte sie einen dritten Mann, der vor ihr stand. Hinter ihm schien der Boden ins Schwarze zu versinken.

Sie standen auf einer Bühne. Es war ganz offensichtlich, dass hier schon seit Jahren kein Theater mehr gespielt worden war. Zerrissene Vorhänge hingen wie Spinnweben von Gestängen. Die Kulissen eines alten Bühnenbilds, efeuüberwucherte Zinnen einer mittelalterlichen Burg, lehnten in gefährlich schrägem Winkel gegen Brandmauern. Wischmops und Scheuerlappen lagen auf dem Boden.

„Irgendwelche Probleme, Dafoe?", erkundigte Tyrone sich.

„Nein", antwortete der dritte Mann. „Ich habe das Gebäude untersucht. Eine Vordertür, eine Hintertür. Die Notausgänge sind verriegelt. Wenn wir beide Ausgänge blockieren, sitzt er in der Falle."

„Das FBI hat seinen guten Ruf nicht zu Unrecht."

Dafoe grinste und legte den Kopf schräg. „Ich wusste, dass der Cowboy nur mit dem Besten zufrieden ist."

„Gut, Ms Weaver." Tyrone schob Cathy vorwärts zu einem Stuhl, der von einem Scheinwerfer angestrahlt wurde. „Setzen wir Sie doch dahin, wo er Sie sofort sehen kann. Mitten auf die Bühne."

Savitch fesselte sie an den Stuhl. Er wusste genau, was er tat. Ihre Hoffnung schwand. Aus diesen festen Knoten würde sie ihre Hände niemals befreien können.

Zufrieden mit seiner Arbeit, trat er einen Schritt zurück. „Sie rührt sich nicht vom Fleck", sagte er. Und als sei ihm die Idee gerade erst gekommen, riss er ein Stück Klebestreifen ab und klebte ihn über ihren Mund. „Damit wir keine Überraschungen erleben", ergänzte er.

Tyrone warf einen Blick auf seine Uhr. „Noch fünfzehn Minuten. Nehmen Sie Ihre Positionen ein, Gentlemen."

Die drei Männer tauchten in den Schatten ab und ließen Cathy allein auf der leeren Bühne zurück. Der Scheinwerfer, der ihr ins Gesicht schien, war so heiß wie die Mittagssonne. Sie spürte bereits Schweißtropfen auf der Stirn. Obwohl sie die Männer nicht sah, konnte sie an ihren Stimmen erkennen, wo sie sich aufhielten. Tyrone war in der Nähe. Savitch befand sich in der letzten Reihe, nahe am Vordereingang. Und der Mann, der Dafoe hieß, hatte in einer der Logen im Rang Posten bezogen. Drei unterschiedliche Schussrichtungen. Nirgendwo ein Ausweg.

Victor, sei kein Narr, dachte sie. *Bleib weg …*

Und wenn er tatsächlich nicht kommt? An diese Möglichkeit wollte sie auch lieber nicht denken, denn es hieß, dass er sie verlassen hatte. Dass sie ihm nicht genug bedeutete, um auch nur den Versuch zu machen, sie zu retten.

Sie schloss die Augen gegen die Helligkeit und gegen die Tränen. *Ich liebe dich. Ich würde alles aushalten, sogar das hier, wenn ich bloß wüsste, dass du mich liebst.*

Ihre Hände waren gefühllos von den Fesseln. Sie versuchte, den Knoten zu lockern, aber sie scheuerte sich nur die Haut auf. Sie zwang sich, ruhig zu bleiben, aber mit jeder Minute, die verstrich, schien ihr Herz lauter zu klopfen. Ein Schweißtropfen rann ihr über die Schläfe.

Irgendwo in der Dunkelheit vor ihr wurde eine Tür quietschend geöffnet und wieder geschlossen. Schritte kamen näher, langsam und vorsichtig. Sie bemühte sich, etwas durch die gleißende Helligkeit erkennen zu können, doch sie sah nur eine schemenhafte Bewegung.

Der Bühnenboden hinter ihr knarrte, als Tyrone aus der Seitenbühne hervortrat. „Bleiben Sie stehen, wo Sie sind, Mr Holland", befahl er.

13. KAPITEL

Ein weiterer Scheinwerfer leuchtete auf und fing Victor in seinem Lichtkegel. Er stand in der Mitte des Ganges, eine einsame Figur gefangen in gleißender Helligkeit.

Du bist gekommen – wegen mir, dachte sie. *Irgendwie wusste ich, dass du es tun würdest …*

Wenn sie ihn doch nur vor den beiden anderen Männern warnen könnte. Aber das Klebeband saß so fest auf ihrem Mund, dass sie nur ein leises Jammern von sich geben konnte.

„Lassen Sie sie gehen", sagte Victor.

„Zuerst geben Sie uns, was wir haben wollen."

„Ich habe gesagt, lassen Sie sie gehen!"

„Sie sind kaum in der Position, um Forderungen zu stellen." Tyrone trat weiter heraus und schlenderte über die Bühne. Cathy zuckte zusammen, als sie die eiskalte Mündung einer Waffe an ihrer Schläfe spürte. „Zeigen Sie es, Holland", befahl Tyrone.

„Binden Sie sie erst los."

„Ich könnte Sie beide erschießen, und die Sache wäre erledigt."

„Sind wir so weit gekommen?", schrie Victor. „Steuergelder werden verschwendet, um den Mord an unbescholtenen Bürgern zu testen?"

„Es ist alles eine Frage von Kosten und Nutzen. Ein paar Zivilisten müssen möglicherweise jetzt sterben. Aber denken Sie nur an die Millionen Amerikaner, die im Falle eines Krieges gerettet würden."

„Ich denke an die Amerikaner, die Sie bereits getötet haben."

„Notwendige Tode. Aber das verstehen Sie nicht. Sie haben nie einen Soldaten sterben sehen, nicht wahr, Holland? Einen

Soldaten, der Ihr Kamerad und Freund war. Sie wissen nicht, wie hilflos man sich fühlt, wenn die guten Jungs aus guten amerikanischen Städten in Stücke geschossen werden. Mit dieser Waffe wird es ihnen nicht mehr passieren. Der Feind wird umkommen, nicht wir."

„Wer hat Ihnen das Recht dazu verliehen?"

„Ich habe mir das Recht dazu genommen."

„Und wer, zum Teufel, sind Sie?"

„Ein Patriot, Mr Holland. Ich erledige die Jobs, die niemand in der Regierung tun möchte. Jemand sagt: ‚Zu dumm, dass unsere Waffen nicht effizienter sind, wenn es um die Eliminierung des Feindes geht.' Dann ist das mein Auftrag, eine zu entwickeln. Sie brauchen mich nicht einmal zu fragen. Sie können behaupten, von nichts etwas gewusst zu haben."

„Dann sind Sie also das Bauernopfer."

Tyrone zuckte mit den Schultern. „Das macht einen guten Soldaten aus – die Bereitschaft, ins eigene Schwert zu fallen. Aber noch bin ich nicht bereit dafür."

Cathy verspannte sich, als Tyrone die Waffe entsicherte. Die Mündung war immer noch gegen ihre Schläfe gedrückt.

„Wie Sie unschwer erkennen können", fuhr Tyrone fort, „hat sie im Moment nicht die besten Karten."

„Andererseits", konterte Victor gelassen, „woher wollen Sie wissen, dass ich die Reagenzgläser mitgebracht habe? Wenn sie irgendwo gut versteckt sind – eine Zeitbombe, die irgendeine Zeitungsredaktion oder Fernsehanstalt demnächst zünden wird? Wenn Sie sie jetzt töten, werden Sie es niemals herausfinden."

Patt. Tyrone senkte die Pistole. Er und Victor sahen sich einen Moment lang an. Dann griff Tyrone in seine Tasche, und Cathy hörte das Schnappen eines Taschenmessers. „Diese Runde geht an Sie, Holland", sagte er, während er die Fesseln durchtrennte.

Cathy empfand es beinahe als schmerzhaft, als das Blut in ihre tauben Hände schoss. Tyrone riss das Klebeband von ihrem Mund und stieß sie vom Stuhl. „Sie gehört Ihnen!"

Cathy kletterte von der Bühne. Mit wackligen Beinen lief sie den Gang hinauf, in den Lichtkreis des Scheinwerfers, zu Victor. Er nahm sie in den Arm. Nur an seinem rasenden Herzschlag spürte sie seine Panik.

„Sie sind dran, Holland!", rief Tyrone.

„Lauf", flüsterte Victor. „Verschwinde von hier."

„Victor, er hat noch zwei andere Männer ..."

„Geben Sie schon her!", befahl Tyrone.

Victor zögerte. Dann griff er in seine Jackentasche und holte ein Zigarrenetui hervor. „Sie achten auf mich", flüsterte er. „Beweg dich zur Tür. Mach schon. *Tu es!*"

Stocksteif blieb sie stehen, unfähig zu einer Entscheidung. Sie konnte ihn nicht seinem sicheren Tod überlassen. Und sie wusste, dass die anderen beiden Pistolenschützen irgendwo im Dunkeln standen und jede ihrer Bewegungen beobachteten.

„Sie bleibt, wo sie ist", ordnete Tyrone an. „Kommen Sie, Holland. Die Reagenzgläser!"

Victor trat einen Schritt vor und dann noch einen.

„Das reicht!", rief Tyrone.

Victor blieb stehen. „Sie wollen sie doch haben, oder?"

„Legen Sie sie auf den Boden."

Langsam stellte Victor das Zigarrenetui vor seine Füße.

„Jetzt schieben Sie es zu mir."

Victor versetzte der Box einen Tritt. Sie rutschte über den Gang und fiel in den Orchestergraben.

Tyrone sprang von der Bühne.

Victor trat den Rückzug an. Er nahm Cathys Hand und schob sie langsam den Gang hinauf Richtung Ausgang.

Wie aufs Stichwort echote das Klicken entsicherter Waffen durch das Theater. Instinktiv drehte Victor sich um und versuchte, die anderen Pistolenschützen auszumachen. Doch es war unmöglich, irgendetwas außerhalb des grellen Lichtkegels zu erkennen.

„Sie bleiben noch", befahl Tyrone und griff nach der Dose. Vorsichtig öffnete er den Deckel. Schweigend betrachtete er den Inhalt.

Das war es, dachte Cathy. *Warum sollte er uns am Leben lassen – jetzt, wo er bekommen hat, was er wollte?*

Tyrones Kopf schoss hoch. „Er hat mich verarscht", sagte er. Und dann brüllte er: „Er hat mich verarscht! Tötet sie!"

Noch während seine Stimme bis in die letzten Ecken des Theaters dröhnte, erlosch plötzlich das Licht. Die Dunkelheit war so vollkommen, dass Cathy die Arme ausstrecken musste, um das Gleichgewicht zu halten.

In dem Moment packte Victor ihre Hand und zerrte sie in die Zuschauerreihen.

„Haltet sie auf!", schrie Tyrone durch das undurchdringliche Schwarz.

Die Pistolenschüsse schienen von allen Seiten zu kommen. Während Cathy und Victor auf Händen und Knien zwischen den Sitzreihen hindurchkrochen, hörten sie das dumpfe Geräusch der Kugeln, die in den gepolsterten Lehnen und Sitzen stecken blieben. Die Männer schossen auf gut Glück in alle Richtungen, und die Patronen sausten kreuz und quer durch den Zuschauerraum.

„Feuerpause!", brüllte Tyrone. „Achtet darauf, wo sie sind!"

Die Schießerei endete abrupt. Cathy und Victor erstarrten in der Dunkelheit, um sich nicht zu verraten. Abgesehen von ihrem hämmernden Puls hörte Cathy kein Geräusch. *Wir sitzen in der Falle. Nur eine Bewegung, und sie wissen, wo wir sind.*

Mit angehaltenem Atem griff sie hinter sich und zog einen Schuh aus. Sie holte aus und schleuderte ihn quer durch den Zuschauerraum. Als er irgendwo mit einem lauten Geräusch landete, setzten sofort neue Salven ein. Im Lärm der Schüsse liefen Victor und Cathy bis zum Ende der Sitzreihe und tauchten im Seitengang ab.

Erneut endete die Schießerei.

„Sie kommen hier nicht raus, Holland!", schrie Tyrone. „Beide Türen sind versperrt. Es ist nur eine Frage der Zeit …"

In einer Loge weiter oben flackerte plötzlich ein Licht. Es kam von einem Feuerzeug, das Dafoe in der Hand hielt. Die Flamme tanzte hin und her und warf beängstigende Schatten an die Wände. Victor drückte Cathy hinter einem Sitz auf den Boden.

„Ich weiß, dass sie hier sind", rief Tyrone. „Haben Sie sie irgendwo gesehen, Dafoe?"

Dafoe bewegte das Feuerzeug, und die Schatten veränderten ihre Gestalt. „Ich habe sie gleich. Warten Sie. Ich glaube, ich sehe …"

Unvermittelt ertönte ein Schuss, und Dafoe wich zur Seite. Die Flamme führte einen bizarren Tanz vor seinem Gesicht auf, während er in der Loge hin und her schwankte. Er griff nach dem Geländer, aber das altersschwache Holz zerbarst unter seinem Gewicht. Es sah aus, als beugte er sich nach vorn. Dann stürzte er hinunter und landete krachend auf einer Sitzreihe.

„Dafoe!", brüllte Tyrone. „Was, zum Teufel …"

Eine Flamme schoss plötzlich vom Boden empor. Dafoes Feuerzeug hatte einen Vorhang in Brand gesetzt. Rasend schnell breitete sich das Feuer aus. Flammen zuckten über das Holz und fraßen Löcher in die Polsterung, erreichten in Windeseile die Wände und fanden den Weg hinauf zu den Dachbalken. Innerhalb von Sekunden war das Theater zu einem fauchenden Inferno geworden.

Im Licht des Feuers wurde alles sichtbar: Victor und Cathy, die sich in einen Gang drückten; Savitch, der in der Nähe des Eingangs Posten bezogen hatte, die Waffe schussbereit in der Hand. Und auf der Bühne stand Tyrone. Im Schein der Flammen hatte sein Gesicht dämonische Züge angenommen.

„Unternehmen Sie was, Savitch!", befahl Tyrone.

Savitch zielte. Jetzt gab es keinen Ort mehr, an dem sie sich verstecken, keine Schatten, in denen sie Zuflucht suchen konnten. Cathy spürte Victors Arm, der sie zum letzten Mal zu schützen versuchte.

Der Pistolenschuss ließ beide zusammenzucken. Ein weiterer Schuss ertönte, aber sie spürte immer noch keinen Schmerz. Sie warf Victor einen Blick zu. Er starrte sie an, als könnte er nicht glauben, dass sie beide noch lebten.

Sie schauten hoch und entdeckten Savitch, auf dessen Hemd sich ein roter Fleck ausbreitete, bevor er auf die Knie fiel.

„Machen Sie schon, Holland!", schrie eine Stimme. „*Rennen Sie!*"

Sie fuhren herum und entdeckten eine vertraute Gestalt inmitten der Flammen. Auf wundersame Weise war Polowski hinter den Vorhängen aufgetaucht. Jetzt wirbelte er um die eigene Achse und zielte auf Tyrone. Die Pistole hielt er mit beiden Händen.

Er zögerte einen Sekundenbruchteil zu lange.

Tyrone schoss zuerst. Die Kugel riss Polowski nach hinten und drückte ihn gegen die rauchenden Stoffsessel.

„Raus hier!", bellte Victor und schob Cathy zum Ausgang. „Ich kümmere mich um ihn …"

„Das kannst du nicht, Victor."

Aber er war schon auf dem Weg. Durch die Rauchschwaden sah sie ihn zwischen den Sitzreihen kriechen. *Er braucht Hilfe. Und die Zeit wird knapp …*

Die Luft war bereits so heiß, dass sie das Gefühl hatte, ihre Lungen würden verbrennen. Hustend fiel sie zu Boden; weiter unten war die Luft noch nicht so rauchgeschwängert. Sie atmete ein paarmal tief ein und aus. Ihr blieb immer noch genügend Zeit zur Flucht. Sie brauchte nur über den Gang zu kriechen und zur Tür hinauszulaufen. Ihr Instinkt riet ihr, zu fliehen, solange sie es noch konnte.

Stattdessen wandte sie dem Eingang den Rücken zu und folgte Victor in die Flammen.

Sie entdeckte seine Gestalt, die sich vor einer mächtigen Feuerwand vorwärtsbewegte. Mit der Hand vor dem Gesicht versuchte sie sich vor der enormen Hitze zu schützen. Sie blinzelte in den Rauch und kroch immer näher in Richtung Flammenmeer. „Victor!", schrie sie.

Doch als Antwort hörte sie nur das dröhnende Feuer – und ein noch beängstigenderes Geräusch: das Knacken von Holzdielen. Sie schaute hoch. Entsetzt stellte sie fest, dass die Balken näher zu kommen schienen und kurz davor waren herunterzustürzen.

In heller Panik kroch sie weiter – dorthin, wo sie Victor zuletzt gesehen hatte. Doch sie entdeckte ihn nirgendwo. An der Stelle, wo er gewesen war, wirbelte eine Säule aus Feuer und Rauch umher. War er schon geflohen? War sie allein und gefangen in dieser lodernden Zündholzschachtel?

Etwas schlug gegen ihr Gesicht. Verdattert und verständnislos starrte sie auf die Hand, die vor ihren Augen hing. Ihr

Blick wanderte an dem blutverschmierten Arm entlang, bis sie in die toten Augen von Dafoe blickte. Ihr Entsetzensschrei wurde vom Fauchen der Flammen erstickt.

„Cathy?"

Als sie Victors Stimme hörte, drehte sie sich um. Jetzt sah sie ihn, nur wenige Meter entfernt geduckt zwischen den Sitzreihen. Er hatte Polowski unter die Arme gegriffen und bemühte sich, ihn zum Ausgang zu zerren. Aber der Rauch und die Hitze hatten ihn geschwächt; er stand kurz davor, zu kollabieren.

„Das Dach fällt jeden Moment herunter!", schrie sie.

„Raus hier."

„Nicht ohne dich." Sie schob sich weiter nach vorne und griff nach Polowskis Füßen. Zusammen schleppten sie ihre schwere Last in den Gang und über den Teppich, der ebenfalls Feuer gefangen hatte. Schritt für Schritt näherten sie sich dem Ende des Ganges. Nur noch wenige Meter, dann hätten sie es geschafft!

„Ich halte ihn", keuchte Victor. „Mach die Tür auf ..."

Sie erhob sich halb und drehte sich um.

Matt Tyrone stand vor ihr.

„Victor!", schluchzte sie.

Victor drehte das Gesicht, eine Maske aus Ruß und Schweiß, zu Tyrone und schaute ihm in die Augen. Keiner der Männer sagte ein Wort. Sie wussten beide, dass das Spiel dem Ende zuging. Nun wurde es Zeit für den letzten Zug.

Tyrone hob die Pistole.

Noch während er es tat, hörten sie das Geräusch von splitterndem Holz. Tyrone schaute nach oben, als einer der Dachbalken nachgab. Ein Funkenregen stob von der Decke.

Die kurze Ablenkung reichte Cathy aus. In schierer Verzweiflung sprang sie vorwärts, griff nach Tyrones Beinen und zog so heftig daran, dass er rückwärts stürzte. Die Pistole flog ihm aus der Hand, als er zwischen eine Sitzreihe fiel.

Doch sofort war Tyrone wieder auf den Füßen und trat wie wild nach ihr. Sein Fuß landete in ihren Rippen. Der Schmerz war so heftig, dass ihr der Atem stockte. Hilflos lag sie zwischen den Sitzen, unfähig, sich gegen weitere Attacken zur Wehr zu setzen.

Ihr wurde ganz schwarz vor Augen. Durch einen Nebel aus Feuer und Rauch sah sie zwei Gestalten, die miteinander kämpften. Victor und Tyrone. Wie Scherenschnitte vor einer Flammenwand gingen sie einander an die Kehle. Tyrone holte zum Schlag aus, und Victor stolperte ein paar Schritte rückwärts. Tyrone ging ihn an wie ein wilder Stier. Im letzten Moment wich Victor zur Seite aus, so dass Tyrones Schlag ins Leere ging. Der Schwung seines Angriffs ließ ihn vorwärtstaumeln. Er stürzte auf den schwelenden Teppich. Wütend rappelte er sich auf, bereit für die nächste Attacke.

Beim Geräusch knirschender Holzbalken riss er den Kopf nach oben.

Er starrte noch erstaunt in die Luft, als der Balken bereits krachend auf seinem Schädel landete.

Cathy versuchte, Victors Namen zu rufen, aber sie brachte keinen Ton hervor. Der Rauch hatte ihre Kehle ausgetrocknet und anschwellen lassen. Mit letzter Kraft rappelte sie sich hoch. Stöhnend lag Polowski neben ihr. Von allen Seiten kamen die Flammen näher, leckten von den Wänden, schossen aus dem Boden, eroberten die letzten noch unberührten Vorhänge.

Dann sah sie ihn in dem fauchenden Feuerinferno auf sich zustolpern. Er packte sie am Arm und zerrte sie mit sich zum Ausgang.

Irgendwie schafften sie es, mit Polowski im Schlepptau durch die Tür zu kommen. Hustend und würgend zogen sie ihn auf die Straße und den gegenüberliegenden Gehweg. Dort brachen sie zusammen.

Unvermittelt wurde der schwarze Himmel in strahlende Helligkeit getaucht, als das Theater von einer Explosion erschüttert wurde. Das Dach stürzte zusammen. Ein gewaltiges Feuer loderte empor und ließ die Nacht zum Tag werden. Schützend warf Victor sich über Cathy, als die Fensterscheiben im Gebäude über ihnen zerbarsten und ein Regen von Glassplittern sich auf sie ergoss.

Eine Zeit lang hörten sie nur die zischenden und fauchenden Flammen von der anderen Straßenseite. Und dann ertönte aus der Ferne das Jaulen von Sirenen.

Polowski bewegte sich stöhnend.

„Sam!" Victor konzentrierte sich auf den verletzten Mann. „Wie geht's Ihnen, alter Knabe?"

„Ein ... ein furchtbares Stechen in der Seite."

„Das wird schon wieder." Victor warf ihm ein aufmunterndes Grinsen zu. „Hören Sie die Sirenen? Die Retter sind unterwegs."

„Ja." Vor lauter Schmerz kniff Polowski die Augen zusammen und starrte in den flammenzuckenden Himmel.

„Danke, Sam", sagte Victor leise.

„Musste ja wohl hinter Ihnen her. Weil Sie zu dickköpfig waren, um auf mich zu hören ..."

„Auf jeden Fall haben wir sie wieder. Ist das etwa nichts?"

Polowskis Blick wanderte zu Cathy. „Wir ... wir haben's ganz gut hingekriegt."

Müde fuhr Victor sich mit der Hand durch sein rußverschmiertes Gesicht. „Aber wir stehen wieder ganz am Anfang. Die Beweise sind futsch ..."

„Milo …"

„Es ist alles da drinnen." Victor schaute zu den Flammen, die inzwischen vom ganzen Theater Besitz ergriffen hatten.

„Milo hat sie", flüsterte Sam.

„Was?"

„Sie waren gerade abgelenkt. Ich hab's Milo gegeben."

Entgeistert rückte Victor vom ihm ab. „Sie meinen, Sie haben sie an sich genommen? Sie haben die Reagenzgläser genommen?"

Polowski nickte.

„Sie … Sie verdammter …"

„Victor", unterbrach Cathy ihn.

„Er hat mich um das einzige Druckmittel gebracht, das ich hatte."

„Er hat uns das Leben gerettet."

Wütend starrte Victor auf Polowski hinab.

Polowski grinste gequält. „Die Lady benutzt den Kopf, den sie auf den Schultern trägt", murmelte er. „Sie sollten besser auf sie hören."

Die Sirenen, die zu einem schrillen Kreischen angeschwollen waren, brachen unvermittelt ab. Rufe von Männern drangen durch das Knistern und Fauchen der Flammen. Ein stämmiger Feuerwehrmann kletterte aus dem Einsatzwagen und kniete sich neben Polowski.

„Was ist denn mit Ihnen?"

„Er ist angeschossen worden", erklärte Victor. „Und ein Klugscheißer."

Der Feuerwehrmann nickte. „Kein Problem, Sir. Wir kommen mit beidem zurecht."

Noch während sie Polowski in den Krankenwagen verfrachteten, war das Saracen Theater fast bis auf die Grundmauern niedergebrannt. Victor und Cathy sahen dem Krankenwagen hinterher, bis die Rücklichter in der Dunkelheit verschwunden waren. Sie hörten die leiser werdenden Sirenen und das Wasser, das zischend in der Glut verdampfte.

Er drehte sich zu ihr um. Schweigend zog er sie in die Arme und hielt sie fest an sich gedrückt – zwei stumme Gestalten vor einem Hintergrund von kokelnder Glut und nachlassender Hektik. Sie waren beide so ermattet, dass sie nicht zu sagen vermocht hätten, wer wen festhielt. Doch trotz ihrer Erschöpfung spürte Cathy die Magie des Augenblicks. Das ersterbende Glimmen der Flammen und die tanzenden Schatten auf den Fassaden der gegenüberliegenden Gebäude waren von einer bizarren Schönheit. Schön, erschreckend und endgültig.

„Du bist meinetwegen gekommen", murmelte sie. „Ach Victor, ich hatte solche Angst, dass du …"

„Cathy, du wusstest doch, dass ich kommen würde."

„Gewusst habe ich es nicht. Du hattest schließlich deine Beweise. Du hättest mich einfach zurücklassen …"

„Nein, das hätte ich nicht!" Er drückte ihr einen Kuss auf das angesengte Haar. „Gott sei Dank saß ich noch nicht in dem Flugzeug. Sie hatten dich in den Händen, und ich wäre zweitausend Meilen weit entfernt gewesen."

Glassplitter knirschten, als jemand sich ihnen näherte. „Entschuldigen Sie", sagte eine Stimme. „Sind Sie Victor Holland?"

Sie wandten sich zu dem Mann um. Er trug einen zerknitterten Parka und hatte eine Kamera um die Schulter geschlungen.

„Wer sind Sie?", wollte Victor wissen.

Der Mann reichte ihm die Hand. „Jay Wallace vom *San Francisco Chronicle*. Sam Polowski hat mich angerufen und mir erzählt, dass es ein Feuerwerk geben würde und dass ich mal vorbeischauen sollte, falls ich interessiert sei." Kopfschüttelnd betrachtete er das, was vom Saracen Theater übrig geblieben war. „Aber da bin ich wohl ein bisschen zu spät gekommen."

„Moment mal … Sam hat Sie angerufen? Wann?"

„Vor etwa zwei Stunden. Wäre er nicht mein Exschwager, dann wäre ich jetzt ziemlich sauer auf ihn. Seit Tagen macht er geheimnisvolle Andeutungen, dass er eine Story für mich hätte. Aber Genaueres hat er nicht rausgelassen. Deshalb wäre ich heute Abend auch beinahe nicht gekommen. Es ist nämlich ein ziemlich weiter Weg von der Stadt bis hierher."

„Er hat Ihnen von mir erzählt?"

„Er hat gesagt, Sie hätten was zu erzählen."

„Haben wir das nicht alle?"

„Einige Storys sind besser als andere." Suchend sah sich der Reporter um. „Wo ist Sam überhaupt? Oder ist der Witzbold gar nicht aufgetaucht?"

„Der Witzbold ist ein gottverdammter Held." Victor klang verärgert. „Schreiben Sie das in Ihrem Artikel."

Wieder wurden Schritte laut. Dieses Mal näherten sich zwei Polizisten. Cathy spürte, wie Victor sich anspannte, als er sich ihnen zuwandte.

Der Ältere von beiden ergriff das Wort. „Wir haben gerade erfahren, dass das Opfer eines Schusswechsels in die Notaufnahme gebracht wurde. Und dass Sie am Tatort waren."

Victor nickte. Die Anspannung in seiner Miene wich einem Ausdruck von totaler Erschöpfung. Und Resignation. Ruhig antwortete er: „Ich war da. Und wenn Sie das Gebäude durchsuchen – beziehungsweise das, was davon übrig geblieben ist –, werden Sie drei Leichen finden."

„Drei?" Die beiden Polizisten warfen sich einen Blick zu.

„Das muss ja wirklich ein tolles Feuerwerk gewesen sein", murmelte der Reporter.

Der ältere Polizist sagte: „Vielleicht sollten Sie uns Ihren Namen nennen, Sir."

„Mein Name ..." Victor warf Cathy einen Blick zu. Sie las die Botschaft in seinem müden Blick: *Wir sind am Ende angekommen. Ich muss es ihnen sagen. Jetzt werden sie uns beide trennen, und wer weiß, wann wir uns wiedersehen ...*

Sie spürte, wie er ihre Hand fester umklammerte. Sie erwiderte den Griff, denn sie wusste, dass er jeden Moment von ihr fortgezogen werden konnte.

Ohne Cathy aus den Augen zu lassen, beantwortete er die Frage. „Mein Name ist Victor Holland."

„Holland ... Victor Holland?", vergewisserte sich der Polizist. „Ist das nicht ..."

Immer noch schaute Victor Cathy an. Er würde den Blick erst lösen, wenn die Handschellen klickten, wenn man ihn von ihr wegzog und in einen Streifenwagen verfrachtete.

Sie würde ohne Fels in der Brandung zurückbleiben, zitternd in der nachlassenden Hitze, die von dem Brand ausging.

„Ma'am, Sie müssen mit uns kommen."

Verwirrt schaute sie den Polizisten an. „Wie bitte?"

„Sie muss gar nichts", schaltete sich Jay Wallace ein. „Sie haben ihr nichts vorgeworfen."

„Seien Sie still, Wallace."

„Ich bin Gerichtsreporter. Ich kenne ihre Rechte."

„Lassen Sie nur", beschwichtigte Cathy ihn. „Ich komme mit Ihnen, Officer."

„Warten Sie", sagte Wallace. „Zuerst möchte ich mit Ihnen reden. Ich habe nur ein paar Fragen ..."

„Sie kann später mit Ihnen sprechen", blaffte der Polizist ihn an, während er Cathy am Arm nahm. „Nachdem sie mit uns geredet hat."

Die Polizisten waren höflich, geradezu nett. Vielleicht lag es daran, dass sie sich so bereitwillig in ihre Lage fügte; vielleicht weil sie spürten, dass ihre Kraftreserven fast vollkommen aufgebraucht waren. Sie beantwortete all ihre Fragen. Sie ließ sie die Spuren der Fesseln an ihrem Handgelenk untersuchen. Sie erzählte ihnen von Ollie und Sarah und den anderen Catherine Weavers. Und während der Vernehmung auf dem Polizeipräsidium in Palo Alto hoffte sie inständig, einen Blick auf Victor zu erhaschen. Sie wusste, dass er in der Nähe war. Ob sie ihm in diesem Moment die gleichen Fragen stellten?

Als der Morgen dämmerte, ließ man sie gehen.

Jay Wallace wartete draußen in der Nähe der Treppe. „Ich muss mit Ihnen sprechen", sagte er, als sie ins Freie trat.

„Bitte, nicht jetzt. Ich bin müde …"

„Nur ein paar Fragen."

„Ich kann nicht. Ich muss …" Sie unterbrach sich. Als sie verloren auf der kalten und menschenleeren Straße stand, brach sie unvermittelt in Tränen aus. „Ich weiß nicht mehr, was ich tun soll", schluchzte sie. „Ich weiß nicht, wie ich ihm helfen kann. Wann ich mit ihm reden kann."

„Sie meinen Holland? Sie haben ihn schon nach San Francisco gebracht."

„Was?" Erschrocken sah sie Wallace an.

„Vor einer Stunde. Als Begleitung sind eigens mächtige Männer vom Justizministerium gekommen. Wie ich gehört habe, wollten sie mit ihm sofort nach Washington fliegen. Eine Behandlung erster Klasse – auf der ganzen Linie."

Verwirrt schüttelte sie den Kopf. „Dann geht es ihm ja gut. Dann haben sie ihn ja nicht verhaftet."

„Wieso auch?", lachte Wallace. „Der Mann ist jetzt ein echter Held."

Ein Held. Egal, wie sie ihn bezeichneten – Hauptsache, es ging ihm gut.

Sie atmete tief durch. Die eisige Luft schnitt ihr in die Lungen. „Haben Sie ein Auto, Mr Wallace?"

„Es steht um die Ecke."

„Dann könnten Sie mich mitnehmen."

„Wohin?"

„Zum …" Sie zögerte. Wohin sollte sie gehen? Wo würde Victor sich nach ihr erkundigen? Natürlich. Bei Milo. „Zum Haus eines Freundes", fuhr sie fort. „Ich möchte dort sein, wenn Victor anruft."

Wallace deutete in die Richtung, wo er geparkt hatte. „Ich hoffe, es ist eine lange Fahrt", sagte er. „Ich muss nämlich noch eine Menge Löcher füllen, ehe die Story druckreif ist."

Victor meldete sich nicht.

Vier Tage blieb sie in der Nähe des Telefons in der Erwartung, seine Stimme zu hören. Vier Tage lang wurde sie von Milo und seiner Mutter mit Tee, Keksen, aufmunterndem Lächeln und Mitgefühl versorgt. Als sie am fünften Tag immer noch nichts von ihm gehört hatte, begannen schreckliche Zweifel an ihr zu nagen. Sie erinnerte sich an den Tag am Seeufer, als er darauf bestanden hatte, dass Ollie sie wegbrachte. Sie dachte an all die Worte, die er hätte sagen können, aber niemals äußerte. Zugegeben, er war ihretwegen zurückgekommen. Er war ins Saracen Theater gekommen und wissentlich in eine Falle gegangen. Aber hätte er das nicht auch für jeden anderen seiner Freunde getan? Er gehörte zu dieser Sorte von Männern. Sie hatte sein Leben einmal gerettet. Er war sich seiner Schuld bewusst – und hatte sie zurückgezahlt. Er war eben ein Ehrenmann.

Mit Liebe hatte das vielleicht gar nichts zu tun.

Sie wartete nicht länger neben dem Telefon. Stattdessen kehrte sie in ihre Wohnung in San Francisco zurück, kehrte die Glassplitter zusammen, ließ eine neue Fensterscheibe einsetzen und die Wände ausbessern. Sie machte lange Spaziergänge und besuchte Ollie und Polowski häufig im Krankenhaus. Sie tat alles, um nicht in der Nähe des stummen Telefons zu sein.

Jack rief sie an. „Wir beginnen nächste Woche mit den Dreharbeiten", jammerte er. „Und das Monster ist in einem schrecklichen Zustand. Diese Feuchtigkeit. Sein Gesicht zerfließt dauernd in grünem Schleim. Komm her, und tu was dagegen. Bitte!"

Sie antwortete, dass sie es sich überlegen würde.

Eine Woche später traf sie eine Entscheidung. Sie brauchte Arbeit. Die Beschäftigung mit grünem Schleim und verrückten Schauspielern war immer noch besser, als auf einen Anruf zu warten, der niemals kommen würde.

Sie buchte ein One-Way-Ticket von San José nach Puerto Vallarta. Dann packte sie ihre gesamte Garderobe. Sie hatte vor, lange zu bleiben und ausgiebig Urlaub zu machen.

Doch vor ihrem Abflug würde sie nach Palo Alto fahren. Sie hatte Sam Polowski nämlich einen letzten Besuch versprochen.

14. KAPITEL

(AP) Washington. Regierungssprecher Richard Jung-
kuntz betonte heute nochmals, weder der Präsident noch
jemand aus seinem Beraterkreis hätten Kenntnis davon
gehabt, dass das kalifornische Unternehmen Viratek In-
dustries Forschungen auf dem Gebiet der biologischen
Kriegswaffen betreibt. Das Projekt Cerberus, mit dem
Viratek gentechnisch veränderte Viren hergestellt hat,
verstößt eindeutig gegen internationale Abkommen.
Nachforschungen des Reporters Jay Wallace vom ‚San
Francisco Chronicle' haben ergeben, dass das Projekt mit
Billigung des kürzlich verstorbenen Matt Tyrone, einem
leitenden Mitarbeiter des Verteidigungsministeriums, fi-
nanziert worden ist.

Bei einer Anhörung im Verteidigungsministerium, die
wegen eines Schneesturms mit vierstündiger Verzöge-
rung begann, versicherte der Vorstandsvorsitzende von
Viratek, Archibald Black, er werde nichts unversucht
lassen, um die Verbindungen zwischen dem Ministerium
und dem Projekt Cerberus aufzuklären. Die gestrigen
Aussagen von Dr. Victor Holland, einem ehemaligen
Angestellten von Viratek, haben besorgniserregende
Details über Täuschungen, Vertuschungsversuche und
möglicherweise sogar Mord ans Licht gebracht.

Dennoch lehnt der Generalstaatsanwalt die Forde-
rung von Kongressmitglied Leo D. Fanelli nach einem
Sonderermittler weiterhin ab …

Cathy ließ die Zeitung sinken und lächelte ihren Freunden
zu, die im Wintergarten des Krankenhauses saßen. „Na,
Jungs, freut ihr euch nicht, im sonnigen Kalifornien zu sein,

statt euch eure – ihr wisst schon was – in Washington abzufrieren?"

„Machen Sie Witze?", brummte Polowski. „Ich gäbe wer weiß was darum, wenn ich jetzt bei den Anhörungen dabei sein könnte. Stattdessen bin ich an diese Dinger gefesselt." Er zog am Schlauch seiner Infusion, sodass die Flasche gegen den Metallstab klirrte.

„Immer mit der Ruhe, Sam", beschwichtigte Milo ihn. „Sie kommen schon noch nach Washington."

„Ach was! Holland hat denen doch schon alles Wichtige erzählt. Wenn ich meine Zeugenaussage mache, ist das längst alles Schnee von gestern."

„Das glaube ich nicht", widersprach Cathy. „Diese Affäre wird noch lange für Schlagzeilen sorgen." Sie schaute aus dem Fenster auf die von der Sonne beschienene Wiese. *Noch lange.* Wie lange würde es wohl dauern, bis sie Victor wiedersah? Falls sie ihn überhaupt jemals wiedersah. Zuletzt hatten sie sich vor drei Wochen gesehen. Von Jay Wallace hatte sie erfahren, dass es jedes Mal einen Aufstand gab, wenn Victor sich in der Öffentlichkeit zeigte. Er war stets umgeben von Reportern, Anwälten und Mitarbeitern vom Justizministerium. Niemand konnte in seine Nähe kommen.

Nicht einmal ich, dachte sie resigniert.

Es war tröstlich für sie, drei neue Freunde zu haben, mit denen sie sich unterhalten konnte. Ollie war schnell von seiner Schussverletzung genesen und acht Tage später aus dem Krankenhaus entlassen worden – oder, wie Milo es ausdrückte, herausgeflogen. Polowski hatte es schlimmer getroffen. Eine Entzündung nach der Operation sowie eine schwere Rauchvergiftung hatten seinen Klinikaufenthalt so sehr in die Länge gezogen, dass er von Tag zu Tag frustrierter und ungeduldiger wurde. Er wollte raus. Er wollte wieder mitmischen.

Er sehnte sich nach einem anständigen Cheeseburger und einer Zigarette.

Noch eine Woche, trösteten ihn die Ärzte.

Wenigstens ist die Zeit für ihn absehbar, dachte Cathy. *Ich dagegen weiß nicht, wann ich noch einmal etwas von Victor höre oder sehe. Und ob überhaupt ...*

Sein Schweigen sei nichts Ungewöhnliches, hatte Polowski sie beruhigt. Zeugenabschirmung. Schutzhaft. Das Justizministerium wollte einen wasserdichten Fall, und dafür würde es alles tun, um seinen Hauptbelastungszeugen aus der Öffentlichkeit herauszuhalten. Bei den anderen hatte eine eidesstattliche Aussage gereicht. Cathy hatte ihre Aussage vor zwei Wochen gemacht. Danach hatte man ihr gesagt, dass sie die Stadt jederzeit verlassen konnte.

Jetzt lag ein Flugticket nach Mexiko in ihrer Handtasche.

Sie hatte keine Lust mehr, auf Telefonanrufe zu warten, sie wollte sich nicht länger das Hirn mit der Frage zermartern, ob er sie liebte oder vermisste. Das hatte sie alles schon einmal erlebt – mit Jack. Die Zweifel, die Ängste, die unaufhaltsame Erkenntnis, dass irgendetwas nicht stimmte. Es reichte ihr. Sie wollte nicht noch einmal verletzt werden – jedenfalls nicht auf diese Weise.

Wenigstens habe ich drei neue Freunde gefunden, dachte sie. Sie waren die betrübliche Erfahrung allemal wert. Ollie und Polowski und Milo – das unwahrscheinlichste Trio, das man sich vorstellen konnte.

„Schau mal, Sam ..." Milo griff in seinen Rucksack. „Wir haben dir was mitgebracht."

„Hoffentlich nicht schon wieder Boxershorts mit Hula-Mädchen drauf. Ihr hättet die Krankenschwestern erleben müssen, als sie die gesehen haben."

„Nein. Diesmal ist es etwas für deine Lunge. Es soll dich daran erinnern, tief durchzuatmen."

„Zigaretten?", fragte Polowski hoffnungsvoll.

Grinsend hielt Milo das Geschenk hoch. „Ein Kazoo."

„Das hat mir gerade noch gefehlt."

„Eben." Ollie öffnete seinen Klarinettenkasten. „Wir haben unsere Instrumente nämlich auch mitgebracht und wollten dich auf keinen Fall von diesem Gig ausschließen."

„Das ist nicht euer Ernst."

„Gibt es einen besseren Ort zum Spielen?" Liebevoll streichelte Milo über seine Piccoloflöte. „All diese kranken, depressiven Patienten können ein bisschen Aufmunterung gut gebrauchen. Zum Beispiel etwas flotte Musik."

„Etwas Ruhe und Frieden." Polowski warf Cathy einen flehenden Blick zu. „Das meinen die doch nicht ernst."

Sie erwiderte seinen Blick und holte ihren Taschenkamm hervor. „Todernst."

„Okay, Jungs und Mädel", forderte Ollie die anderen auf. „Los geht's!"

Eine solche Version von „California, Here I Come" hatte die Welt noch nicht gehört. Und mit etwas Glück würde die Welt sie auch nie wieder hören. Als die letzten Töne verklangen, waren Krankenschwestern und Patienten in den Wintergarten geströmt, um nach der Quelle des infernalischen Lärms zu sehen.

„Mr Polowski", sagte die Stationsschwester streng, „wenn Ihre Besucher sich nicht benehmen können ..."

„Werfen Sie sie raus?", fragte Polowski hoffnungsvoll.

„Nicht nötig", sagte Ollie. „Wir packen unsere Tröten ein. Sie können uns übrigens buchen – für Hochzeiten, Geburtstagsfeiern, Firmenjubiläen ... Wenden Sie sich einfach an unseren Agenten ...", Milo lächelte und winkte mit der Hand, „wenn Sie einen individuell zugeschnittenen Auftritt möchten."

Polowski stöhnte. „Ich möchte zurück ins Bett."

„Noch nicht", entgegnete die Schwester. „Sie brauchen noch ein wenig Stimulation." Sie zwinkerte Ollie zu und rauschte davon.

„Also", sagte Cathy, „ich glaube, ich habe genug getan, um euch aufzumuntern. Es wird Zeit für mich, zu fahren."

Entsetzt riss Polowski die Augen auf. „Du willst mich mit diesen Irren allein lassen?"

„Mir bleibt keine Wahl. Ich muss mein Flugzeug bekommen."

„Wo fliegst du denn hin?"

„Mexiko. Jack hat angerufen. Sie drehen bereits. Da habe ich mir gedacht, fahr mal hin, und kümmere dich um ein paar Monster."

„Und was ist mit Victor?"

„Was soll mit ihm sein?"

„Ich dachte … dass er …" Polowski warf Ollie und Milo einen Hilfe suchenden Blick zu. Sie zuckten nur mit den Schultern.

„Ich glaube nicht." Wieder schaute sie aus dem Fenster. Auf dem Gehweg saß eine alte Frau im Rollstuhl und hielt das magere Gesicht dankbar in die Sonne. Bald würde Cathy auch diese Sonne genießen – irgendwo an einem mexikanischen Strand.

Das Schweigen der drei Männer machte ihr klar, dass sie nicht wussten, was sie sagen sollten. Schließlich waren sie ebenfalls mit Victor befreundet. Sie konnten ihn weder verteidigen noch anklagen. Ebenso wenig wie sie. Sie liebte ihn einfach – und deshalb hatte sie das Gefühl, mit ihrer Entscheidung, nach Mexiko zu fliegen, genau das Richtige zu tun. Cathy hatte schon einmal geliebt. Daher wusste sie, dass es nichts Schlimmeres gab als einen Mann, dem ihre Gefühle gleichgültig waren.

Sie hätte es nicht ertragen, diese Gleichgültigkeit in Victors Augen zu sehen.

„Jungs, ich glaube, ich muss jetzt wirklich los." Sie griff zu ihrer Handtasche.

Bekümmert schüttelte Ollie den Kopf. „Ich wünschte, du würdest hierbleiben. Er muss doch jetzt jeden Tag zurückkommen. Außerdem kannst du nicht so einfach unser grandioses Quartett zerstören."

„Sam kann für mich Kazoo spielen."

„Niemals", antwortete Polowski entschieden.

Sie drückte einen Kuss auf seinen kahlen Schädel. „Gute Besserung. Das Land braucht dich."

Polowski seufzte. „Gott sei Dank. Wenigstens eine, die das genauso sieht."

„Ich schreibe euch eine Karte aus Mexiko." Sie warf sich die Handtasche über die Schulter und wandte sich zum Gehen. Als sie sich umdrehte, blieb sie wie angewurzelt stehen.

Victor stand im Türrahmen, einen Koffer in der Hand. Fragend neigte er den Kopf. „Was hat das mit Mexiko auf sich?"

Ihr fehlten die Worte für eine Antwort. Stumm starrte sie ihn an und dachte darüber nach, wie ungerecht es war, dass der Mann, dem sie unbedingt aus dem Weg gehen wollte, so verdammt gut aussah.

„Du kommst genau im richtigen Moment", sagte Ollie. „Sie wollte gerade fahren."

„Was?" Victor ließ den Koffer fallen und sah sie bestürzt an. Erst jetzt bemerkte sie seine zerknitterte Kleidung und die Bartstoppeln. Eine Socke lugte aus dem Koffer hervor.

„Du kannst nicht wegfahren", stammelte er.

Sie räusperte sich. „Es war nicht geplant. Jack braucht mich."

„Ist etwas passiert? Ein Notfall?"

„Nein, es ist nur … sie drehen schon, und auf dem Set herrscht ein ziemliches Chaos …" Sie warf einen Blick auf ihre Uhr, um ihm zu verstehen zu geben, dass sie es wirklich eilig hatte. „Ich verpasse meinen Flieger. Ich rufe dich an, wenn ich unten bin. Versprochen."

„Du bist doch nicht die einzige Maskenbildnerin."

„Nein, aber …"

„Er kann den Film auch ohne dich drehen."

„Ja, aber …"

„Du willst fliegen, stimmt's?"

Sie antwortete nicht. Sie konnte ihn nur schweigend anschauen. Er sah den Kummer in ihrem Blick.

Er ergriff ihre Hand – zärtlich, aber fest. „Entschuldigt uns kurz, Jungs", sagte er zu den anderen. „Die Dame und ich machen einen kleinen Spaziergang."

Draußen wirbelten Blätter über den braunen Winterrasen. Sie liefen über eine mit Eichen bestandene Allee, auf der Sonne und Schatten einander abwechselten. Unvermittelt blieb er stehen und drehte sie zu sich.

„Verrate mir, warum du auf diese Schnapsidee gekommen bist, einfach wegzufahren."

Sie schlug die Augen nieder. „Ich habe gedacht, ich bedeute dir nicht allzu viel."

„Du bedeutest mir nicht allzu viel? Cathy, ich habe mir Tag und Nacht das Hirn zermartert, wie ich aus diesem verdammten Hotelzimmer flüchten und zu dir kommen könnte. Du kannst dir nicht vorstellen, was für Sorgen ich mir gemacht habe. Ich habe mich gefragt, ob du in Sicherheit bist und ob diese ganze verrückte Angelegenheit wirklich ausgestanden war. Die Anwälte haben mich nicht mal telefonieren lassen, ehe die Anhörungen zu Ende waren. Einmal ist es mir

gelungen, mein Zimmer zu verlassen und bei Milo anzurufen. Es war aber niemand zu Hause."

„Wahrscheinlich waren wir hier und haben Sam besucht."

„Ich bin fast durchgedreht. Immer und immer wieder haben sie mir dieselben dämlichen Fragen gestellt. Dabei musste ich die ganze Zeit daran denken, wie sehr ich dich vermisse." Er schüttelte den Kopf. „Bei der erstbesten Gelegenheit bin ich aus meinem Hotelgefängnis geflüchtet. Und habe in Chicago stundenlang in einem Schneesturm gestanden. Aber ich habe es geschafft. Ich bin hier. Und gerade rechtzeitig, so wie es aussieht." Sanft nahm er sie bei den Schultern. „Jetzt sag mir: Willst du immer noch zu Jack fliegen?"

„Ich fliege nicht wegen Jack. Sondern meinetwegen. Weil ich weiß, dass das nicht funktionieren wird."

„Cathy, nach allem, was wir durchgemacht haben, wird alles bei uns funktionieren."

„Nicht … nicht das hier."

Langsam ließ er die Hand sinken, ohne den Blick von ihr zu wenden. „Die Nacht, in der wir uns geliebt haben", begann er zögernd. „Hat dir das nichts gesagt?"

„Aber es war nicht ich, die du geliebt hast. Du hast an Lily gedacht …"

„Lily?" Verwundert schüttelte er den Kopf. „Was hat sie damit zu tun?"

„Du hast sie so sehr geliebt …"

„Und du hast Jack mal so sehr geliebt. Weißt du das nicht mehr?"

„Ich habe mich entliebt. Das hast du nie getan. Egal, wie sehr ich mich auch bemühe – ich werde es nie mit ihr aufnehmen können. Ich bin nicht klug genug oder nett genug …"

„Cathy, hör auf!"

„Ich werde niemals sie sein können."

„Das will ich auch gar nicht. Ich möchte die Frau haben, die mit mir an Feuertreppen hängt – und die mich in Seitenstraßen hineinzieht. Ich will die Frau, die mir das Leben gerettet hat. Die Frau, die sich selbst für durchschnittlich hält. Die Frau, die keine Ahnung hat, wie … wie außergewöhnlich sie wirklich ist." Er legte ihr die Hände an die Wangen, so dass sie ihn ansehen musste. „Ja, es stimmt, Lily war eine wunderbare Frau. Sie war klug, freundlich und voller Mitgefühl. Aber sie war nicht du. Und sie und ich – wir waren auch nicht das perfekte Paar. Ich habe immer gedacht, es sei mein Fehler und dass es anders wäre, wenn ich ein besserer Liebhaber wäre …"

„Du bist ein wunderbarer Liebhaber, Victor."

„Nein. Spürst du nicht, dass du es bist? Du bist es, die diese Seite in mir hervorbringt. Das Begehren, die Leidenschaft …" Er zog ihr Gesicht näher an seines, und seine Stimme wurde zu einem Flüstern. „Als wir uns in jener Nacht geliebt haben, war es für mich wie das erste Mal. Nein, es war sogar noch besser. Weil ich dich liebe."

„Und ich liebe dich."

Er nahm sie in die Arme, strich ihr mit den Fingern durchs Haar und küsste sie. „Cathy, Cathy", murmelte er. „Wir waren so sehr damit beschäftigt, am Leben zu bleiben, dass uns gar keine Zeit blieb, all die Dinge auszusprechen, die wir uns hätten sagen sollen …"

Er erstarrte, als sie auf einmal Applaus von oben hörten. Sie schauten empor. Drei Gesichter grinsten von einem Krankenhausbalkon auf sie hinunter.

„Einsatz, Jungs!", schrie Ollie.

Eine Klarinette, eine Piccoloflöte und ein Kazoo setzten ein zu einem schrägen Konzert. Die Melodie war schwer zu erkennen. Dennoch glaubte Cathy herauszuhören, dass es sich um George Gershwins „Someone to Watch Over Me" handelte.

Victor stöhnte. „Ich schlage vor, das probieren wir noch mal, aber mit einer anderen Band. Und ohne Publikum. Und woanders."

Sie lachte. „In Mexiko?"

„Zum Beispiel." Er ergriff ihre Hand und zog sie zu einem Taxi, das am Straßenrand wartete.

„Aber Victor!", protestierte sie. „Was ist mit unserem Gepäck? Meine ganzen Sachen …"

Mit einem weiteren Kuss schnitt er ihr das Wort ab – einem Kuss, der sie schwindlig und atemlos machte und den Wunsch nach mehr in ihr weckte.

„Vergessen wir das Gepäck einfach", flüsterte sie. „Vergessen wir alles. Verschwinden wir einfach …"

Sie stiegen ins Taxi. In dem Moment stimmte die Band auf dem Krankenhausbalkon eine neue Melodie an, die Cathy zunächst nicht erkannte. Nach und nach gewann in dem Katzengejaule das Kazoo die Oberhand. Ein paar Töne lang stimmte die Melodie haargenau. Sie spielten den Hochzeitsmarsch aus *Lohengrin*.

„Was ist das für ein schrecklicher Lärm?", erkundigte sich der Taxifahrer.

„Das ist Musik." Victor warf Cathy ein Lächeln zu. „Die schönste Musik auf der Welt."

Sie fiel ihm in die Arme, und er hielt sie ganz fest.

Das Taxi fädelte sich in den Verkehr ein. Doch selbst als sie schon einige Meter zurückgelegt und das Krankenhaus hinter sich gelassen hatten, meinten sie, es selbst aus der Ferne hören zu können: die Töne von Sam Polowskis Kazoo, das er für sie zum Abschied spielte.

Lesen Sie auch:

David McCallum

Murphys Gesetz

Im Buchhandel erhältlich

Band-Nr. 100011
16,99 € (D)
ISBN: 978-3-95967-016-6

„Der ‚Klugscheißer von der Bank‘, wie du ihn nennst", sagte Max, „hat keine Ahnung von alldem hier."

„Der Mistkerl wird sich freuen", sagte Enzo. „Carter wollte schon aussteigen, seit wir ihn festgenagelt haben."

Max sammelte die Papiere zusammen. „Wir haben genug Cash zur Verfügung, um satt und zufrieden zu sein, bis wir zu alt sind, uns drum zu scheren." Er steckte sie in seine Tasche zurück. „Eure Ururenkel werden sich so viele Schokoriegel kaufen können, wie sie in ihre Hälse stopfen können. Unser sauberes Geschäft hat Jobs für sämtliche Cousins und Neffen zu bieten, die wir haben." Er schloss die Tasche.

„Umso wichtiger ist es, dass wir sauber bleiben. Es gibt keinen einzigen Bericht, der uns mit illegalen Machenschaften in Verbindung bringt. Wenn wir nun aussteigen und gesetzestreu bleiben, müssen wir uns niemals Sorgen um Bullenarschlöcher machen, die uns morgens um fünf die Tür einrennen."

Wie um seine These zu bestätigen, heulte draußen in dem Moment eine Polizeisirene auf.

Enzo hob die Augenbrauen. „Du weißt, dass wir noch nie auf dieser Seite vom Zaun gestanden haben", sagte er. „So einfach wird das auch nicht werden."

„Nun mach aber mal halblang", sagte Max. „Wir haben dreiundneunzig Prozent auf der Seite des Zaunes. Wenn wir mit Geldwäsche und Pornografie aufhören, sind wir hundertprozentig sauber. Alles andere ist Kleinkram, Gefallen für Freunde, die einen Scheiß bedeuten."

„Wie lange ist es her?", fragte Enzo plötzlich. „Wie lange haben wir Carter schon?"

„Vierzehn … nein, seine Tochter muss vierzehn sein … wie heißt sie noch?"

„Amanda."

„Richtig, es sind also sechzehn Jahre."

„Und er hat gute Arbeit geleistet", fügte Max hinzu. „Selbst wenn das FBI morgen eine Überprüfung machen würde – bis die sich durch die Akten gewühlt haben, sabbern wir schon in unseren Haferschleim."

„Was ist mit deinem Kumpel Julian auf den Kanalinseln?", bohrte Enzo weiter. „Glaubst du wirklich, der wird den Mund halten?"

„Natürlich wird er das. Er wird nur ein paar Änderungen in den Büchern vornehmen. Und sich um andere Angelegenheiten kümmern."

„Im Großen und Ganzen gibt es drei Dinge, um die wir uns kümmern müssen", sagte Max. „Als Erstes sind da die Kolumbianer. Das sollte kein Problem sein. Wir sind nicht die Einzigen, die im Nordosten für sie tätig sind, sodass sie bestimmt schnell Ersatz finden werden. Dann ist da noch unsere Erwachsenenunterhaltung. Auch kein Problem. Ich kenne jemanden, der das Ganze komplett übernehmen wird."

„Wen?", fragte Sal.

„Ramon Rivas", antwortete Max.

„Rivas?" Sal hob eine Braue. „Diese Latino-Fotze? Bist du sicher?"

„Er ist ein ambitionierter Mistkerl, und er hat sowieso schon den größten Teil der Ostküste unter seiner Kontrolle."

„Bezahlt er bar?", fragte Enzo.

„Was für eine Frage!", sagte Max und setzte sich wieder hin. „Bleiben noch die Typen in London. Wir müssen Santiago und Colonel Villiers Marschbefehle geben. Ich denke aber, wenn wir ihnen eine großzügige Abfindung zahlen, werden sie uns keine Probleme bereiten."

„Wir haben noch nicht über Cora und die Mädchen gesprochen", sagte Sal und goss sich noch ein Glas ein. „Willst du das *Mazaras* schließen?"

„Warum, zur Hölle, das denn?", antwortete Max. „Keiner wird fürs Ficken verhaftet."

„Und was sagen wir Rodrigo?", fragte Enzo. „Wir machen seit vierzehn Jahre Geschäfte mit ihm. Solche Typen reagieren nicht gut auf Veränderungen."

„Ich fliege nach Bogota und treff mich mit ihm", sagte Max. „Von Angesicht zu Angesicht."

„Wann?"

„Hab ich mir noch nicht überlegt."

Enzo zögerte einen Moment und fragte dann: „Was ist mit Vic und seinem Computer-Geschäft?"

„Das müssen sie auch zumachen", sagte Max. „Er ist dein Sohn, Sal. Willst du es ihm sagen, oder soll ich?"

„Du." Sal nahm einen Schluck. „Auf dich hört er."

Enzo fragte: „Was willst du Villiers und Santiago zahlen?"

„Der Colonel hat heute Morgen eine Sendung in Kanada entgegengenommen", sagte Max. „So an die anderthalb Millionen. Ich lasse ihm eine Nachricht zukommen, dass er nicht die übliche Auslieferung machen soll. Ich sage ihm, dass er es behalten und auf Instruktionen warten soll."

Enzo war nicht überzeugt. „Wird er nicht neugierig sein?"

„Worauf?"

„Wo das Geld hingehen soll?"

„Nenn ihm einen Grund. Denk dir was aus. Du musst ja nicht konkret werden. Bleib vage. Sag ihm, wir müssen uns um die strategische Planung am Flughafen kümmern, das wird ihm einleuchten."

„Okay", sagte Enzo. „Aber was ist mit all den Typen, die hier in New York für uns arbeiten? Was willst du mit denen anstellen? Ihnen ein verficktes Zeugnis schreiben?"

„Sie arbeiten nicht für uns, Enzo", antwortete Sal. „Sie arbeiten für einen Typen, der sie über ein Handy beauftragt.

Keine Namen und keine Verbindung zu uns. Erinnerst du dich? Wir haben immer gute Leute ausgesucht. Sie werden keine Probleme haben, neue Jobs zu finden."

Enzo schüttelte den Kopf. „Wir haben uns über die Jahre viele Feinde gemacht. Glaubst du, die vergessen so einfach? Sobald es die Runde macht, dass wir aussteigen, werden sie bei uns vor der Tür stehen."

„Die meisten von ihnen sind ausgestiegen, tot oder im Gefängnis", sagte Sal und fing an zu lachen.

„Was ist so lustig?", fragte Max.

„Ich hab nur gerade an Papa Aldo gedacht", erklärte Sal. „Was der wohl sagen würde, wenn er jetzt hier wäre."

Max grinste. „Ja, er hätte keinen Schimmer, wovon, zum Teufel, wir reden. Wir würden ihn zwingen müssen, sich hinzusetzen und ihm … wie hieß noch mal dieser Drink, den er so gern mochte?"

„Fernet-Branca", antwortete Enzo.

„Batteriesäure."

Sal lachte grunzend. „Ja, das war es. Sein *aperitivo*!"

Alle drei Männer lächelten bei der Erinnerung.

Sal lehnte sich in seinem Sitz zurück. „Hey, Max", sagte er, „erinnerst du dich daran, als die großen Jungs versucht haben, Papa aus dem Geschäft zu drängen? Es gab keinen *amici degli amici* für ihn. Er machte es ganz alleine. Schlug die Mistkerle in ihrem eigenen Spiel. Es hat ihn Jahre gekostet, aber er hat es getan. Unser Name stand für Qualität."

„Qualität! Nun ist aber mal gut, Sal", sagte Enzo. „Unser Alter hat seine Macht durch Terror und Einschüchterung etabliert. Er würde die heutige Welt keine fünf Minuten überleben."

„Also, was ist nun, kleiner Bruder? Machst du mit?", fragte Max. „Sag uns, was du denkst."

Enzo zuckte nur mit den Schultern.

„Es ist Zeit auszusteigen", sagte Sal. „Okay?"

„Okay", sagte Enzo. „Meinetwegen."

Sal grub unter seinem Sweatshirt und zog eine neue Zigarre und den Spitzenschneider hervor. Er schnitt das Ende ab und zündete sie sorgfältig an, bis sie rot glühte. Dann stand er auf und ging zum Vorhang hinüber.

„He! Ihr beiden. Verschwindet verdammt noch mal nach draußen", sagte er. „Aber schnell!"

Der Koch und der Kellner eilten zur Vordertür hinaus, als Sal zurückkam und sich neben den Tisch stellte.

„Als Papa starb, hat er mir die Verantwortung übertragen", sagte er. „Richtig?"

„Richtig", stimmten Max und Enzo im Chor zu.

„Es gibt die Ansicht, dass ich mich nicht genug fürs Geschäft interessiere. Manche Leute denken gar, ich werde senil. Und das ist gut so. Das hält sie mir vom Leib." Er blies eine dicke Rauchwolke in die Luft. „Wir müssen uns beeilen, Max. Wir werden keine zweite Chance kriegen. Wir müssen es sofort richtig machen."

Er zeigte mit seiner Zigarre auf ihn. „Du wirst auf der Stelle nach Südamerika aufbrechen. Triff Rodrigo. Du kannst dir im Flugzeug überlegen, was du ihm sagen willst. Schick Rocco heute Nacht nach London. Er soll sich wie immer bereithalten, über das gleiche Internetcafé in Kensington.

Tut mir leid, Max, aber ich bin nicht damit einverstanden, dass wir Santiago und Villiers eine Abfindung geben. Sie wissen zu viel. Sag Rocco, er soll sie loswerden. Für immer."

Max zögerte, bevor er fragte: „Unter die Erde? Beide?"

Enzo schüttelte den Kopf. „Santiago war seit Ewigkeiten unser Topmann in Europa. Er hat sich als extrem nützlich herausgestellt. Wenn der Colonel Hilfe gebraucht hat beim

Geldverschieben, war er immer zur Stelle. Er hat uns nie enttäuscht. Er ist zuverlässig. Sind wir nicht besser dran, wenn er lebt, als wenn er tot ist?"

„Enzo hat recht", sagte Max. „Sollten wir nicht warten …?"

„Heilige Mutter Gottes! Seid ihr beide taub? Keine verdammte Verzögerung!", sagte Sal mit Nachdruck. „Wir haben keine Wahl, wenn wir nachts ruhig schlafen wollen."

Er legte Max eine Hand auf die Schulter. „Sag Villiers, dass wir jemanden in die *Mews* schicken werden, um die anderthalb Millionen abzuholen. Sag ihm nicht, dass es Rocco ist. Wir wollen nicht, dass er Verdacht schöpft. Je weniger Leute wissen, dass Rocco da ist, desto besser. Mach mit Rivas weiter. Arbeite schnell, aber hol den besten Preis raus. Dann schickst du die Mädchen weg und schließt das *Mazaras*."

„Kein Grund, es ganz zu schließen", sagte Max. „Wir machen einfach ein Restaurant draus. So ein Familiending."

„Okay, wenn du da Lust zu hast", sagte Sal und schnippte die Asche von seiner Zigarre. „Enzo. Du kümmerst dich um all die kleinen Sachen, die wir am Laufen haben. Tu, was zu tun ist, um sie alle loszuwerden. Ruf an, wenn du fertig bist."

„Alle?", fragte Enzo.

Sal nickte und knallte sein Glas auf den Tisch. „Treffen beendet", sagte er und warf zwei Zwanziger auf den Tisch. „Nun lass uns hier abhauen. Ich hasse diesen Laden. Ich weiß nicht, warum, zum Teufel, wir den gekauft haben."

Inmitten des Mülls starrte Harry auf das kleine Display seines Handys. Kurz nachdem er angefangen hatte, unter dem Fester zu lauschen, hatte er es leise aus seiner Tasche gezogen, die Notepad-App geöffnet und Namen und Sätze eingetippt, die er gehört hatte.

Es vergingen gut fünf Minuten, bis er es wagte, auf den Gehweg zurückzukehren. Um sich zu sammeln, fing er an zu gehen. Nach ein paar Blocks kam er an einen Coffeeshop. Er setzte sich auf einen Platz am Fenster und bestellte einen Bagel mit Speck und eine Tasse Kaffee. Dann machte er sein Handy an und las seine Liste durch.

Eins war schon mal klar: Jemand in London stand kurz davor, umgebracht zu werden, jemand, der *Villiers* hieß. Vermutlich von einem Killer namens *Rocky*.

Die Kellnerin kam mit seiner Bestellung. Max schüttete etwas Sahne und Zucker in den dampfenden Becher Kaffee.

Hatte er alles bloß falsch verstanden? Konnte das ein Scherz sein? Oder irgendeine dumme Fernseh-Gameshow? Wer waren diese Typen? Wer war Villiers? Und was hatte der arme Mann getan, dass er es verdiente, unter die Erde gebracht zu werden? Und was, zum Teufel, kümmerte das Harry eigentlich?

Er drapierte etwas Speck auf seinem Bagel und nahm einen großen Bissen. Als er so vor sich hin kaute, warf er noch einen Blick auf die Liste und kam zu dem traurigen Schluss, dass es nicht viel gab, das ein arbeitsloser Schauspieler in New York tun konnte, um einem todgeweihten Typen auf der anderen Seite des Atlantiks zu helfen.